UNION GÉNÉRALE D'ÉDITIONS
8, rue Garancière – Paris VIᵉ

RAISON
ET SENTIMENTS

PAR
JANE AUSTEN

Traduit de l'anglais
par Jean PRIVAT

Note biographique
de Jacques ROUBAUD

10|18

Série "Domaine étranger"
dirigée par Jean-Claude Zylberstein
CHRISTIAN BOURGOIS ÉDITEUR

Titre original :
SENSE AND SENSIBILITY

© Christian Bourgois éditeur, 1979
pour la présente édition
ISBN - 2.264.00415-0

I

La famille Dashwood habitait depuis longtemps dans le Sussex. Elle jouissait d'une large aisance et avait établi sa résidence à Norland Park, au centre de ses domaines où ses membres avaient vécu depuis de nombreuses générations et s'étaient attiré l'estime et le respect de tout le voisinage. Le dernier descendant de cette famille était un célibataire, très avancé en âge. Pendant la plus grande partie de sa vie, il avait vécu avec sa sœur, qui gouvernait son ménage. Mais la mort de celle-ci, survenue dix ans avant la sienne, entraîna un grand changement dans sa maison; pour compenser cette perte, il installa chez lui la famille de son neveu, Mr. Henry Dashwood, l'héritier naturel des domaines de Norland, à qui il se proposait de les léguer.

Dans la société de son neveu, de sa nièce et de leurs enfants, le vieux gentleman passa des jours heureux. Tout contribuait à l'attacher à eux. Le soin diligent que Mr. et Mrs. Henry Dashwood apportaient à prévenir ses désirs, et cela non pas seulement dans un but intéressé, mais par une bonté de cœur naturelle, était de nature à lui donner toutes les satisfactions que son âge pouvait désirer et la gentillesse des enfants enchantait son existence.

D'un premier mariage, Mr. Henry Dashwood avait eu un fils, et de sa seconde femme, trois filles. Le fils, jeune homme posé et digne, se trouvait dans une situation fort aisée, ayant hérité la fortune de sa mère, qui était considérable, et dont la moitié était à sa libre disposition depuis sa majorité. Son propre mariage, qui survint peu de temps après, ajouta encore à sa richesse. Ainsi, la succession de son grand-oncle n'avait pas autant d'importance pour lui que pour ses sœurs. Car leur fortune, en dehors de ce qu'elles pouvaient espérer de ce côté si leur père héritait, était fort peu de chose. Leur mère n'avait rien et le patrimoine personnel de leur père n'était que de six mille livres; en effet, l'autre moitié de la fortune de sa première femme devait revenir à son fils et il n'en avait que l'usufruit.

Le vieux gentleman mourut. On ouvrit son testament qui, comme beaucoup d'autres documents de ce genre, entraîna autant de déception d'un côté que de plaisir de l'autre. Le vieillard n'avait pas été assez injuste, ni assez ingrat pour priver son neveu de sa succession. Mais il s'y était pris d'une façon qui enlevait la moitié de sa valeur au présent qu'il lui en faisait. Mr. Dashwood souhaitait cet héritage beaucoup plus à cause de sa femme et de ses filles que pour lui-même et son fils. Or, toute la fortune était assurée à son fils et au fils de celui-ci, un enfant de quatre ans. Mr. Henry Dashwood ne pouvait disposer de rien en faveur de ceux qui lui étaient les plus chers, et qui en avaient le plus besoin. Tout était consolidé sur la tête de cet enfant. Au cours de quelques visites qu'il avait faites à Norland avec son père et sa mère, il avait séduit son oncle par des gentillesses enfantines, un langage puéril, une grande vivacité, d'amusantes simagrées et pas mal de tapage.

Tout cela avait pesé plus fort dans son esprit que les années d'attentions et de soins de sa nièce et de ses filles. Pourtant, il n'avait pas l'intention d'être ingrat, et comme marque de son affection pour les trois jeunes filles, il leur laissa à chacune mille livres.

Le désappointement de Mr. Dashwood fut très vif tout d'abord. Mais il avait un heureux caractère et ne se laissait pas abattre facilement. Il pouvait espérer avoir de longues années devant lui et, en vivant économiquement, mettre de côté une somme importante sur les revenus d'un domaine considérable et susceptible d'améliorations presque immédiates. Mais cette fortune qui lui était venue si tardivement ne fut sienne que l'espace d'une année. Il ne survécut pas plus longtemps à son oncle. Et sa femme et ses filles se trouvèrent réduites à un capital de dix mille livres, y compris le dernier legs.

On avait envoyé chercher son fils dès qu'il fut en danger, et Mr. Dashwood lui avait recommandé, avec toute la force que lui permettait son état, les intérêts de sa belle-mère et de ses sœurs.

Mr. John Dashwood n'avait pas l'élévation d'esprit du reste de la famille; mais il fut ému par une telle recommandation faite à un tel moment, et il promit de faire tout ce qui serait en son pouvoir pour assurer leur bien-être. Son père mourut rassuré par une telle promesse, et Mr. John Dashwood dut alors examiner à loisir ce que la prudence lui permettait de faire à cet égard.

Il n'avait pas une mauvaise nature, à moins qu'on ne qualifie ainsi la sécheresse de cœur unie à pas mal d'égoisme; mais il était considéré, en général, comme un homme respectable, car il se conduisait correctement dans les circonstances ordinaires de la vie. S'il avait épousé une meilleure femme, elle aurait pu le rendre plus digne de respect et même meilleur qu'il ne l'était; car il s'était marié fort jeune et était fort épris de sa femme. Mais Mrs. John Dashwood était la vivante caricature de son mari; d'esprit plus étroit encore et de caractère plus égoïste.

Au moment où il fit à son père sa promesse, il avait dans l'esprit de faire cadeau à chacune de ses sœurs d'un millier de livres. Il se sentait vraiment en état de le faire. La perspective de quatre mille livres de revenus venant s'ajouter à sa fortune présente, sans compter l'autre moitié de la fortune maternelle, lui réchauffait le cœur et il se sentait capable de générosité. Oui, il leur donnerait trois mille livres, il serait noble et généreux. Cela suffirait pour les mettre tout à fait à l'aise. Trois mille livres! Il pouvait économiser une somme aussi considérable sans se gêner. Il y pensa toute la journée et plusieurs jours de suite et s'affermit dans cette résolution.

Aussitôt après les funérailles, Mrs. John Dashwood, sans avoir prévenu le moins du monde sa belle-mère, arriva avec son fils et ses domestiques. Personne ne pouvait lui disputer son droit : la maison appartenait à son mari dès le moment du décès de son père; mais l'indélicatesse de son procédé n'en était que plus grande. Elle aurait été certainement ressentie par n'importe quelle personne dans la situation de Mrs. Dashwood, mais celle-ci avait un sens si vif de l'honneur, une générosité si romantique qu'un manquement de ce genre, quel qu'en fût l'auteur ou la victime, était pour

elle la source d'un insurmontable dégoût. Mrs. John Dashwood n'avait jamais été très appréciée par personne dans
la famille de son mari. Mais jusqu'alors elle n'avait pas eu
l'occasion de leur montrer à quel point elle pouvait porter,
le cas échéant, le mépris des sentiments d'autrui.

Mrs. Dashwood avait ressenti si vivement ce procédé, et
elle en voulait tellement à sa belle-fille, qu'elle aurait quitté
immédiatement la maison à l'arrivée de cette dernière. Mais
un entretien avec sa fille aînée la fit réfléchir sur la conséquence de cette résolution et le tendre amour qu'elle portait
à ses trois enfants lui fit prendre finalement la résolution
de rester et, à cause d'elles, d'éviter cette brouille avec son
beau-fils.

Elinor, sa fille aînée, dont l'opinion avait eu tant de poids,
était douée d'une force d'intelligence et d'une netteté de
jugement qui faisaient d'elle, bien qu'âgée seulement de dix-
huit ans, le conseiller habituel de sa mère et lui permettaient
de tempérer fort heureusement la vivacité de Mrs. Dashwood
qui l'aurait entraînée bien des fois à des imprudences. Elle
avait un cœur excellent; son tempérament était affectueux
et ses sentiments profonds, mais elle savait les gouverner.
C'était là une science que sa mère avait encore à apprendre
et qu'une de ses sœurs avait résolu de ne jamais connaître.

Marianne disposait, à beaucoup d'égards, des mêmes
moyens que sa sœur. Elle était sensée et perspicace, mais
passionnée en toutes choses, incapable de modérer ni ses
chagrins ni ses joies. Elle était généreuse, aimable, intéressante, bref, tout, excepté prudente. Elle ressemblait d'une
façon frappante à sa mère.

Elinor voyait, avec regret, l'excès de sensibilité de sa
sœur; mais Mrs. Dashwood lui en faisait un mérite et s'en
délectait. Elles s'entretenaient l'une l'autre dans la violence
de leur affliction. La première vivacité de leur chagrin, qui
les avait d'abord submergées, était volontairement renou-
velée, recherchée, recréée au jour le jour. Elles s'y livraient
entièrement, cherchant un surcroît de douleur dans toutes
les réflexions qui pouvaient leur en apporter, et résolues à
n'attendre de l'avenir aucune consolation.

Elinor, elle aussi, avait été profondément affectée, mais
elle restait capable de lutter, de prendre sur elle. Elle put
s'entretenir avec son frère, recevoir sa belle-sœur à son arrivée, et la traiter avec convenance. De même, essaya-t-elle

d'amener sa mère à faire pareil effort et de l'encourager à pratiquer la même indulgence.

Margaret, l'autre sœur, était une enfant de belle humeur et de bonnes dispositions; mais, comme elle avait déjà pris beaucoup de l'esprit romanesque de Marianne sans avoir grand'chose de sa raison, on pouvait craindre que, par la suite, elle n'égalât pas ses sœurs.

II

Mrs. John Dashwood était maintenant installée en maîtresse à Norland, et sa belle-mère et ses belles-sœurs étaient rabaissées au rang de visiteuses. Sur ce pied, cependant, elles étaient traitées par elle avec une tranquille politesse, et, par son époux, avec toute la tendresse qu'il pouvait ressentir envers tout autre que lui-même, sa femme ou leur fils. Il les pressa réellement, avec une certaine chaleur, de considérer Norland comme leur maison; et, comme Mrs. Dashwood ne voyait rien de mieux à faire que d'y rester jusqu'à ce qu'elle puisse s'arranger d'une maison dans le voisinage, l'invitation fut acceptée.

Rester dans ce logis où tout lui rappelait son bonheur passé était exactement ce qui convenait à son état d'esprit. Dans les périodes de prospérité, nul caractère n'était plus gai que le sien, ni enclin, à un plus haut degré, à cet appétit de bonheur qui est le bonheur même. Mais, dans l'adversité, elle se laissait également aller au courant de son humeur. Elle repoussait alors toute consolation comme elle avait écarté toute ombre dans la prospérité.

Mrs. John Dashwood n'approuva pas du tout ce que son mari avait projeté de faire pour ses sœurs. Prendre trois mille livres sur la fortune de leur cher petit garçon, c'était l'appauvrir d'une terrible façon. Elle le pria de réfléchir encore là-dessus. Comment pourrait-il se disculper à ses propres yeux d'avoir ainsi frustré son fils, son fils unique, d'une aussi grosse somme? Et quel droit pouvaient invoquer les Dashwood, ces gens qui ne lui tenaient qu'à moitié par le sang, et qu'elle-même, du reste, ne considérait pas du tout comme des parents, pour justifier une aussi grande générosité? C'était une chose bien connue qu'on n'avait jamais rencontré d'affection véritable entre les enfants qu'un homme avait eus de plusieurs mariages; et pourquoi irait-il se ruiner lui-même, et leur pauvre petit Harry, en abandonnant tout son argent à ses demi-sœurs?

— C'est la dernière demande de mon père, répliqua son époux : il m'a fait promettre de venir en aide à sa femme et à ses filles.

— Je parie qu'il ne savait pas ce qu'il disait; il y a dix chances pour une qu'il n'ait pas eu sa tête à ce moment-là. S'il avait été dans son bon sens, il n'aurait jamais songé à pareille chose : vous demander d'arracher la moitié de votre fortune des mains de votre propre fils!

— Il n'a pas fixé une somme particulière, ma chère Fanny, il m'a seulement demandé, en termes généraux, de leur venir en aide et de rendre leur situation meilleure qu'il n'était en son pouvoir de le faire. Peut-être aurait-il mieux valu qu'il se soit complètement fié à moi. Il pouvait difficilement supposer que je ne m'occuperais pas d'elles. Mais, puisqu'il me demandait une promesse, je ne pouvais faire autrement que de la lui donner, c'est du moins ce que j'ai cru à ce moment. La promesse a été faite et elle doit être tenue. Il faut faire quelque chose pour elles lorsqu'elles quitteront Norland pour s'installer dans une nouvelle résidence.

— Bien, alors, faisons quelque chose; mais ce quelque chose ne va pas nécessairement à trois mille livres. Considérez, ajouta-t-elle, que quand vous aurez donné cet argent, vous ne le reverrez plus. Vos sœurs se marieront et il sera perdu pour toujours. Si encore il devait revenir à notre pauvre petit garçon!

— Oui, certainement, prononça avec gravité son époux, cela ferait une grande différence. Le temps peut venir où Harry regrettera d'avoir été privé d'une aussi grosse somme. S'il venait, par exemple, à avoir une nombreuse famille, ce serait un supplément bien venu.

— Certainement.

— Peut-être alors vaudrait-il mieux, pour tout le monde, que la somme soit diminuée de moitié. Cinq cents livres seraient pour elles un prodigieux accroissement à leurs fortunes.

— Oh! au dela de toute idée! Quel frère, en ce moment, ferait la moitié d'un tel sacrifice pour ses sœurs, même si elles étaient réellement ses sœurs? Et ici, elles ne le sont qu'à demi! Mais vous avez un caractère si généreux!

— Je ne veux pas de mesquineries, répliqua-t-il. Il vaut mieux, en pareil cas, faire un peu trop que pas assez. Personne, au moins, ne pourra me critiquer; elles-mêmes, assurément, pourraient difficilement s'attendre à plus.

— Personne ne sait ce qu'elles peuvent espérer, répliqua la jeune femme, mais nous n'avons pas à nous occuper de ce qu'elles pensent; la question est de savoir ce que nous pouvons faire.

— Certainement, et je pense que je puis envisager de leur donner cinq cents livres à chacune. Ainsi, sans que j'ai rien à ajouter, chacune aura plus de trois mille livres à la mort de leur mère; c'est une bien jolie fortune pour une jeune femme.

— Assurément, et il me semble évident qu'elles n'ont besoin de rien de plus. Cela fera dix mille livres à se partager entre elles. Si elles se marient, elles se marieront certainement bien; et sinon, elles peuvent vivre ensemble confortablement sur les intérêts de dix mille livres.

— Voilà qui est bien vrai. Aussi, je ne sais si, après tout, il ne vaudrait pas mieux faire quelque chose pour leur mère durant sa vie plutôt que pour elles : je pense à quelque chose dans le genre d'une rente. Mes sœurs en profiteraient autant qu'elle. Cent livres par an les mettraient tout à fait à leur aise.

Sa femme hésita un peu cependant à donner son consentement à ce plan.

— Certainement, dit-elle, cela vaut mieux que de se dépouiller de quinze cents livres d'un coup. Mais, alors si Mrs. Dashwood vit cinquante ans, nous nous serons entièrement liés pour tout ce temps?

— Cinquante ans! ma chère Fanny, il faut bien en rabattre la moitié.

— Certainement non. Vous pouvez remarquer que les gens vivent toujours éternellement quand ils ont des annuités à toucher. Une rente est une affaire sérieuse; cela revient à date fixe, année par année, et il n'y a pas moyen de s'en débarrasser. Vous ne vous rendez pas compte de ce à quoi vous allez vous engager. J'ai une grande expérience des ennuis que donnent ces annuités. Ma mère en avait trois à servir à de vieux serviteurs hors d'âge, de par le testament de mon père, et on ne peut s'imaginer combien elle trouvait cela désagréable. Deux fois par an, il fallait verser et se donner la peine de leur envoyer l'argent. Une fois, on nous annonça que l'un d'eux venait de mourir, et il se trouva ensuite qu'il n'en était rien. Ma mère en était malade. Son revenu n'était pas à elle, disait-elle, avec ces prélèvements. Et c'était d'autant moins tolérable de la part de mon père que, sans cela, ma mère aurait eu son argent à son entière disposition, sans restriction d'aucune sorte. Cela m'a donné une telle horreur des viagers que, certainement pour rien au monde, je ne voudrais m'y assujettir.

— C'est certainement une fâcheuse chose, répondit Mr. Dashwood, d'avoir ce genre de charge annuelle sur ses revenus. Votre fortune, comme le disait si bien votre mère, n'est plus à vous. Etre assujetti au paiement d'une telle somme, à jour fixe, n'est pas agréable; on y perd son indépendance.

— Sans aucun doute; et, tout compte fait, on ne vous en a aucune reconnaissance. Les gens se tiennent pour garantis, vous ne faites pas plus que ce qu'ils attendent, et cela ne vous attire aucun remerciement. Si j'étais à votre place, je garderais l'initiative de ce que j'ai à donner. Je ne m'obligerais pas à leur servir quoi que ce fût régulièrement. Cela pourrait devenir très gênant pour nous, certaines années, d'économiser cent livres ou même cinquante sur nos dépenses.

— Vous avez raison, je crois, mon amour. Il vaut mieux qu'il ne soit pas question d'annuités; ce que je pourrai leur donner, de temps en temps, leur sera bien plus utile qu'une rente, si elles sont assurées d'un plus grand revenu elles augmenteront leur train de vie et n'auront pas six pences de plus au bout de l'année. C'est certainement le meilleur procédé. Un cadeau de cinquante livres de-ci de-là les mettra à l'abri des embarras d'argent et j'aurai, je crois, amplement rempli ma promesse envers mon père.

— Certainement. Au fond, pour dire la vérité, je suis convaincue que votre père ne songeait pas du tout que vous leur donneriez de l'argent. Ce qu'il avait dans l'esprit, en parlant d'assistance, c'était, j'en suis certaine, ce qu'on pouvait raisonnablement attendre de vous : par exemple, leur trouver une confortable petite maison, les aider à faire leur déménagement, leur envoyer des cadeaux de poisson et de gibier selon la saison. Je mettrais la main au feu qu'il ne pensait à rien d'autre, et vraiment le contraire eût été bien étrange et déraisonnable. Considérez, mon cher Dashwood, de quelle façon excessivement confortable votre mère et vos sœurs peuvent vivre sur le revenu de sept mille livres, sans compter les mille livres revenant aux enfants qui leur rapportent cinquante livres par an à chacune et sur lesquelles elles paieront certainement leur pension à leur mère. À elles toutes, elles auront cinq cents livres par an, et je vous demande ce que quatre femmes peuvent désirer de plus au monde! Elles vivront si économiquement! Leur ménage sera si peu de chose! Elles n'auront besoin ni de voiture, ni de chevaux, à peine de domestiques; elles ne recevront pas et n'auront de dépenses d'aucun genre! Imaginez seulement comme elles vont être à leur aise! Cinq cents livres par an! Il est impossible d'imaginer comment elles feront pour en dépenser la moitié; et pour ce qui est de leur donner quelque chose, il est tout à fait absurde d'y penser. Elles seraient bien plutôt en état de vous faire des cadeaux.

— Sur ma parole, dit Mr. Dashwood, je crois que vous avez parfaitement raison. Mon père certainement ne pensait pas à autre chose qu'à ce que vous venez de dire. Je le vois clairement à présent et je remplirai strictement ma promesse par des actes d'assistance et de bienveillance comme ceux que vous venez d'indiquer. Lorsque ma belle-mère se retirera dans une autre maison, je mettrai de bon cœur mes services à sa disposition pour lui faciliter les choses de mon mieux. Je pourrai aussi lui faire quelques petits présents de mobilier.

— Certainement, répliqua Mrs. John Dashwood. Mais il faut cependant voir une chose. Quand votre père et votre mère vinrent s'installer à Norland, bien qu'ils aient alors vendu leur mobilier, ils conservèrent tous leurs services de table, l'argenterie et le linge, et tout cela revient maintenant à votre belle-mère. Sa maison sera donc maintenant complètement montée dès qu'elle aura trouvé à se loger.

— C'est à considérer. C'est un legs qui en vaut la peine. Et certainement, il nous aurait été agréable d'ajouter quelques pièces de ce service à notre propre vaisselle.

— Oui, et le service de table pour le breakfast est deux fois plus beau que celui qui est ici. Beaucoup trop beau, à mon avis, pour le genre d'appartement où elles auront à vivre. Mais enfin, c'est ainsi. Votre père ne pensait qu'à elles. Et je dois vous le dire, vous ne lui devez aucune gratitude particulière, ni aucun égard à ses vœux, car vous savez bien que, s'il avait pu, il leur aurait donné tout au monde.

L'argument fut irrésistible. Il acheva de donner à ses intentions ce qui pouvait encore leur manquer de fermeté; et il décida finalement qu'il était absolument inutile, pour ne pas dire inconvenant, de faire pour la veuve et les enfants de son père autre chose que les actes de bon voisinage que sa femme venait d'indiquer.

III

Mrs. Dashwood demeura à Norland plusieurs mois. Ce n'était pas qu'elle tînt à s'y attarder. La violente émotion qu'elle éprouvait, dans les premiers temps, à l'idée d'abandonner chaque coin familier de cette demeure, s'était apaisée; et, quand le sang-froid lui revint et que son esprit fut capable d'autre chose que d'entretenir son chagrin en se repliant sur des souvenirs mélancoliques, elle ne souhaita plus que de partir. Infatigablement, elle était à la recherche d'une habitation dans le voisinage de Norland, car, s'écarter de ce bienheureux Norland, était impossible. Mais elle ne trouvait rien qui répondît à ses idées personnelles de confort et d'aisance, tout en tenant compte des observations prudentes de sa fille aînée dont le jugement plus rassis avait fait écarter plusieurs projets d'installation trop onéreux pour leurs moyens et que sa mère aurait acceptés.

Mrs. Dashwood avait été informée, par son mari, de la promesse solennelle que son fils lui avait faite, à leur sujet, et qui avait été le réconfort de ses derniers instants. Elle ne doutait pas plus de la sincérité de cette promesse que ne l'avait fait son mari, et elle s'en réjouissait à cause de ses filles; car, pour elle-même, elle était persuadée qu'une somme bien moindre que les sept mille livres dont elle disposait lui aurait largement suffi. Elle en était heureuse aussi en ce qui concernait leur frère qui montrait ainsi son bon cœur; et elle se reprochait de l'avoir méconnu auparavant, en le croyant incapable de générosité. La manière aimable dont il se conduisait envers ses sœurs et elle-même acheva de la confirmer dans son espoir de le voir s'intéresser à leur bien-être et, pendant longtemps, elle crut fermement à ses intentions généreuses.

Le mépris dans lequel elle tenait sa belle-fille et qui remontait presque au début de leurs relations, s'accrut considérablement pendant leur vie commune et ces six mois lui donnèrent l'occasion de mieux connaître son caractère; et peut-être, en dépit de toutes les considérations que lui dictaient la politesse et l'affection maternelle, il eût été impossible à ces deux femmes de se supporter aussi longtemps si une circonstance particulière n'avait incliné Mrs. Dashwood à souhaiter pour ses filles la prolongation de leur séjour à Norland.

Cette circonstance était l'affection qui grandissait entre sa fille aînée et le frère de Mrs. John Dashwood, jeune homme très distingué et sympathique, qui avait fait leur connaissance peu après l'installation de sa sœur à Norland où il avait passé la plus grande partie de son temps.

Plus d'une mère aurait encouragé cette intimité par intérêt, car Edward Ferrars était le fils aîné d'un homme qui avait laissé une grosse fortune; et plus d'une autre aurait cherché à la décourager par motif de prudence, car, à part une somme insignifiante, toute la fortune était à la disposition de sa mère. Mais aucune de ces considérations n'avait d'influence sur Mrs. Dashwood. C'était assez pour elle qu'il fût agréable, qu'il aimât sa fille et que celle-ci le payât de retour. Il était contraire à tous ses principes d'admettre qu'une différence de fortune pût séparer un couple uni par une sympathie mutuelle; et que quiconque avait l'occasion d'approcher d'Elinor pût méconnaître ses mérites était chose qu'elle ne pouvait même pas concevoir.

Leur bonne opinion sur Edward Ferrars n'était pas fondée sur le caractère particulièrement séduisant de sa personne ou de ses manières. Il se défiait trop de lui-même

pour s'imposer; mais, quand il n'était plus gêné par sa timidité, toute sa conduite trahissait une nature ouverte et affectueuse. Ses dons avaient été largement développés par une
solide culture. Mais ni ses talents ni ses goûts ne le portaient
à répondre aux vœux de sa mère et de sa sœur qui ne désiraient que le voir se distinguer. Comment? C'est ce qu'elles
ne savaient pas. Elles auraient voulu qu'il fît grande figure
dans le monde d'une manière ou d'une autre. Sa mère souhaitait de le voir faire de la politique, entrer au Parlement
ou devenir l'intime des grands hommes du jour. Ces idées
étaient partagées par Mrs. John Dashwood; mais, en attendant la réalisation de ces beaux rêves, elle se serait contentée
qu'il conduisît un cabriolet. Malheureusement pour elles,
Edward n'avait de penchant ni pour les grands hommes ni
pour les cabriolets. Tous ses vœux tendaient au confort
domestique et à la tranquillité d'une vie privée. Heureusement, il avait un frère cadet qui promettait davantage.

Il était resté, pendant plusieurs semaines, à la maison sans
attirer beaucoup l'attention de Mrs. Dashwood, car elle
était à ce moment-là tellement plongée dans son affliction
qu'elle ne prêtait aucune attention à ce qui se passait autour
d'elle. Elle avait seulement constaté qu'il était modeste et
discret et il lui plaisait à cause de cela. Il ne la troublait
pas dans sa détresse en lui adressant la parole hors de propos.
Elle fut amenée à l'observer de plus près et à l'apprécier
davantage à la suite d'une réflexion que fit, par hasard, un
jour, Elinor sur la différence de caractère qui existait entre
lui et sa sœur. Ce contraste ne pouvait que renforcer la
bonne opinion de sa mère.

— Cela suffit, dit-elle. Reconnaître qu'il ne ressemble pas
à Fanny, revient à dire qu'il est parfaitement aimable, et je
l'aime déjà!

— Je crois qu'il vous plaira davantage, dit Elinor, lorsque vous le connaîtrez mieux.

— Me plaire? répliqua sa mère avec un sourire. Je ne
connais pas d'autre manière d'apprécier les gens que de les
aimer.

— Vous pourriez l'estimer!

— Je n'ai jamais pu séparer l'estime de l'amitié.

Mrs. Dashwood se donna alors la peine de lier plus ample
connaissance avec lui. Ses manières étaient attachantes et
il sortit bientôt de sa réserve. Elle se rendit rapidement

compte de ses mérites. Peut-être sa conviction qu'il s'intéressait à Elinor, aida-t-elle à sa pénétration; mais elle se
sentit réellement certaine de sa droiture. Et même son appa-
rente passivité, qui contrastait avec les idées qu'elle se faisait
sur le comportement d'un jeune homme, cessa de la choquer quand elle se fut rendue compte de son caractère affectueux et de la vivacité de ses sentiments.

A peine eut-elle saisi quelques symptômes d'amour dans
son attitude envers Elinor qu'elle considéra leur attachement comme certain et envisagea le mariage comme prochain.

— D'ici quelques mois, ma chère Marianne, dit-elle,
Elinor sera très probablement fixée pour toute sa vie. Nous la
perdrons, mais elle sera heureuse.

— Oh! maman, comment ferons-nous sans elle?

— Mon amour, ce sera à peine une séparation. Nous
vivrons à quelques milles les unes des autres et nous nous
rencontrerons tous les jours. Vous y gagnerez un frère vrai
et affectueux. J'ai la plus haute idée du cœur d'Edward. Mais
vous avez un air grave, Marianne. Désapprouveriez-vous le
choix de votre sœur?

— Peut-être, dit Marianne, ai-je le droit d'être un peu
surprise. Edward est fort aimable et je l'aime tendrement.
Mais cependant, ce n'est pas tout à fait le genre d'homme...
il lui manque je ne sais quoi, sa physionomie n'a rien de
frappant, il n'a aucunement cette grâce qu'on doit attendre
d'un homme capable de plaire sérieusement à ma sœur. Il
n'a pas, dans les yeux, ce feu, cet éclat qui annoncent la spon-
tanéité et l'intelligence. Il ne semble guère avoir de goût
pour la musique; il admire beaucoup les peintures d'Elinor
mais ce n'est pas une admiration motivée. Il est évident, en
dépit de l'attention qu'il lui porte fréquemment pendant
qu'elle peint, qu'il n'y connaît rien. Il admire en amoureux,
non en connaisseur. Pour me satisfaire, il faudrait unir les
deux choses. Il me serait impossible d'être heureuse avec un
homme dont les goûts ne cadreraient pas en tous points
avec les miens. Il faudrait qu'il entre dans tous mes sentiments; les mêmes livres, la même musique devraient faire
notre bonheur. Oh! maman, de quelle manière ennuyeuse,
sans goût, Edward nous a fait la lecture hier soir! J'en étais
si fâchée pour ma sœur! Pourtant, elle prenait cela très bien,
elle avait à peine l'air de s'en apercevoir. Je ne tenais pas sur

ma chaise. Entendre ces beaux vers qui m'ont si souvent transportée, lus avec un calme aussi imperturbable, une si parfaite indifférence !...

— Il aurait certainement mieux rendu une prose simple et élégante. J'y ai pensé sur le moment. Mais vous êtes allée lui donner Cowper.

— Eh ! bien, maman, s'il ne s'amuse pas en lisant du Cowper !... Mais il faut tenir compte de la différence des goûts. Elinor n'est pas comme moi, elle peut donc passer là-dessus et être heureuse avec lui. Mais moi, si j'avais été éprise de lui, cela m'aurait brisé le cœur de l'entendre lire avec si peu de sentiment. Maman, plus je vois de monde, plus je suis convaincue que je ne trouverai jamais un homme que je puisse réellement aimer. Je demande tant ! Il faudrait qu'il eût toutes les qualités d'Edward et que sa personne et ses manières leur ajoutent tout le charme possible...

— Rappelez-vous, mon amour, que vous n'avez pas encore seize ans. Pourquoi n'auriez-vous pas autant de chance que votre mère ? Puisse votre destinée, ma Marianne, ne différer qu'en un seul point de la sienne !

IV

— Quel dommage, Elinor, dit Marianne, qu'Edward n'ait aucun goût pour le dessin !

— Pas de goût pour le dessin ? répliqua sa sœur, qu'est-ce qui vous fait dire cela ? Il ne dessine pas lui-même, c'est vrai, mais il prend grand plaisir à voir les œuvres des autres et je vous assure qu'il ne manque nullement de goût naturel, bien qu'il n'ait pas eu d'occasion de le perfectionner. S'il avait travaillé, je crois qu'il dessinerait vraiment bien. Il se méfie tellement de son jugement en pareille matière qu'il n'est jamais disposé à le donner, mais il a un bon sens inné et une simplicité de goût qui le guident, en général, de façon très juste.

Marianne eut peur d'être indiscrète et ne dit plus rien sur ce sujet; mais le genre d'approbation que, d'après Elinor, il donnait aux peintures des autres était aux antipodes de l'enthousiasme délirant que constituait, à son avis, le critérium d'un goût véritable. Cependant, tout en souriant intérieurement de la méprise, elle admirait Elinor pour son aveugle partialité envers Edward.

— J'espère, Marianne, que vous ne le considérez pas comme manquant de goût en général. Du reste, cela me paraîtrait bien impossible, car votre attitude envers lui est parfaitement cordiale, et si telle était votre opinion, je suis bien sûre que vous ne pourriez jamais le traiter aussi calmement!

Marianne ne savait vraiment que dire. Elle ne voulait à aucun prix blesser les sentiments de sa sœur, et, pourtant, il lui était impossible de parler contre sa pensée. A la fin, elle répliqua :

— Ne m'en veuillez pas, Elinor, si l'éloge que j'en fais ne correspond pas exactement au sentiment que vous avez de ses mérites. Je n'ai pas eu autant d'occasions que vous d'observer minutieusement la direction de son esprit, ses inclinations et ses goûts. Mais j'ai la meilleure opinion de sa droiture et de son jugement. Je le tiens pour tout ce qu'il y a de plus digne et de plus aimable.

— Il est certain, répliqua Elinor en souriant, que ses meilleurs amis ne pourraient se plaindre d'une pareille appréciation. Je ne vois pas comment vous pourriez vous exprimer plus chaleureusement.

Marianne s'applaudit de voir sa sœur si aisément satisfaite.

— Pour son intelligence et ses principes, continua Elinor, il est impossible de les mettre en doute lorsqu'on a eu souvent l'occasion de causer avec lui dans l'intimité. C'est seulement sa timidité qui l'empêche souvent de les montrer et le réduit au silence. Vous en savez assez sur lui pour rendre justice à ses solides qualités de fond. Mais les circonstances ont fait que vous êtes moins au courant que moi de ce que sont ses goûts. Nous nous sommes souvent trouvés ensemble tandis que vous vous consacriez de la façon la plus affectueuse à notre mère. J'ai eu le loisir de l'étudier longuement, de connaître ses sentiments, de l'entendre exprimer ses opinions sur la littérature et l'art; et, au total, j'ose affirmer que son esprit est fort cultivé, son amour des livres très vif, son imagination éveillée, son sens de l'observation juste et correct et son goût délicat et pur. A mesure qu'on le connaît mieux, on apprécie d'autant plus ses talents ainsi que ses manières et sa personne. Son abord ne frappe certainement pas à première vue, et on ne le trouve guère intéressant jusqu'à ce qu'on ait fait attention à l'expression incomparable de ses yeux et à la grâce de son maintien. Je le connais maintenant si bien, que je le trouve beau, ou, du moins, c'est tout comme. Qu'en dites-vous, Marianne ?

— J'en jugerai bientôt de même, Elinor, si, pour le moment, je n'en suis pas au même point que vous. Quand vous me direz de l'aimer comme un frère, je ne verrai pas plus à reprendre à son extérieur que je ne le fais maintenant à ses qualités morales.

Elinor ne put retenir un mouvement de surprise à cette déclaration et regretta la chaleur qui l'avait emportée en parlant de lui. Elle avait une très haute opinion d'Edward. Elle croyait sa sympathie partagée ; mais il lui aurait fallu une certitude plus ferme pour se réjouir sans arrière-pensée de la conviction de Marianne. Elle savait que, pour Marianne et sa mère, une supposition prenait aussitôt l'allure d'un fait accompli ; pour elles, discerner une chose, c'était l'espérer, et l'espérer c'était en être sûr. Elle essaya d'expliquer à sa sœur où en étaient véritablement les choses.

— Je ne songe pas à nier, dit-elle, que j'ai une haute opinion de lui, que je l'estime grandement et qu'il me plaît. Ici, Marianne fut saisie d'indignation.

— Vous l'estimez ? Il vous plaît ? Vous êtes sans cœur, Elinor. Bien plus, vous vous en glorifiez. Si vous répétez encore pareilles choses, je quitte la place immédiatement.

Elinor ne put s'empêcher de rire.

— Excusez-moi, dit-elle, et tenez-vous pour sûre que je ne songe pas à vous offenser en m'exprimant aussi tranquillement sur mes propres sentiments. Croyez qu'ils sont plus profonds que je ne l'ai dit. Bref, imaginez qu'ils sont égaux à son mérite, et qu'on peut soupçonner, espérer même la réciprocité de son côté sans imprudence ni folie. Mais il ne faut pas aller plus loin. Rien ne m'assure de sa préférence. Il y a des moments où j'en puis douter, et, jusqu'à ce qu'il se soit pleinement déclaré, il n'y a pas à s'étonner de me voir résister à mon impulsion et refuser d'en croire ou d'en dire plus que ce qui est. Au fond du cœur, j'ai peu de doute — je n'en ai pour ainsi dire pas — sur son inclination. Mais il y a bien d'autres choses à considérer. Il est bien loin d'être indépendant. Nous ne savons pas au juste ce qu'est sa mère; mais le peu que Fanny nous a dit, à l'occasion, de sa conduite et de ses idées, ne nous permet pas d'en penser beaucoup de bien. Et je me tromperais bien si Edward ne se rend pas lui-même compte des difficultés qu'il rencontrera en voulant épouser une femme qui n'a ni une grande fortune ni une haute situation.

Marianne fut étonnée de voir combien l'imagination de sa mère et la sienne les avaient emportées loin de la réalité.

— Il est donc vrai que vous n'êtes pas fiancés, dit-elle, mais cela ne tardera certainement pas. Je vois cependant deux avantages à ce délai : je ne vous perdrai pas tout de suite et Edward aura le loisir de mieux adapter ses goûts aux vôtres, ce qui est tellement nécessaire à votre future félicité. Oh! s'il pouvait être stimulé par votre talent au point d'apprendre lui-même à dessiner, quel délice ce serait!

Elinor avait dit la vérité à sa sœur. Il lui était impossible de se croire aussi près de la réalisation de ses rêves que se l'était figurée Marianne. Elle constatait, parfois, chez Edward, un état de dépression qui, s'il ne dénotait pas de l'indifférence, n'était guère plus encourageant. S'il avait conçu un doute sur les sentiments qu'elle éprouvait à son égard, il n'aurait pas été tellement inquiet et n'aurait pas manifesté, si souvent, un tel abattement.

Il était raisonnable d'en chercher la cause dans sa situation qui l'empêchait de donner libre cours à ses sentiments : elle savait que sa mère ne lui faciliterait sa vie et ne lui donnerait le moyen de fonder un foyer qu'à condition qu'il consente à se conformer strictement aux desseins ambitieux qu'elle formait pour lui. Elinor, devant cette certitude, ne pouvait se sentir à l'aise. Elle était loin de partager l'assurance de sa mère et de sa sœur et de surestimer l'affection qu'elle inspirait à Edward; et il lui arrivait, parfois, de traverser des minutes pénibles, où elle songeait que tout cela pouvait bien n'être qu'une simple camaraderie.

Mais, il suffit que Mrs. Fanny Dashwood s'aperçut des sentiments de son frère pour qu'elle s'en inquiétât. Du coup, par comble d'inélégance, elle en devint impolie. Elle saisit la première occasion venue de faire un affront à sa belle-mère.

Elle trouva moyen d'appuyer si lourdement sur le grand
avenir promis à son frère, sur la volonté expresse de Mrs.
Ferrars de bien marier ses deux fils, et sur le danger que
courrait toute jeune fille qui essaierait de l'accaparer, que
Mrs. Dashwood ne put faire semblant de ne pas comprendre,
ni prendre sur elle de garder son calme. Elle lui répondit de
façon à laisser percer son mépris et résolut aussitôt, quels
que puissent être les inconvénients et la dépense occasionnés
par un départ aussi précipité, de ne pas laisser une semaine
de plus sa bien-aimée Elinor exposée à de telles insinuations.

C'est dans cet état d'esprit que la trouva une lettre qui
contenait une proposition particulièrement opportune. Il
s'agissait de l'offre, à très bon compte, d'une petite maison
appartenant à un de leurs cousins, un gentleman bien posé et
riche propriétaire dans le Devonshire. La lettre émanait de
lui-même et était conçue dans l'esprit le plus amical. Il se
rendait compte qu'elle était à la recherche d'une habitation,
et quoiqu'il n'eût qu'un simple cottage à lui offrir, il l'assurait
qu'il était prêt à faire faire tous les arrangements qu'elle voudrait, si la situation lui plaisait. Il la pressait vivement,
après lui avoir décrit en détail la maison et le jardin, de
venir avec ses filles à Barton Park, sa propre demeure, afin
qu'elle puisse se rendre compte elle-même si Barton Cottage
(car les deux maisons étaient sur la même paroisse) pourrait,
avec quelques changements, lui convenir comme résidence.
Il paraissait réellement désireux de les satisfaire et toute sa
lettre était d'un style si amical qu'elle ne pouvait manquer de
faire plaisir à sa cousine, au moment surtout où elle avait
à souffrir de l'absence de sympathie et de la froideur qu'elle
rencontrait chez des parents bien plus rapprochés.

Elle ne prit pas le temps de réfléchir et de s'informer. Sa
résolution fut arrêtée dès qu'elle eût lu la lettre. La situation
de Barton dans un comté aussi éloigné du Sussex que le
Devonshire aurait suffi quelques heures plus tôt à lui faire
dédaigner tous les avantages de cette proposition. C'était
maintenant une raison majeure pour l'accepter. Perdre le
voisinage de Norland n'était plus un malheur : elle ne souhaitait maintenant que cela. C'était une bénédiction à côté
de la perspective horrible de continuer d'être l'hôte de sa
belle-fille. S'éloigner pour toujours de cette demeure chérie
serait moins pénible que de l'habiter ou même d'y aller en
visite tant qu'une pareille femme en serait la maîtresse.

Elle écrivit immédiatement à Sir John Middleton pour le remercier et lui dire qu'elle acceptait, et elle s'empressa de montrer les deux lettres à ses filles afin d'avoir leur approbation avant d'envoyer la sienne.

Elinor avait toujours pensé qu'il serait plus sage pour elles de s'installer à quelque distance de Norland plutôt que dans le voisinage immédiat de ses possesseurs actuels. De ce chef, par conséquent, elle n'avait pas à s'opposer à l'intention que manifestait sa mère de se retirer dans le Devonshire. Et la maison, de plus, telle que la décrivait Sir John, était d'une telle simplicité, avec son modeste verger, qu'aucune objection ne se présentait de ce côté.

En conséquence, quoique ce plan ne la charmât pas autrement, quoique l'éloignement de Norland fût cependant bien plus grand qu'elle ne l'aurait souhaité, elle ne fit rien pour dissuader sa mère d'envoyer sa lettre d'acceptation.

V

La lettre ne fut pas plutôt partie que Mrs. Dashwood se donna le plaisir d'annoncer à son beau-fils et à sa femme qu'elle avait trouvé une maison et qu'elle ne les gênerait pas au-delà du temps qui serait nécessaire à son installation. Ils furent surpris. Mrs. John Dashwood ne dit rien, mais son mari exprima poliment l'espoir qu'elles ne se trouveraient pas trop loin de Norland. Elle éprouva une grande satisfaction en répliquant qu'elle allait dans le Devonshire. Edward se tourna brusquement vers elle en entendant ces mots et d'un ton où se mêlaient la surprise et la douleur, et qui ne la surprit pas, répéta :

— Le Devonshire ? Allez-vous vraiment là-bas ? Si loin d'ici ? Et dans quel endroit ?

Elle expliqua la situation : à quatre milles au moins d'Exeter.

— C'est un simple cottage, continua-t-elle, mais j'espère

que je pourrai y accueillir beaucoup d'amis. On pourra facilement ajouter une ou deux pièces, et, si mes amis n'éprou-
vent pas de difficultés à faire un si long voyage pour venir
me voir, je suis sûre que je n'en aurai aucune pour les recevoir.

Elle conclut sur une très aimable invitation à Mr. et Mrs.
John Dashwood, et fit la même offre à Edward avec encore
plus d'amabilité. Sa dernière conversation avec sa belle-fille
l'avait décidée à ne rester à Norland que le moins de temps
possible, mais n'avait pas eu le moindre effet quant au but
poursuivi par son interlocutrice. Séparer Edward et Elinor
était moins que jamais dans ses vues; et cette invitation au
frère de Mrs. John Dashwood tendait à montrer à quel point
les paroles de celle-ci avaient eu peu d'effet sur elle.

Mr. John Dashwood dit et répéta à sa belle-mère à quel
point il était fâché qu'elle eût choisi sa résidence si loin de
Norland, ce qui l'empêchait de l'aider pour son déménagement. Il en était réellement contrarié, car c'était précisément le service auquel il avait limité l'accomplissement
de sa promesse à son père, et cet arrangement le rendait
impossible.

Le mobilier fut expédié entièrement par eau. Il consistait
principalement en linge de maison, argenterie, vaisselle et
livres, et un beau piano-forte appartenant à Marianne. Mrs.
John Dashwood vit partir les paquets avec un soupir, elle
ne pouvait s'empêcher de trouver dur que, avec une fortune aussi insignifiante à côté de la leur, Mrs. Dashwood
pût posséder d'aussi belles choses.

Mrs. Dashwood loua la maison pour un an. Elle était
toute meublée et on pouvait en prendre possession immédiatement. Aucune difficulté ne s'opposait à la location et
elle attendait, seulement, pour partir vers l'ouest, d'en avoir
fini avec ses paquets à Norland et d'avoir arrêté ses domestiques. Et cela fut bientôt fait car elle déployait une activité
extraordinaire dès qu'une chose l'intéressait. Les chevaux
laissés par son mari avaient été vendus après la mort de
celui-ci, et, une occasion se présentant pour la voiture, elle
accepta de la vendre aussi sur le pressant conseil de sa fille
aînée. A cause de ses enfants, si elle avait suivi son inclination,
elle l'aurait gardée; mais la sagesse d'Elinor prévalut. Cette
même prudence limita aussi le nombre de leurs domestiques
à trois : deux femmes de chambre et un homme qu'on eut

vite fait de choisir parmi ceux qui avaient fait partie de leur personnel à Norland.

Le domestique et l'une des servantes partirent immédiatement pour le Devonshire afin de préparer la maison en vue de l'arrivée de leurs maîtresses; en effet, lady Middleton étant entièrement inconnue de Mrs. Dashwood, elle préférait s'installer immédiatement dans le cottage plutôt que de descendre à Barton Park. Elle se fiait si bien à la description que Sir John lui avait faite de la maison, qu'elle n'avait pas la curiosité de la voir par elle-même avant d'y entrer comme chez elle. Son empressement à quitter Norland était entretenu par l'évidente satisfaction que sa décision causait à sa belle-fille, satisfaction que celle-ci essaya faiblement de dissimuler par une froide invitation à retarder son départ.

C'était, maintenant, le moment pour son beau-fils de tenir la promesse faite à son père. Puisqu'il n'avait rien fait au moment où il avait pris possession de la maison, leur départ devait paraître l'instant tout indiqué pour l'accomplir. Mais Mrs. Dashwood commença bientôt à abandonner tout espoir de ce côté. Elle comprit, en effet, par le tour général de la conversation, que son effort n'irait pas plus loin que l'hospitalité qu'il venait de leur donner pendant six mois à Norland. Il parlait si souvent de l'augmentation de ses frais domestiques et des incroyables dépenses auxquelles était exposé un homme d'une certaine situation qu'il donnait plutôt l'impression d'un monsieur à court d'argent que de quelqu'un prêt à en donner.

Très peu de semaines après la première lettre de Sir John Middleton, tout était prêt dans leur future demeure et Mrs. Dashwood et ses filles pouvaient se mettre en route.

Ce ne fut pas sans répandre beaucoup de larmes qu'elles firent leurs adieux à une demeure aussi chérie. « Cher, cher Norland, disait Marianne en se promenant seule devant la maison, le dernier soir, quand cesserai-je de te regretter? Comment pourrai-je me sentir chez moi ailleurs? O heureuse maison! peux-tu savoir ce que je souffre en te regardant de cet endroit d'où, peut-être, je ne te verrai jamais plus? Et vous, mes arbres familiers! Mais vous resterez les mêmes. Pas une feuille ne tombera à cause de notre départ et pas une branche ne restera immobile parce que nous ne serons plus là pour vous voir! Non, vous resterez bien les mêmes, ignorant le plaisir ou le regret dont vous êtes cause, et insensibles au changement de ceux qui se promenaient sous votre ombre! Mais qui donc restera pour vous admirer? »

VI

La première partie du voyage eut lieu sous une impression trop mélancolique pour ne pas être triste et ennuyeuse. Mais, au fur et à mesure qu'elles avançaient vers le but, l'intérêt qu'elles prenaient à l'aspect d'une région qu'elles allaient habiter vint les réveiller de leur abattement et la vue de Barton Valley, quand elles y arrivèrent, les mit de belle humeur. C'était un endroit plaisant, fertile, bien boisé et riche en pâturages. Après avoir fait quelques détours pendant un mille, elles arrivèrent chez elles. Le devant de la maison ne comportait qu'une petite cour plantée de gazon. Une petite porte à l'aspect engageant leur donna passage.

Comme maison, Barton Cottage, quoique petit, était confortable et bien compris, mais en tant que cottage il laissait à désirer, car la construction était sans originalité, le toit couvert de tuiles, les contrevents n'étaient pas peints en vert et les murs ne s'agrémentaient pas de chèvrefeuille. Un passage étroit conduisait directement à travers la maison jusqu'au jardin situé derrière. De chaque côté de l'entrée, se trouvait un salon, de seize pieds de large environ. L'office et l'escalier étaient derrière. Quatre chambres et deux greniers formaient le reste de l'immeuble. Il était de construction récente et en bon état. En comparaison de Norland, c'était en vérité, pauvre et mesquin. Mais les pleurs que ce souvenir amena furent vite séchés. Ces dames furent réconfortées par la joie manifestée par les serviteurs à leur arrivée et chacun prit la résolution de paraître content pour faire plaisir aux autres. On était au commencement de septembre; la saison était belle, et, en faisant ainsi connaissance de la maison par beau temps, elles en prenaient une impression heureuse qui avait l'avantage de les disposer favorablement pour l'avenir.

La situation de la maison était bonne. Par derrière, elle était entourée de hautes collines, toute proches, les unes dénudées, les autres cultivées et boisées. Le village de Barton était presque entièrement construit sur une de ces collines et on l'apercevait des fenêtres du cottage. Sur le devant, la perspective était plus vaste : elle commandait toute la vallée, et la campagne au loin. Les collines qui dominaient le cottage formaient, dans cette direction, une borne à la vallée qui, sous un autre nom, et avec un aspect différent, se prolongeait plus loin en se glissant entre les deux pentes les plus escarpées.

En somme, Mrs. Dashwood fut satisfaite de la disposition et de l'ameublement de la maison; la façon dont elle avait eu l'habitude de vivre jusqu'ici rendaient indispensables quelques améliorations sur ce dernier point; mais ajouter et perfectionner était pour elle un délice, et elle disposait, pour le moment, d'assez d'argent pour donner aux appartements le surcroît d'élégance qui leur manquait.

— En ce qui concerne la maison elle-même, disait-elle, elle est certainement trop petite pour nous. Mais nous pouvons aisément nous en arranger pour le moment, et l'année est trop avancée pour entreprendre des réparations. Peut-être, au printemps, si j'en ai les moyens, et je crois que je les aurai, nous pourrons songer à bâtir. Ces deux salons sont trop étroits pour recevoir les amis que j'espère souvent réunir, et j'ai quelque envie de joindre le couloir avec l'un d'eux et peut-être une partie de l'autre; le reste formerait une entrée; de cette façon, avec un autre salon qu'on peut aisément ajouter, ainsi qu'une chambre et un grenier par-dessus, nous en ferions un charmant petit cottage. On pourrait désirer que l'escalier eût meilleur air; mais il faut savoir borner ses ambitions, quoique je suppose qu'il ne serait pas difficile de l'élargir. Nous jugerons au printemps de l'état de nos finances et nous déciderons alors des améliorations que nous pourrons faire.

En attendant que tous ces embellissements puissent être payés grâce aux économies réalisées sur un revenu de cinq cents livres par une femme qui n'avait jamais su de sa vie ce que c'était que d'économiser, les dames Dashwood furent assez raisonnables pour se contenter de la maison

telle qu'elle était. Chacune se dépensait pour mettre en
ordre ses propres affaires et s'efforçait, en arrangeant ses
livres et les autres objets qui lui étaient personnels, de se
constituer un petit domaine à soi. Le piano de Marianne
fut déballé et mis en bonne place, et les œuvres d'Elinor
furent suspendues aux murs de leur salon.

Ces dames furent interrompues dans leurs occupations,
le lendemain de leur arrivée, peu après le breakfast, par
l'arrivée de leur propriétaire venu leur souhaiter la bienvenue à Barton et mettre à leur disposition sa maison et
son jardin pour tout ce qui pourrait momentanément leur
manquer.

Sir John Middleton était un homme d'environ quarante
ans, de bonne apparence. Il avait eu, jadis, l'occasion de
leur rendre visite à Stanhill, mais il y avait trop longtemps
pour que l'on puisse le reconnaître. Il avait tout à fait l'aspect d'un bon vivant, et ses façons étaient aussi amicales
que le style de sa lettre. Leur arrivée paraissait lui apporter
une réelle satisfaction et il était visiblement préoccupé de
leur bien-être. Il manifesta vivement son désir de vivre
dans la plus grande intimité avec leur famille et il insista
si cordialement pour qu'elles viennent dîner à Barton
Park tous les jours jusqu'à ce qu'elles aient eu le temps de
s'installer chez elles, qu'il était impossible de se fâcher,
bien qu'il poussât vraiment ses instances un peu trop loin.
Son amabilité ne s'arrêta pas aux paroles : une heure après
son départ, un grand panier de légumes et de fruits arriva
du Park et fut suivi, dans la journée, d'un présent de gibier.
Il insista, de plus, pour se charger du soin d'envoyer leur
courrier et de le retirer de la poste, et elles ne purent lui
refuser la satisfaction de leur communiquer son journal
chaque jour.

Lady Middleton l'avait chargé d'un mot aimable pour
dire son intention de rendre visite à Mrs. Dashwood aussitôt
qu'elle pourrait le faire sans la déranger. Il lui fut répondu
par une invitation aussi polie et la connaissance se fit le
jour suivant.

Il va de soi qu'elles étaient fort impatientes de voir une
personne dont leur bien-être à Barton pouvait dépendre
dans une si large mesure. L'élégance de son aspect répondait à leurs vœux. Lady Middleton n'avait pas plus de vingt-
six ou vingt-sept ans. Sa figure était agréable, sa taille

grande et imposante et ses manières pleines de grâce. Sa conversation avait toute la distinction qui manquait à son époux; mais elle aurait gagné à lui emprunter un peu de sa cordialité et de sa chaleur, et sa visite dura assez longtemps pour leur faire rabattre quelque chose de leur première admiration. Quoique fort bien élevée, elle se montra en effet réservée, froide et incapable de sortir des lieux communs de la conversation.

L'entretien pourtant ne languit pas, car Sir John était fort bavard et Lady Middleton avait eu la sage précaution d'amener son fils aîné, beau petit garçon de six ans qui fournissait aux dames un sujet toujours opportun en cas de besoin; car il convenait de demander son nom et son âge, de s'extasier sur sa beauté, de lui poser mille questions auxquelles sa mère répondait pour lui, tandis qu'il se pendait à ses jupes et baissait la tête, au grand étonnement de Sa Seigneurie qui ne pouvait comprendre qu'il fût si timide dans le monde alors qu'il faisait tant de tapage à la maison. Dans toute visite de cérémonie, on devrait toujours amener un enfant pour fournir un sujet de conversation. Dans le cas présent, il fallut dix bonnes minutes pour décider s'il ressemblait davantage à son père ou à sa mère, et en quoi; car personne n'était du même avis et chacun s'étonnait de l'opinion des autres.

Les Dashwood devaient avoir bientôt l'occasion de discuter sur les autres enfants de leurs voisins, car Sir John ne voulut pas partir sans emporter l'assurance qu'elles acceptaient de venir dîner au Park le jour suivant.

VII

Barton Park était situé à environ un demi-mille du cottage. Ces dames avaient passé tout près en arrivant, mais, de leur maison, une colline en cachait la vue. C'était une vaste et belle demeure. Les Middleton avaient le goût de l'hospitalité et de l'élégance. Il était bien rare que la maison n'hébergeât pas quelques amis. Ils recevaient certainement plus que n'importe quelle autre famille du voisinage. C'était indispensable à leur bonheur à tous deux. Car, pour si dissemblables qu'ils fussent au moral comme au physique, ils se ressemblaient cependant profondément en ceci : en dehors des plaisirs de la société, le champ de leurs occupations et de leurs distractions était extraordinairement restreint. Sir John était un sportman et lady Middleton, une mère. Lui poursuivait et tuait du gibier; elle, amusait ses enfants et là s'arrêtaient leurs talents. La supériorité de de lady Middleton venait de ce qu'elle pouvait gâter ses enfants en tous temps, tandis que sir John ne pouvait se livrer que la moitié de l'année à ses exercices favoris. De continuelles invitations chez eux et à l'extérieur suppléaient aux lacunes de leur nature et de leur éducation. Elles entretenaient la bonne humeur de sir John et donnaient, à sa femme, l'occasion de faire montre de la délicatesse de ses manières.

Lady Middleton se piquait d'élégance en ce qui concernait sa table et tous ses arrangements domestiques. Ainsi tirait-elle, surtout de ses réunions, un grand plaisir de vanité, tandis que la satisfaction qu'elles procuraient à sir John était de nature plus positive. Son bonheur était de réunir autour de lui toute la jeunesse que la maison pouvait contenir. Plus on faisait de bruit, plus il était content. C'était une bénédiction pour tous les jeunes gens du voisinage; en été, il organisait toujours des excursions pour manger du jambon glacé et du poulet froid sur l'herbe; en hiver, il donnait assez de bals pour satisfaire l'insatiable appétit de danse de toutes les jeunes personnes de quinze ans.

L'arrivée dans le pays d'une nouvelle famille était toujours, pour lui, un sujet de joie, et, à tous les points de vue, il était enchanté des hôtes qu'il venait d'installer dans son cottage de Barton. Les demoiselles Dashwood étaient jeunes, jolies et simples. C'était assez pour gagner son suffrage, car la simplicité était tout ce qu'il fallait pour rendre le caractère d'une jolie peronne aussi séduisant que son physique. La cordialité de son caractère lui faisait éprouver un grand plaisir à aider des parentes tombées dans l'infortune. En se dépensant ainsi en faveur de ses cousines, il trouvait

à satisfaire ses bons sentiments, et, d'autre part, en installant
dans son cottage une famille entièrement composée de
femmes, il obéissait à ses tendances de sportman, car un
sportman, encore qu'il n'estime, dans son sexe, que ceux
qui partagent sa passion, n'aime pas encourager leurs goûts
en les installant chez lui.

Mrs. Dashwood et ses filles furent reçues à la porte de
la maison par sir John qui leur souhaita la bienvenue à
Barton Park avec une réelle sincérité; et, tandis qu'il les
conduisait au salon, il renouvela aux jeunes filles le regret
qu'il leur avait exprimé la veille de n'avoir pas d'élégants jeunes
gens à leur présenter. Elles ne rencontreraient, leur dit-il ce
jour-là, en dehors de lui, qu'un seul gentleman, un ami
intime à lui en résidence en ce moment au Park, mais qui
n'était ni très jeune ni très gai. Il les priait d'excuser ce manque de société; elles pouvaient être assurées que pareille
chose ne se reproduirait pas. Il était allé, ce matin, faire
un tour dans plusieurs familles des environs pour tâcher
d'augmenter le nombre des convives; mais c'était l'époque
des beaux clairs de lune, et chacun avait projeté une promenade. Par bonheur, la mère de lady Middleton venait
d'arriver à Barton, et, comme c'était une personne pleine
d'entrain et fort agréable, il espérait que les jeunes filles
trouveraient la réunion moins ennuyeuse qu'elles ne pouvaient le supposer.

Celles-ci, ainsi que leur mère, furent enchantées de n'avoir
à faire la connaissance que de deux personnes inconnues.
Elles ne souhaitaient pas du tout une plus grande compagnie.

La mère de lady Middleton, Mrs. Jennings, était une
grosse dame d'un certain âge, très bavarde, douée d'un
excellent caractère et d'une humeur joyeuse. Elle donnait
l'impression d'être très heureuse et un peu vulgaire. Sa
conversation abondait en plaisanteries et en facéties, et,
avant la fin du dîner, elle avait accumulé toute sorte de mots
d'esprits au sujet des amoureux et des maris. Elle espérait
que ces demoiselles n'avaient pas laissé leur cœur derrière
elles, dans le Sussex, et s'exclamait en prétendant qu'elles
les voyait rougir, que ce fût vrai ou non. Marianne en était
gênée à cause de sa sœur et tournait sans cesse les yeux
vers elle pour voir comment elle prenait ces allusions.
En réalité, ces marques de sollicitude troublaient beaucoup

plus Elinor que les railleries sans sel de Mrs. Jennings.

Quant au colonel Brandon, par le peu que l'on pouvait voir de son caractère, il ne semblait pas du tout fait pour être l'ami de John. C'était aussi étonnant que de voir celui-ci marié à lady Middleton et de savoir que la jeune femme était la fille de Mrs. Jennings. C'était un homme taciturne et grave. Son aspect, cependant, n'était pas déplaisant bien que Marianne et Margaret se soient tout de suite accordées pour voir en lui un célibataire endurci parce qu'il avait plus de trente-cinq ans. Si sa figure n'avait aucune beauté, il donnait l'impression d'un homme sensé et parfaitement bien élevé.

Il n'y avait rien chez aucun des convives qui pût attirer particulièrement les Dashwood; mais la fadeur insipide de lady Middleton était si particulièrement écœurante que, par contraste, la gravité du colonel Brandon, et même la bruyante gaieté de sir John et de sa belle-mère prenaient une sorte d'attrait. Lady Middleton ne parut s'animer que lorsqu'on fit entrer, à la fin du dîner, ses quatre enfants qui se mirent à la tirailler en tous sens, déchirèrent sa robe et mirent fin à toute espèce de conversation dont ils n'étaient pas le principal sujet.

Au cours de la soirée, on découvrit que Marianne était musicienne et on l'invita à jouer. L'instrument fut ouvert, chacun se prépara à écouter. Marianne, qui chantait fort bien, s'attaqua aux mélodies que lady Middleton avait apportées dans la famille au moment de son mariage et qui, peut-être, n'avaient pas été exécutées depuis le jour où elle les avait posées sur le piano-forte; car Sa Seigneurie avait célébré son entrée dans la vie conjugale en abandonnant complètement la musique, bien qu'au dire de sa mère, elle s'y montrât fort habile et qu'elle prétendit, elle-même, en être tout à fait passionnée.

L'exécution de Marianne fut vivement applaudie. L'approbation de sir John fut bruyante, aussi bruyante que l'avait été sa conversation avec le reste de la société pendant que Marianne chantait. Lady Middleton le rappelait souvent à l'ordre. Elle veillait à ce que l'attention de chacun ne fût pas détournée de la musique mais c'est elle qui se donna le ridicule de demander à Marianne de chanter un certain air qu'elle venait justement de finir. Seul de la société, le colonel Brandon l'entendit sans paraître transporté. Son seul compliment fut d'écouter attentivement. Ainsi mérita-t-il, aux yeux de Marianne, le respect auquel les autres avaient vraiment perdu droit par leur manque de goût éhonté. Le plaisir qu'il prenait à entendre de la musique, bien qu'il ne montrât pas ce caractère éperdu qui était la marque de ses propres réactions, lui parut cependant digne d'éloges par contraste avec l'horrible insensibilité des autres. Et elle était assez raisonnable pour accorder que la finesse du sentiment et les premiers élans de l'enthousiasme pouvaient bien être un peu émoussés chez un homme de trente-cinq ans. Elle était parfaitement disposée à concéder au colonel toute l'indulgence que l'humanité commandait en raison de son âge.

VIII

Mrs. Jennings était veuve, et se trouvait à la tête d'un grand domaine. Elle n'avait que deux filles, n'avait vécu que pour les voir bien mariées, et leur avenir assuré, n'avait plus rien à faire qu'à marier tout le reste du monde. Elle déployait le plus grand zèle pour la réalisation de ce dessein, y employait toutes ses facultés et ne perdait aucune occasion de combiner des unions entre les jeunes gens de sa connaissance. Elle possédait un talent particulier pour dépister les inclinations naissantes et avait eu souvent la satisfaction de faire rougir bien des jeunes filles et de flatter leur orgueil en faisant allusion à l'empire qu'elles exerçaient sur tel ou tel jeune homme.

Ce discernement particulier lui permit, peu de temps après l'arrivée de ces dames à Barton, de déclarer, de la façon la plus définitive, que le colonel Brandon était profondément épris de Marianne Dashwood. Elle l'avait déjà soupçonné le premier soir où ils s'étaient rencontrés, en le voyant si attentif lorsque Marianne chantait. Mais, lorsqu'en retour de leur politesse, les Middleton furent invités à dîner au cottage, elle en devint tout à fait certaine quand elle vit la façon dont

Brandon l'écoutait de nouveau. Il ne pouvait être autrement. Elle en était pleinement convaincue. Du reste, ce serait parfait, car il était riche et, elle, jolie. Mrs. Jennings avait rêvé de bien marier le colonel Brandon dès que ses rapports avec sir John le lui avaient fait connaître; et, en présence d'une jolie jeune fille, elle se sentait toujours désireuse de la pourvoir d'un bon mari.

L'avantage qu'elle en tirait immédiatement n'était pas à dédaigner; c'était pour elle un sujet d'allusions et de plaisanteries sans fin envers les deux jeunes gens. Au Park, elle attaquait le colonel et, au cottage, Marianne. Le premier semblait assez indifférent à ses manières. Quant à Marianne, ce genre de raillerie lui fut, tout d'abord, incompréhensible; et, quand elle finit par en percevoir l'objet, elle ne sut guère s'il valait mieux rire de son absurdité ou blâmer son impertinence. Elle y voyait une allusion désobligeante à l'âge du colonel et à sa condition solitaire de vieux célibataire.

Mrs. Dashwood, qui n'avait pas les mêmes raisons que sa fille de trouver tellement vieux un homme qui était son cadet de cinq ans, essaya de protester et assura que Mrs. Jennings n'avait certainement pas l'intention de ridiculiser le colonel Brandon à cause de son âge.

— Mais, au moins, maman, si vous n'y voyez pas de mauvaise intention, vous ne pouvez pas nier l'absurdité d'une telle invention. Evidemment, le colonel Brandon est plus jeune que Mrs. Jennings, mais il pourrait tout de même être mon père; et, s'il a jamais été capable de sentiments assez vifs pour tomber amoureux, il y a certainement bien longtemps qu'il n'est plus capable d'en éprouver. C'est trop ridicule! Qui sera donc à l'abri de telles plaisanteries si l'âge et les infirmités n'en protègent pas?

— Des infirmités! dit Elinor. Trouvez-vous le colonel Brandon infirme? J'admets facilement que son âge fasse plus d'impression sur vous que sur notre mère. Mais vous pouvez difficilement nier qu'il ait l'usage de ses jambes!

— Ne l'avez-vous pas entendu se plaindre de rhumatismes? Et n'est-ce pas là l'infirmité très commune à tous les gens sur leur déclin?

— Ma très chère enfant, dit sa mère en riant, à ce compte, vous devriez beaucoup vous inquiéter de ma décrépitude! Ne vous semble-t-il pas un véritable miracle que ma vie se soit prolongée jusqu'à l'âge avancé de quarante ans?

— Maman, vous ne me rendez pas justice. Je sais fort bien que le colonel Brandon n'a pas un âge qui puisse faire craindre normalement à ses amis de le perdre bientôt. Il peut vivre vingt ans de plus. Mais ses trente-cinq ans n'ont rien à voir avec le mariage.

— Peut-être, dit Elinor, trente-cinq et seize ans ne sont-ils pas des âges assortis pour un mariage. Mais, s'il lui arrivait de rencontrer une jeune fille de vingt-six ans, je ne pense pas que les trente-cinq ans du colonel Brandon soient un obstacle à leur union.

— Une femme de vingt-six ans, dit Marianne après un moment de réflexion, ne peut jamais espérer ressentir, ni inspirer encore un tendre sentiment; et, si sa maison est inconfortable ou sa fortune trop mince, je suppose qu'il lui faut se résigner à prendre un emploi de nurse pour s'assurer une existence convenable. S'il épousait une telle femme, cela n'aurait rien de choquant. Ce serait un mariage de convenance et le monde serait satisfait. A mes yeux, ce ne serait pas un mariage du tout, ce ne serait rien. Cela m'apparaît seulement comme un échange commercial, dans lequel chacun cherche son avantage aux dépens de l'autre.

— Il serait impossible, je le sais, répliqua Elinor, de vous persuader qu'une femme de vingt-six ans peut éprouver pour un homme de trente-cinq ans un sentiment assez voisin de l'amour pour désirer en faire son compagnon. Mais il me faut protester contre votre prétention de confiner le colonel Brandon et sa femme dans une chambre de malade, pour la simple raison qu'il s'est plaint, par hasard, hier (où le temps était froid et humide) de ressentir une légère douleur de rhumatisme à l'épaule.

— Mais il parlait de gilet de flanelle, dit Marianne, et, pour moi, l'idée d'un gilet de flanelle est invariablement liée aux douleurs, crampes, rhumatismes et autres genres de maux qui affligent les personnes faibles et âgées.

— S'il avait eu seulement une bonne fièvre, vous ne l'auriez pas dédaigné la moitié autant. Avouez-le, Marianne : ne trouvez-vous pas quelque chose d'intéressant dans des pommettes rougies, des yeux enfoncés et un pouls précipité?

Un moment après, comme Elinor quittait la chambre :

— Maman, dit Marianne, à propos de maladie, j'ai une inquiétude que je ne puis vous dissimuler. Je suis sûre qu'Edward Ferrars ne va pas bien. Nous sommes ici depuis près d'une quinzaine et il n'est pas encore venu. Il n'y a qu'une véritable indisposition qui puisse justifier un tel retard. Quelle autre raison pourrait le retenir à Norland ?

— Aviez-vous idée qu'il viendrait si tôt, dit Mrs. Dashwood. Ce n'était pas mon avis. Je craignais plutôt le contraire. Il me semblait qu'il n'avait pas marqué un très grand empressement à accepter mon invitation, lorsque je lui parlais de venir à Barton. Elinor l'espérait-elle déjà ?

— Je ne lui en ai jamais parlé, mais j'en suis certaine.

— Je crois bien que vous vous trompez, car je lui parlais hier de mettre une nouvelle grille à la chambre d'ami et elle m'a fait observer que cela ne pressait pas, car il n'était pas probable que la chambre fût occupée d'ici quelque temps.

— Comme c'est singulier ! Qu'est-ce que cela peut bien vouloir dire ? Mais toute leur attitude, l'un envers l'autre, a été incompréhensible ! Quelle froideur, quelle retenue dans leurs derniers adieux ! Et quelle conversation languissante le dernier soir qu'ils ont passé ensemble ! Dans ses adieux, Edward n'a fait aucune différence entre elle et moi ; c'étaient, pour toutes deux, les bons souhaits d'un frère affectueux. Deux fois, le matin du départ, je les ai laissés exprès ensemble et, chaque fois, il m'a accompagnée dehors, ce qui était tout à fait contraire à ses habitudes. Elinor, en quittant Norland et Edward, n'a pas pleuré comme moi. Même maintenant, elle est restée invariablement maîtresse d'elle-même. Quand paraît-elle déprimée et mélancolique ? Quand cherche-t-elle à éviter la société, ou montre-t-elle quelque signe d'impatience ou d'ennui ?

IX

Les Dashwood étaient maintenant installées à Barton dans des conditions très acceptables. La maison et le jardin, avec leurs environs, leur étaient devenus familiers, et leurs occupations habituelles, qui faisaient la moitié du charme du séjour

à Norland, avaient repris de nouveau leur cours : elles y goû-
taient un plaisir qu'elles n'avaient plus ressenti depuis la mort
de Mr. Dashwood. Sir John Middleton, qui leur rendait
une visite journalière depuis la première quinzaine et qui
n'avait guère l'habitude que l'on travaillât autour de lui ne
pouvait cacher son étonnement de les voir toujours occupées.

Elles n'avaient pas beaucoup de visiteurs en dehors de
leurs amis de Barton Park. Sir John avait beau les exhorter à
se mêler davantage au voisinage, c'était en vain qu'il mettait
sa propre voiture à leur disposition : l'esprit d'indépendance
de Mrs. Dashwood l'emportait sur son désir de procurer de
la société à ses enfants. Et elle refusait résolument de faire
des visites au delà du rayon où elle pouvait s'y rendre à pied.
Cela la limitait à un cercle de familles peu étendu; encore
n'était-il pas possible d'entrer en relations avec toutes. A un
mille et demi environ du cottage, dans l'étroite vallée tor-
tueuse d'Allenham, qui débouchait sur Barton et que nous
avons décrite plus haut, les jeunes filles, au cours d'une de
leurs promenades matinales, avaient découvert une demeure
ancienne, d'aspect vénérable qui avait mis en branle leur
imagination parce qu'elle leur rappelait un peu Norland.
Elles auraient souhaité la mieux connaître. Mais, renseignements pris, il se trouva que sa propriétaire, une vieille dame
âgée, d'un excellent caractère, était malheureusement trop
infirme pour se mêler au monde et ne bougeait jamais de
chez elle.

Tout le pays environnant abondait en beaux sites. Les
hautes collines qu'on voyait de presque toutes les fenêtres
du cottage leur offraient la tentation d'aller goûter la fraî-
cheur exquise de l'air lorsque l'obscurité envahissait les
vallées au-dessous d'elles.

C'est vers une de ces collines que Marianne et Margaret,
un matin mémorable, dirigèrent leurs pas, attirées par les
jeux du soleil brillant à travers les nuages. Elles ne pouvaient
supporter plus longtemps la claustration que leur avaient
imposée deux jours de pluie continuelle.

Le temps n'était pas assez beau pour arracher Elinor et sa
mère à leurs pinceaux et à leurs livres. Ni l'une ni l'autre ne
voulurent écouter Marianne qui proclamait, pourtant, que
la journée s'achèverait en beauté et que les nuages seraient
balayés du haut des collines. Les deux jeunes filles partirent
donc seules.

Elles escaladèrent gaiement la pente, se félicitant de leur perspicacité à chaque éclaircie qui leur découvrait un coin de ciel bleu; et, quand elles reçurent dans la figure le souffle vivifiant d'un grand vent du sud-ouest, elles prirent en pitié la crainte qui avait empêché leur mère et Elinor de partager d'aussi délicieuses sensations.

— Y a-t-il au monde une félicité supérieure? dit Marianne. Margaret, nous allons pouvoir nous promener au moins deux heures.

Margaret acquiesça, et elles continuèrent à marcher contre le vent, joyeuses de lui résister; mais cela ne dura qu'une vingtaine de minutes, et, soudain, les nuages s'étant amoncelés sur leurs têtes, la pluie commença à leur cingler durement le visage. Vexées et surprises, elles furent obligées, quoique à regret, de revenir sur leurs pas, car il n'y avait pas d'abri plus proche que leur propre maison. Il leur restait cependant une ressource à laquelle les exigences du moment donnaient plus de prix que d'habitude : c'était de descendre le plus vite possible par le côté escarpé de la colline et de gagner ainsi immédiatement la porte de leur jardin.

Elles s'élancèrent. Marianne courait plus vite, mais un faux pas la fit tomber tout à coup, et Margaret, incapable d'arrêter son élan pour lui porter secours, fut, malgré elle, portée en avant et arriva en bas sans accident.

Un gentleman, porteur d'un fusil et accompagné de deux chiens qui gambadaient autour de lui, passait sur le sommet de la colline, à quelques yards de Marianne quand l'accident se produisit. Il déposa son fusil et courut à son secours. Elle s'était relevée, mais, s'étant foulé le pied dans sa chute, elle pouvait à peine se tenir debout. Le gentleman lui offrit ses services et, se rendant compte de l'embarras qu'elle ressentait à accepter une aide aussi nécessaire, il la prit dans ses bras sans attendre davantage et descendit jusqu'au bas de la colline. Traversant alors le jardin, dont la porte avait été laissée ouverte par Margaret, il la transporta directement dans la maison où Margaret venait justement d'arriver et ne la lâcha pas qu'il ne l'eût assise sur une chaise, dans le salon.

Elinor et sa mère se levèrent, stupéfaites, en les voyant entrer; leurs yeux fixés sur lui trahissaient l'étonnement évident et la secrète admiration suscités par son apparition. Il s'excusa de son intrusion et expliqua d'une façon si franche et si gracieuse la cause de celle-ci que sa personne, particulièrement séduisante, empruntait un charme nouveau à ses expressions et à sa voix. Après ce qu'il venait de faire pour sa fille, il aurait pu être vieux, laid et vulgaire, la gratitude et la bienveillance de Mrs. Dashwood ne lui auraient pas manqué; mais l'influence de la jeunesse, de la beauté et de l'élégance donnait à son acte un intérêt qui cadrait avec ses sentiments.

Elle lui adressa remerciements sur remerciements et, avec cette grâce qui ne la quittait jamais, l'invita à s'asseoir. Mais il déclina l'offre parce qu'il était mouillé et couvert de boue. Mrs. Dashwood demanda alors à connaître à qui elle était redevable de ce service. Son nom, répondit-il, était Willoughby, et il résidait en ce moment à Allenham, d'où il comptait avoir l'honneur de venir prendre demain des nouvelles de Miss Dashwood si on le lui permettait. La permission fut volontiers accordée, et, là-dessus, il prit congé, pour se rendre encore plus intéressant, au plus fort d'une pluie battante.

Sa beauté virile et sa grâce particulière furent aussitôt le thème de l'admiration générale, et augmentèrent les railleries que sa galanterie envers Marianne faisait pleuvoir sur celle-ci. Marianne, pour sa part, avait eu moins de loisir de le contempler, car la confusion, qui avait empourpré son visage pendant qu'il la transportait, lui avait interdit de jeter les yeux sur lui une fois qu'ils furent entrés dans la maison. Elle en avait pourtant aperçu assez pour faire entièrement chorus avec les autres, y mêlant la passion qu'elle mettait toujours dans ses éloges. Sa personne et son air correspondaient tout à fait à ce que sa fantaisie avait toujours rêvé pour un héros de roman.

La décision toute soudaine qu'il avait eue de l'emporter ainsi jusque chez elle lui plaisait particulièrement... Tout en lui était intéressant. Son nom sonnait bien, sa résidence se trouvait dans leur village préféré et elle découvrit aussitôt qu'une veste de chasse était le costume le plus seyant pour un homme. Son imagination allait de l'avant, ses réflexions étaient agréables, et elle n'attachait aucune importance à sa foulure.

Sir John arriva aussitôt que la première éclaircie lui permit de sortir. Il fut mis au courant de l'accident de Marianne et on s'empressa de lui demander s'il connaissait un gentleman du nom de Willoughby, à Allenham.

— Willoughby? s'écria-t-il. Comment? il est dans le

pays? Mais voilà une bonne nouvelle, je vais partir demain pour l'inviter à dîner jeudi.

— Vous le connaissez donc? dit Mrs. Dashwood.

— Si je le connais! Mais bien sûr. Parbleu! Il vient ici tous les ans.

— Et quel genre d'homme est-ce?

— Le meilleur garçon du monde, je puis vous l'assurer. Un fort bon fusil, et il n'y a pas en Angleterre de meilleur cavalier.

— Et c'est tout ce que vous trouvez à dire sur lui? cria Marianne indignée. Mais quelles sont ses manières dans l'intimité? Quels sont ses goûts, ses talents, son génie?

Sir John parut perdre pied.

— Sur mon âme, dit-il, je ne sais pas grand'chose de lui sur tout cela. Mais c'est un être agréable et de belle humeur, et il a la plus jolie petite chienne d'arrêt qu'on puisse voir, toute noire. Était-elle avec lui aujourd'hui?

Mais Marianne ne put pas plus le renseigner sur la couleur du chien qu'il n'était capable de lui décrire les nuances d'esprit de son maître.

— Mais qui est-il? dit Elinor. D'où vient-il? Est-ce qu'il a une maison à Allenham?

Là-dessus, sir John était à même de donner plus de précisions; et il leur dit que Mr. Willoughby n'était pas propriétaire dans le pays, qu'il n'y séjournait qu'au cours de ses visites à la vieille dame d'Allenham Court, sa parente, dont il devait hériter. Il ajouta:

— Oui, oui, il est vraiment de bonne prise, je puis vous l'assurer, Miss Dashwood; il a un joli petit bien à lui dans le Somersetshire; et, si j'étais vous, je ne le laisserais pas à ma jeune sœur en dépit de toute cette descente à la force du poignet. Miss Marianne ne peut accaparer tous les hommes. Brandon sera jaloux si elle n'y prend pas garde.

— Je ne crois pas, dit Mrs. Dashwood avec un sourire de bonne humeur, que Mr. Willoughby ait rien à craindre! Mes filles ne seront pas tentées d'en faire leur prise, comme vous dites! Elles n'ont pas été dressées à cela. Les hommes sont en sûreté avec nous, pour si riches qu'ils soient. Mais je me félicite, d'après ce que vous dites, d'apprendre que c'est un jeune homme respectable et qu'on peut fréquenter.

— C'est vraiment, je crois, le meilleur garçon du monde, répéta sir John. Je me souviens qu'à la Noël dernière, à une petite sauterie, il dansa de huit heures du soir à quatre heures du matin, sans s'asseoir un seul instant.

— Est-ce possible? s'écria Marianne, écarquillant les yeux; et avec élégance, avec grâce?

— Oui, et il était de nouveau sur pied à huit heures pour chevaucher jusqu'au couvert.

— Voilà ce que j'aime, c'est ce qu'il faut chez un jeune homme. Quoiqu'il fasse, il doit le faire à fond et ne pas sentir la fatigue.

— Ah! là là! je vois ce que ce sera, dit sir John. Je vois ce que ce sera... Vous allez mettre le cap sur lui et ne plus penser au pauvre Brandon.

— Voilà une expression, sir John, dit Marianne avec feu, que j'abhorre particulièrement. J'abhorre tous ces lieux communs qui visent à l'esprit; et « mettre le cap sur un homme » ou « faire un coup de tête » sont les plus odieux de tous. Leur signification est vulgaire et grossière; et si, à l'origine, ils ont pu paraître spirituels, le temps leur a, de longue date, fait perdre leur saveur.

Sir John ne saisit pas bien le sens de cette critique; mais il rit aussi fort que s'il avait compris, et répliqua :

— Oh! d'une manière ou de l'autre, je sais bien que vous ferez assez de conquêtes! Pauvre Brandon! Il est déjà tout conquis, et il mérite bien, je vous assure, que vous mettiez le cap sur lui, en dépit de toute cette affaire de chute et d'entorse!

X

Le sauveur de Marianne, ainsi que l'appelait Margaret, avec plus d'éloquence que de précision, se présenta le lendemain matin, de bonne heure, pour prendre lui-même des nouvelles. Mrs. Dashwood l'accueillit mieux que poliment, avec la bienveillance que lui inspiraient sa propre gratitude et les éloges que sir John avait faits de lui. Cet entretien, du

reste, ne manqua pas de donner au visiteur une haute idée de
l'élégante et paisible atmosphère qui régnait dans cette maison. Et il put ressentir un peu du bonheur et de la concorde
qui unissaient celles dont cet accident venait de lui faire
faire la connaissance. Pour ce qui était d'éprouver le charme
de leurs personnes, point n'eût été besoin d'une seconde
visite.

Miss Dashwood était d'une complexion délicate; ses traits
étaient réguliers et l'ensemble qu'ils formaient fort agréable.
Marianne était, elle, plus jolie encore. Sa tournure, quoique
moins parfaite que celle de sa sœur, frappait davantage, car
elle était plus grande. Et elle avait un si charmant visage
que, lorsqu'on lui appliquait l'épithète courante de jolie, la
vérité était bien moins offensée qu'elle ne l'est ordinairement
en pareil cas. Elle avait la peau brune, mais si diaphane que
son teint paraissait extrêmement brillant. Tous ses traits
étaient réguliers, son sourire doux et attachant, et, dans ses
yeux très noirs, brillaient une vie, un esprit, une ardeur
qu'on ne pouvait guère voir sans être séduit. Leur expression
ne se révéla pas tout de suite à Willoughby à cause de l'embarras où la jetait le souvenir de son aventure. Mais, après
que cette première impression se fut dissipée, lorsqu'elle
constata qu'à sa parfaite éducation, il unissait la franchise
et la vivacité, quand elle lui entendit surtout déclarer qu'il
était passionnément épris de musique et de danse, elle lui
lança un tel regard d'approbation qu'il se sentit à l'aise pour
dire tout ce qui lui venait à l'esprit au cours de sa visite.

Il n'y avait qu'à mentionner quelques-uns de ses amuse-
ments favoris pour qu'elle se lançât immédiatement dans
la conversation. Elle ne pouvait garder le silence quand de
telles questions venaient en discussion et elle n'y apportait
ni timidité ni réserve. Ils découvrirent promptement que
leur goût pour la danse et la musique était semblable et
qu'ils avaient la même façon d'apprécier tout ce qui s'y rapportait. Ainsi encouragée, elle se lança sur le chapitre des
lectures. Elle mettait en avant ses auteurs favoris et en parlait
avec tant de complaisance et d'enthousiasme qu'à moins
d'être tout à fait insensible, il était impossible à un jeune
homme de vingt-cinq ans de ne pas se laisser convaincre. Et
l'excellence de telles œuvres lui apparaissait éclatante même
s'il n'y avait jamais pris jusqu'alors le moindre plaisir. Leurs
goûts se ressemblaient de façon frappante. Ils adoraient les

mêmes livres, les mêmes passages et, si quelque divergence
se faisait jour dans leurs opinions, si quelque discussion
s'élevait, cela ne durait qu'un instant : le temps pour Marianne
de lancer un argument plus solide, un regard plus éclatant.
Il acquiesçait à toutes ses décisions, partageait tous ses enthou-
siasmes, et, bien avant la fin de la visite, ils causaient ensemble avec la familiarité de vieilles connaissances.

— Eh bien! Marianne, dit Elinor aussitôt après son départ,
je trouve que vous avez bien employé votre matinée. Vous
vous êtes déjà renseignée sur les opinions de Mr. Willoughby
sur presque toutes les questions d'importance. Vous savez
ce qu'il pense de Cowper et de Scott; vous savez qu'il apprécie la beauté comme il se doit et il vous a assuré qu'il n'admirait pas Pope plus qu'il ne le faut. Mais, à ce rythme, votre
intimité deviendra vite impossible : vous aurez épuisé tous
les sujets de conversation. A votre prochaine entrevue, il
ne vous restera qu'à vous mettre d'accord sur la question
des arts plastiques et celle du remariage et, alors, vous n'aurez plus rien à vous demander.

— Elinor! s'écria Marianne; est-ce bien ce que vous dites
là? Est-ce juste? Mes idées sont-elles si étroites? Mais je
vois ce que vous voulez dire. J'ai été trop à l'aise, trop heureuse, trop franche! J'ai manqué aux formes habituelles des
convenances. J'ai été ouverte et sincère là où j'aurais dû être
réservée, sans esprit, lourde et décevante. Si je n'avais parlé
que du temps et de l'état des chemins et pris la parole que
toutes les dix minutes, je me serais épargnée ce reproche.

— Mon amour, dit sa mère, il ne faut pas vous fâcher
contre Elinor, ce n'est qu'une plaisanterie. Je serais la première à la gronder si je la croyais capable de vouloir vous
gâter le plaisir que vous avez pris à parler avec votre nouvel
ami.

Marianne fut aussitôt apaisée.

Mr. Willoughby, de son côté, donna la preuve du plaisir
qu'il trouvait à les voir, en faisant naître d'incessantes occasions de rencontres. Il venait chaque jour. La santé de Marianne
servit d'abord de prétexte; mais la façon de plus en plus
encourageante dont il fut reçu rendit ce prétexte inutile
avant que l'état de Marianne eût cessé de le rendre vraisemblable. Elle était confinée pour quelques jours à la maison;
mais jamais retraite forcée n'avait été moins ennuyeuse.
Willoughby était un jeune homme de talent, avec une imagi-

nation prompte, un esprit vif, des façons ouvertes et affectueuses. Il avait exactement tout ce qu'il fallait pour gagner le cœur de Marianne; car, à tout cela, il joignait non seulement un physique captivant, mais une animation spontanée que l'exemple de Marianne exaltait et augmentait et qui le recommandait par-dessus tout à l'affection de cette dernière.

Peu à peu, sa compagnie devint, pour elle, le plus exquis des plaisirs. Ils lisaient, ils parlaient, ils chantaient ensemble. Il était fort doué pour la musique et il lisait à haute voix avec toute la sensibilité et l'esprit qui manquaient malheureusement à Edward.

Aux yeux de Mrs. Dashwood, il était aussi parfait qu'à ceux de Marianne et Elinor ne trouvait rien à blâmer chez lui si ce n'est une certaine manière, qui enchantait, au contraire, Marianne, de dire, à tout propos, ce qu'il pensait sans égard aux personnes et aux circonstances. En se formant et énonçant précipitamment des opinions sur les autres, en sacrifiant la politesse due à tous au plaisir qu'il prenait à l'objet unique où son cœur s'attachait et en faisant fi trop aisément des formes de la civilité mondaine, il montrait un manque de mesure qu'Elinor ne pouvait approuver en dépit de tout ce que Marianne et lui pouvaient lui dire.

Marianne commença à s'apercevoir que le désespoir qui l'avait saisie à seize ans et demi à l'idée qu'elle ne trouverait jamais un homme répondant à son idéal de perfection, avait été prématuré et sans fondement. Willoughby était exactement ce qu'en ces fâcheux moments aussi bien qu'en des périodes plus brillantes, elle avait imaginé comme vraiment digne de son attachement.

Sa mère, qui ne pensait pas à la fortune, lorsqu'elle envisageait un mariage pour ses filles finit, dès la fin de la semaine par souhaiter que celui-ci se réalisât. Elle se flattait d'avoir ainsi gagné deux gendres en la personne d'Edward et de Willoughby.

Le penchant du colonel Brandon pour Marianne, qui avait été si tôt découvert par ses amis, devint visible pour Elinor au moment où ceux-ci cessèrent de s'en occuper. Leur attention et leur verve s'étaient reportées sur son heureux rival. Les railleries qui avaient accablé le colonel, avant qu'elles fussent justifiées, cessèrent à partir du moment où, justement, son inclination commença à prêter à sourire comme tous les sentiments vraiment sincères.

Elinor finit bien par reconnaître que, en effet, il avait pour Marianne cette inclination que Mrs. Jennings avait signalée sans raison. Car, si Mr. Willoughby était attiré vers Marianne par une grande similitude de goûts, l'opposition non moins frappante de leurs caractères n'empêchait pas le colonel Brandon de l'aimer aussi. Elle le constata avec peine : que pèserait un homme de trente-cinq ans, silencieux et renfermé, en face d'un brillant jeune homme de vingt-cinq? Comme elle n'y pouvait rien, elle aurait préféré trouver Brandon indifférent. Elle avait pour lui de l'affection; en dépit de sa gravité et de sa réserve, elle le trouvait intéressant. Il était d'un caractère doux, quoique sérieux, et sa réserve semblait plutôt provenir de chagrins cachés que d'une disposition naturelle à la mélancolie. Sir John avait fait quelques allusions à ses malheurs et à des déceptions passées, qui la confirmaient dans son impression et elle éprouvait pour lui du respect et de la compassion.

Peut-être le plaignait-elle et l'estimait-elle d'autant plus qu'il était traité légèrement par Willoughby et Marianne; ceux-ci, prévenus contre lui parce qu'il n'était ni gai ni jeune, semblaient résolus à méconnaître son mérite.

— Brandon, dit un jour Willoughby, comme il était question de lui, appartient précisément à cette espèce de gens dont tout le monde dit du bien et dont personne ne se soucie, que tout le monde est heureux de voir, mais dont personne ne songe à parler.

— C'est justement ce que je pense de lui, s'écria Marianne.

— Eh bien! je ne vous en félicite pas, dit Elinor, car vous êtes tous deux injustes. Toute la famille, au Park, le tient en haute estime, et, moi-même, je ne l'ai jamais rencontré sans chercher à engager la conversation avec lui.

— Votre suffrage, répliqua Willoughby, plaide certainement en sa faveur; mais, pour ce qui est de l'estime que lui portent les autres, ce serait plutôt, en soi, un reproche. Qui voudrait avoir le malheur de plaire à des femmes comme lady Middleton et Mrs. Jennings? C'est se vouer à l'indifférence générale.

— Mais, peut-être, la prévention de gens comme vous et Marianne sert-elle de correctif. Si l'éloge dans la bouche de lady Middleton et de sa mère peut constituer un blâme, le blâme dans la vôtre peut bien être pris pour un éloge, car

ces dames ne montrent pas plus de discernement que vous
de modération et de justice.

— Pour la défense de votre protégé, vous allez jusqu'à
l'injure.

— Mon protégé, comme vous dites, est un homme de
bon sens, et le bon sens m'attire toujours. Oui, Marianne,
même chez un homme entre trente et quarante ans. Il a vu
beaucoup de gens, il a été à l'étranger, il a lu, et c'est un
esprit réfléchi. Je l'ai trouvé capable de me donner des renseignements sur beaucoup de choses et il a toujours satisfait à
mes demandes avec l'empressement d'un bon naturel.

— C'est-à-dire, s'écria Marianne avec mépris, qu'il vous
a dit que, dans l'est de l'Inde, le climat est chaud et qu'on y
est incommodé par les moustiques.

— Il me l'aurait dit sans aucun doute si je le lui avais
demandé; mais il se trouvait que c'était des choses sur lesquelles j'étais déjà édifiée.

— Peut-être, dit Willoughby, ses observations auraient-
elles pu s'étendre jusqu'à l'existence des nababs, des gazelles
dorées et des palanquins. .

— Je prends la liberté de croire que « ses » observations
se sont étendues plus loin que « votre » candeur. Mais pourquoi lui en voulez-vous ?

— Je ne lui en veux pas. Je le considère, au contraire,
comme un homme fort respectable, qui a l'estime de tout le
monde et dont personne ne s'occupe; qui a plus d'argent
qu'il n'en peut dépenser, plus de temps qu'il n'en peut employer, et deux habits neufs chaque année.

— Ajoutez, s'écria Marianne, qu'il n'a ni génie, ni goût,
ni esprit, que son intelligence n'a pas d'éclat, ses sentiments
pas d'ardeur et sa voix pas d'expression.

— Vous vous prononcez tellement en bloc sur ses imper-
fections, répliqua Elinor, et avec une telle force d'imagination que tout ce que je pourrai ajouter en sa faveur sera, en
comparaison, froid et insipide. Je puis seulement dire que
c'est un homme sensé, bien élevé, fort instruit, de rapports
agréables et ayant, il me semble, bon cœur.

— Miss Dashwood! s'exclama Willoughby, c'est mal de
votre part. Vous essayez de me désarmer par la raison et de
me convaincre malgré moi. Mais vous n'y arriverez pas.
Vous me trouverez aussi obstiné que vous êtes subtile. J'ai
trois raisons irréfutables pour ne pas aimer le colonel Bran-

don : il m'a menacé de la pluie un jour où je voulais qu'il fasse beau; il a trouvé à redire aux ressorts de ma voiture et je ne puis pas lui persuader de m'acheter ma jument brune. Si cela peut vous faire plaisir pourtant d'apprendre que je le considère à tous autres égards comme irréprochable, je suis prêt à en convenir. Et, en échange de cet aveu qui me coûte un peu, vous ne pouvez me refuser le privilège de le détester autant que jamais.

XI

Mrs. Dashwood et ses filles n'auraient pu s'imaginer, quand elles arrivèrent dans le Devonshire, qu'elles se trouveraient aussi vite tant de façons d'occuper leur temps. Elles étaient, alors, loin de penser qu'elles recevraient des invitations et des visites si fréquentes qu'il ne leur resterait que peu de loisirs pour les occupations sérieuses. Ce fut pourtant le cas. Dès que Marianne fut rétablie, les réceptions et les parties de campagne prévues par sir John furent mises à exécution. Les réunions dansantes au Park commencèrent et les promenades sur l'eau se succédèrent autant que le permit un octobre pluvieux. Willoughby était de toutes les réunions de ce genre, et l'atmosphère qui y présidait était exactement ce qu'il fallait pour resserrer son intimité avec les Dashwood. Elles lui fournissaient l'occasion d'apprécier les mérites de Marianne, de lui marquer son admiration croissante, et de trouver, dans son attitude envers lui, l'assurance la plus marquée de son affection.

Leur attachement mutuel n'avait rien de surprenant pour Elinor. Elle aurait seulement aimé qu'il s'affichât moins et, une ou deux fois, elle se hasarda à suggérer à Marianne l'opportunité d'un peu de retenue. Mais Marianne avait horreur de toute réserve quand elle n'était pas absolument obligatoire; et retenir l'expression de sentiments qui étaient innocents en eux-mêmes lui semblait constituer une peine bien inutile. Elle y voyait même une méprisable concession de la raison aux préjugés. Willoughby pensait de même; et leur conduite, à tout instant, était une illustration de leurs opinions.

En sa présence, elle n'avait d'yeux pour personne d'autre. Tout ce qu'il faisait était bien. Tout ce qu'il disait était juste. Si les soirées au Park se terminaient par une partie de cartes, il trichait envers les autres et envers lui-même pour lui procurer une bonne main. Si la danse était à l'ordre du jour, ils dansaient ensemble la moitié du temps, et quand il leur fallait s'arrêter pendant une ou deux danses, ils prenaient grand soin de rester côte à côte et n'adressaient la parole à presque personne. Evidemment, pareille attitude leur attirait d'innombrables railleries; mais le ridicule ne les faisait pas rougir et ils semblaient n'en faire presque aucun cas.

Mrs. Dashwood entrait dans tous leurs sentiments avec une chaleur qui ne lui laissait pas le loisir d'en freiner les démonstrations excessives. Pour elle, tout cela n'était que la conséquence naturelle d'une forte affection dans un esprit jeune et ardent.

C'était la saison du bonheur pour Marianne. Son cœur était dévoué à Willoughby et sa tristesse d'avoir quitté Norland trouvait beaucoup plus de compensation qu'elle ne l'aurait cru possible. La présence de son nouvel ami apportait de grands agréments à son séjour dans le Devonshire.

Elinor n'était pas aussi heureuse. Son cœur n'était pas aussi à l'aise et elle ne s'amusait pas autant dans les réunions. Celles-ci ne lui fournissaient aucun compagnon pour lui faire oublier ce qu'elle avait laissé derrière elle et apaiser ses regrets.

Ni lady Middleton ni Mrs. Jennings ne pouvaient remplacer les entretiens qu'elle avait perdus. Cette dernière, qui était une intarissable bavarde, avait beau l'avoir prise tout de suite en amitié, sa conversation ne lui suffisait pas. Elle avait déjà répété, trois ou quatre fois, l'histoire de sa vie à Elinor; et, si la mémoire de celle-ci avait été à la hauteur de ses moyens d'information, elle aurait pu lui dire, dès le début de leurs relations, quels avaient été tous les faits et gestes de Mr. Jennings, la manière dont s'était déroulée sa dernière maladie et ce qu'il avait dit à sa femme quelques minutes avant de mourir.

Lady Middleton était d'un commerce plus agréable que

sa mère, en ceci seulement qu'elle était moins bavarde. Il ne fallut pas beaucoup d'attention à Elinor pour se rendre compte que sa réserve procédait simplement d'un tempérament apathique et que le bon sens n'avait rien à y voir. Elle se comportait de même avec sa mère et son mari; et, en conséquence, elle n'appelait pas la sympathie et ne la désirait pas davantage. Elle n'avait rien à dire un jour qu'elle n'eût dit le jour précédent. Elle était toujours aussi insipide, car son esprit était toujours le même. Bien qu'elle ne s'opposât pas aux réunions qu'organisait son mari et y parût même, toujours, accompagnée de ses deux aînées, veillant à ce que tout se passât bien, elle paraissait n'y pas prendre plus de plaisir qu'à la solitude. Elle ajoutait si peu à l'agrément des autres par sa présence et la part qu'elle prenait à la conversation, que ceux-ci ne se rendaient quelquefois compte qu'elle était là que par les marques de sollicitude qu'elle donnait de temps en temps à sa turbulente nichée.

Parmi toutes ses nouvelles connaissances, le colonel Brandon était le seul dont les talents inspirassent à Elinor quelque respect.

En dehors de lui, elle ne voyait personne qui méritât de l'amitié et dont la compagnie fût agréable. Willoughby était hors de cause. Son admiration et son amitié, et même une amitié fraternelle, lui étaient tout acquises; mais c'était un amoureux. Toutes ses attentions étaient pour Marianne et un homme moins bien doué mais moins amoureux aurait été certainement plus agréable. Le colonel Brandon, malheureusement pour lui, n'avait pas les mêmes raisons de ne penser qu'à Marianne.

En causant avec Elinor, il se consolait de la totale indifférence que lui manifestait sa sœur.

La compassion d'Elinor pour lui augmentait à mesure qu'elle trouvait plus de raisons de croire qu'il avait déjà fait la douloureuse expérience d'un amour malheureux. Ce soupçon lui était venu de quelques mots qui lui étaient échappés un soir au Park, où, d'un commun accord, ils étaient restés assis ensemble pendant que les autres dansaient. Ses yeux étaient fixés sur Marianne et, après un silence de quelques minutes, il avait dit avec un faible sourire :

— Votre sœur, je crois, n'admet pas qu'on puisse aimer deux fois.

— Non, reprit Elinor, ses opinions sont tout à fait romantiques.

— Ou, plutôt, elle considère la chose comme impossible.

— Je le crois. Seulement, comment s'est-elle formé cette idée sans réfléchir au caractère de son propre père qui s'est marié deux fois ? Je n'en sais rien. Mais il lui suffira de quelques années pour conformer ses opinions au bon sens et à l'expérience ; et alors, elles seront plus faciles à comprendre pour tout le monde et même pour elle-même !

— En effet, c'est probablement ce qui se passera, répondit-il. Et pourtant, il y a quelque chose de si aimable dans les préjugés d'un jeune esprit qu'on regrette de les voir céder pour faire place à des idées plus généralement répandues.

— Je ne puis partager ce point de vue, dit Elinor. Il y a de tels inconvénients attachés à des sentiments comme les siens que tous les charmes de l'enthousiasme et de l'ignorance ne peuvent être mis en balance. Toutes ses théories ont une malheureuse tendance à faire absolument fi des convenances. Et une meilleure connaissance du monde est certainement ce que je lui souhaite le plus !

Après une courte pause, il reprit :

— Votre sœur ne fait-elle aucune distinction suivant les cas et juge-t-elle toujours également criminel d'aimer deux fois ? Ceux qui ont été déçus dans leur première tendresse, soit par l'inconstance de l'être qu'ils aimaient, soit par la faute des circonstances, sont-ils condamnés à rester également indifférents tout le reste de leur vie ?

— A vrai dire, je ne suis pas au courant du détail de ses principes. Tout ce que je sais, c'est que je ne lui ai jamais entendu admettre qu'un cas de ce genre soit excusable.

— Ceci, dit-il, ne peut pas se soutenir ; mais une conversion, un changement total de sentiments... non, non, il ne faut pas le souhaiter, car lorsque les romantiques délicatesses d'une jeune âme sont refoulées, il advient si souvent qu'elles sont remplacées par des opinions vulgaires et dangereuses ! Je parle par expérience. J'ai autrefois connu une personne dont le caractère et l'esprit ressemblaient beaucoup à ceux de votre sœur, qui pensait et jugeait comme elle, mais à qui un changement forcé, par une série de circonstances malheureuses...

Là, il s'arrêta net, donnant à penser qu'il en avait trop dit ; son attitude permit des suppositions qui, sans cela, n'auraient

jamais traversé l'esprit d'Elinor. La « personne » aurait
probablement passé sans attirer l'attention, s'il n'avait pas
convaincu Miss Dashwood que ce qui la concernait ne devait
pas s'échapper de ses lèvres. Dans ces conditions, il ne fallait
qu'un léger effort d'imagination pour rattacher son émotion
au tendre souvenir d'un ancien amour. Elinor n'alla pas
plus loin. Mais Marianne, à sa place, ne se serait pas contentée
de si peu. Toute l'histoire se serait immédiatement formée
dans son active imagination et tout aurait concouru à lui
donner l'aspect de la plus mélancolique aventure de cœur.

XII

Comme Elinor et Marianne se promenaient ensemble le
lendemain matin, cette dernière fit part à sa sœur d'une nouvelle qui, en dépit de tout ce que celle-ci savait déjà sur
l'imprudence et sur le manque de jugement de sa sœur, la
surprit par son extravagance. Marianne lui annonça, avec
la plus grande joie, que Willoughby lui avait fait cadeau d'un
cheval qu'il avait élevé lui-même dans sa propriété du Somersetshire et qui était parfaitement dressé pour une amazone.
Elle n'avait pas réfléchi que sa mère n'avait pas l'intention
d'entretenir un cheval, que, si ce cadeau venait à la faire
changer d'avis, il lui en faudrait acheter un autre et engager
un domestique pour le monter, et ensuite bâtir une écurie
pour le loger. Elle avait accepté le présent sans hésitation,
et c'est avec transport qu'elle l'annonça à sa sœur.

— Il va envoyer tout de suite son groom dans le Somersetshire pour cela, ajouta-t-elle, et quand il sera arrivé, nous
monterons chaque jour. Nous pourrons nous en servir à
tour de rôle. Imaginez-vous, ma chère Elinor, le délice de
galoper sur ces collines !

Très peu disposée à s'éveiller de ce rêve de félicité, elle eut
beaucoup de peine à se rendre compte des fâcheuses réalités
qui en seraient l'inévitable suite et, pendant quelque temps,

refusa de les admettre. Pour ce qui était d'un domestique de plus, la dépense n'était qu'une bagatelle; maman, certainement, ne ferait pas d'objection, et n'importe quel cheval conviendrait pour lui; il pourrait toujours en emprunter un au Park; quant à l'écurie, le premier hangar venu serait suffisant. Elinor se risqua alors à élever un doute sur la convenance qu'il y avait à accepter un tel présent d'un homme qu'elles connaissaient si peu, ou, du moins, de si fraîche date. C'était trop.

— Vous vous trompez, Elinor, dit-elle avec chaleur, en supposant que je ne connais que très peu Willoughby. Il n'y a pas longtemps, c'est vrai, que nous nous sommes rencontrés, mais à part vous et maman, il n'y a personne au monde que je connaisse mieux que lui. Ce n'est pas le temps ou l'occasion qui déterminent l'intimité, c'est une question de disposition. Sept ans ne suffiraient pas à certaines gens pour arriver à se connaître, et, pour d'autres, c'est trop de sept jours. Je trouverais plus inconvenant d'accepter un cheval de mon frère que de Willoughby. De John, je ne sais presque rien, et nous avons vécu des années ensemble. Mais pour Willoughby, mon opinion est faite depuis longtemps.

Elinor jugea bon de ne pas insister davantage sur ce point. Elle connaissait le caractère de sa sœur. S'opposer à elle sur un sujet aussi délicat ne ferait que l'ancrer davantage dans sa propre opinion. Mais, en faisant appel à son affection pour sa mère, en lui faisant toucher du doigt les ennuis que cette indulgente mère s'attirerait si (comme ce serait probablement le cas) elle donnait son consentement à ce supplément de dépenses, elle arriva facilement à persuader Marianne; et celle-ci promit de ne pas exposer sa mère à la tentation d'une aussi dangereuse complaisance en lui faisant part de cette offre. En conséquence, il fut convenu qu'elle dirait à Willoughby, la prochaine fois qu'elle le verrait, qu'il fallait y renoncer.

Elle tint parole; et quand Willoughby vint au cottage, le même jour, Elinor l'entendit lui exprimer à voix basse son regret d'être obligée de revenir sur son acceptation. Elle donna, en même temps, les raisons de ce changement et elles étaient telles que toute insistance de sa part était impossible. Il n'en laissa pas moins percer son désappointement, et, après l'avoir exprimé avec vivacité, il ajouta, toujours à voix basse :

— Mais, Marianne, le cheval est toujours à vous, quoique vous ne puissiez pas vous en servir pour le moment. Je ne ferai que le garder jusqu'au moment où vous pourrez le réclamer. Lorsque vous quitterez Barton pour vous établir vous-même d'une façon définitive, la Reine Mab vous accueillera.

Elinor avait saisi ce dialogue et, dans l'ensemble de son discours, dans le ton de sa voix, dans sa façon d'appeler sa sœur par son petit nom, elle discerna immédiatement les marques d'une intimité si marquée, d'une compréhension si directe, qu'on ne pouvait douter qu'il n'y eut entre eux une entente totale. Dès ce moment, elle ne douta pas qu'ils ne se fussent engagés l'un à l'autre; et la seule surprise qu'elle en éprouva fut de constater qu'avec des caractères aussi ouverts que les leurs, ils eussent laissé au hasard le soin de révéler ce lien.

Margaret lui fit, le jour suivant, un récit qui plaçait encore la chose plus en lumière. Willoughby avait passé avec eux la soirée précédente et Margaret, restée quelque temps seule dans le salon avec lui et Marianne, avait eu l'occasion de faire des remarques que, de son air le plus important, elle communiqua à sa sœur aînée quand elles se retrouvèrent ensemble.

— Oh! Elinor, s'écria-t-elle, j'ai un grand secret à vous dire au sujet de Marianne. Je suis sûre qu'elle épousera bientôt Mr. Willoughby.

— Vous avez répété cela tous les jours depuis leur première rencontre sur la colline! Ils ne se connaissaient pas, je crois, depuis une semaine, que vous étiez sûre qu'elle portait son portrait pendu à son cou; vérification faite, il se trouva que c'était seulement la miniature de notre grand-oncle.

— Oui, mais il s'agit vraiment d'autre chose. Je suis sûre qu'ils vont se marier bientôt, car il a une boucle de ses cheveux.

— Faites attention, Margaret, ce sont peut-être les cheveux d'un grand-oncle à lui.

— Non, certainement, Elinor, ce sont ceux de Marianne, j'en suis bien sûre, je l'ai vu les couper. La nuit dernière, après le thé, quand vous êtes sorties de la pièce, vous et maman, ils étaient aussi affairés que possible, chuchotant et parlant ensemble. Il avait l'air de lui demander quelque chose, et, ensuite, il s'est emparé de ses ciseaux et a coupé une longue boucle de ses cheveux, car ils étaient tous enroulés sur son dos. Ensuite, il l'a embrassée et l'a roulée dans un morceau de papier blanc qu'il a mis dans son portefeuille.

Devant de tels détails, appuyés sur une telle autorité, Elinor ne pouvait élever un doute, et elle n'en avait pas envie, car tout cadrait parfaitement avec ce qu'elle avait vu et entendu elle-même.

La sagacité de Margaret ne s'exerçait pas toujours d'une façon aussi satisfaisante, pas du moins aux yeux de sa sœur. Lorsque Mrs. Jennings l'entreprit, un soir, au Park, pour lui faire dire le nom du jeune homme qui était le préféré d'Elinor, ce qui était depuis longtemps pour elle un objet de grande curiosité, Margaret répondit, en se tournant vers sa sœur :

— Je ne dois pas le dire, n'est-ce pas, Elinor ?

Là-dessus, naturellement, tout le monde se mit à rire et Elinor essaya d'en faire autant. Mais l'effort lui fut pénible. Elle savait à qui pensait Margaret et elle se troublait à l'idée que son nom devienne un objet de plaisanterie pour Mrs. Jennings.

Marianne la plaignit très sincèrement, mais elle fit à sa sœur plus de mal que de bien en devenant soudain toute rouge et en disant aigrement à Margaret :

— Rappelez-vous que, quelles que soient vos suppositions, vous n'avez pas le droit de les révéler.

— Je n'ai jamais fait de suppositions là-dessus, répliqua Margaret : je ne sais que ce que vous m'avez dit vous-même.

Cette réponse accrut l'hilarité de la compagnie et Margaret fut vivement pressée d'en dire davantage.

— Oh ! je vous en prie, miss Margaret, dites-nous tout. Comment s'appelle ce gentleman ?

— Je ne dois pas le dire, Madame. Mais je sais bien qui c'est. Et je sais aussi où il est.

— Oui, oui, nous devinons où il est ; à sa maison de Norland sûrement. C'est le curé de la paroisse, je parie.

— Non, il n'est pas curé, il n'a pas de profession du tout.

— Margaret, dit Marianne avec une grande chaleur, vous savez bien que tout cela est de votre invention, et que cette personne n'existe pas.

— Eh bien ! alors, il n'y a pas longtemps qu'il est mort,

Madame, car je suis sûre qu'il existait et son nom commence par un F.

Lady Middleton observa à cet instant qu'il pleuvait beaucoup et Elinor lui en fut particulièrement reconnaissante, encore qu'elle pensât bien que cette interruption n'avait pas la marque d'une attention particulière à son égard mais témoignait plutôt du manque d'intérêt que prenait Sa Seigneurie pour tous ces vulgaires sujets de plaisanterie dont se délectaient son mari et sa mère. Quoiqu'il en fut, le thème qu'elle avait mis en avant fut immédiatement repris par le colonel Brandon, toujours attentif à ménager les sentiments d'autrui; et tous deux dirent au sujet de la pluie beaucoup de choses. Willoughby ouvrit le piano forte et invita Marianne à s'asseoir devant; ainsi, à force de diversions, le sujet fâcheux finit par être écarté. Mais Elinor ne se remit pas aussi aisément de l'alarme dans laquelle il l'avait jetée.

On décida, ce soir-là, de faire le lendemain une excursion pour visiter un fort beau domaine, à douze milles environ de Barton, appartenant à un beau-frère du colonel Brandon. On ne pouvait y pénétrer sans la recommandation de ce dernier, le propriétaire qui était en voyage ayant laissé des ordres stricts à ce sujet. Le parc était très renommé et sir John, qui en faisait un éloge particulièrement chaleureux, pouvait passer pour assez bon juge, car, en dix ans, il avait organisé au moins deux excursions, chaque été, pour le visiter. Il y avait surtout une imposante pièce d'eau, on projetait d'y faire une partie de canotage qui devait constituer le clou des distractions matinales. On emporterait un repas froid, on n'emploierait que des voitures découvertes, rien ne serait négligé de ce qui peut rendre une partie de plaisir parfaitement réussie.

A quelques personnes de la compagnie, cependant, l'entreprise paraissait risquée à cette époque de l'année, et, étant donné que, depuis une quinzaine, il pleuvait tous les jours. Et Mrs. Dashwood, qui avait déjà un rhume, se laissa aisément persuader par Elinor de rester chez elle.

XIII

L'excursion projetée à Whitwell tourna d'une façon fort différente de celle à laquelle Elinor s'attendait. Elle comptait sur la pluie, la fatigue et le froid; mais ce qui se passa fut plus décevant encore, car ils ne partirent pas du tout.

A dix heures, tout le monde était rassemblé au Park, en train de prendre le breakfast. La matinée s'annonçait plutôt bien, encore qu'il ait plu toute la nuit. Les nuages s'éparpillaient dans le ciel et le soleil se montrait fréquemment. Ils étaient tous en train et de belle humeur, impatients de s'amuser et résolus à surmonter pour cela tous les inconvénients et les désagréments possibles.

Pendant qu'ils étaient à table, on apporta le courrier. Parmi les lettres, il y en avait une pour le colonel Brandon. Il la prit, regarda l'adresse, changea de couleur et quitta immédiatement la salle à manger.

— Qu'arrive-t-il à Brandon? demanda sir John.

Personne ne put répondre.

— J'espère qu'il n'a pas reçu de mauvaises nouvelles, dit lady Middleton. Il faut que ce soit quelque chose d'extraordinaire pour que le colonel ait quitté la table si brusquement.

Environ cinq minutes après, il revint.

— Pas de mauvaises nouvelles, colonel, j'espère? dit Mrs. Jennings dès qu'il entra.

— Non, pas du tout, Madame, je vous remercie.

— Etait-ce d'Avignon? J'espère que ce n'était pas pour vous annoncer que votre sœur va plus mal.

— Non, Madame, c'est de Londres, une simple lettre d'affaire.

— Mais comment l'écriture a-t-elle pu vous troubler à ce point, si c'est seulement une lettre d'affaire? Allons, allons, colonel, ce n'est pas possible. Dites-nous la vérité.

— Chère Madame, dit lady Middleton, pensez un peu à ce que vous dites.

— Peut-être vous annonce-t-on le mariage de votre cousine Fanny? dit Mrs. Jennings sans faire attention au reproche de sa fille.

— Non, vraiment, pas du tout.

— Oh! alors, je sais de qui c'est, colonel. Et j'espère qu'elle se porte bien.

— Que voulez-vous dire, Madame? dit-il pendant qu'un peu de rougeur montait à ses joues.

— Oh! vous le savez bien.

— Je regrette particulièrement, dit-il en s'adressant à lady Middleton, d'avoir reçu cette lettre aujourd'hui, car il s'agit d'une affaire qui requiert ma présence immédiate à Londres.

— A Londres! s'exclama Mrs. Jennings. Que pouvez-vous avoir à y faire à cette époque de l'année?

— Personnellement, je regrette beaucoup, continua-t-il, d'être obligé de quitter une si agréable compagnie. Mais je suis surtout désolé de penser que ma présence était indispensable pour vous permettre l'entrée de Whitwell.

Quel coup c'était pour tout le monde!

— Mais si vous laissiez un mot pour le gardien, Mr. Brandon, dit vivement Marianne, ne serait-ce pas suffisant?

Il secoua la tête.

— Il faut y aller, dit sir John. Nous ne pouvons pas abandonner maintenant cette promenade. Vous ne pouvez pas aller à Londres avant demain, Brandon, voilà tout.

— Je voudrais bien que cela pût s'arranger aussi facilement. Mais je ne puis retarder mon voyage d'un jour.

— Si vous vouliez seulement nous dire ce qu'est cette affaire, dit Mrs. Jennings, nous pourrions voir si on peut la retarder ou non.

— Vous n'auriez pas six heures de retard, dit Willoughby, si vous remettiez votre départ jusqu'à notre retour.

— Je ne puis risquer de perdre une heure.

Elinor entendit alors Willoughby dire à voix basse à Marianne :

— Il y a certaines gens qui ne peuvent pas souffrir une partie de plaisir. Brandon est de ce nombre. Je suis sûr qu'il avait peur de prendre mal et a inventé ce tour pour s'en tirer. Je parierais cinquante guinées que la lettre est de son écriture.

— Je n'en ai aucun doute, répondit Marianne.

— Mon cher Brandon, dit sir John, je sais depuis long-temps que lorsque vous avez décidé quelque chose il est impossible de vous faire changer d'avis. Cependant, je voudrais que vous reveniez à de meilleurs sentiments. Voyez, il y a là les deux demoiselles Carey arrivées de Newton, les trois demoiselles Dashwood, qui sont venues de leur cottage, et Mr. Willoughby, levé deux heures plus tôt que d'habitude. Tous pour aller à Whitwell.

Le colonel Brandon exprima de nouveau son regret d'être la cause de cette déception, mais en même temps déclara qu'elle était sans remède.

— Bien, mais alors, quand comptez-vous être de retour?

— J'espère que nous vous reverrons à Barton, ajouta lady Middleton, dès qu'il vous sera possible de quitter Londres, et que l'excursion à Whitwell ne sera que partie remise.

— C'est bien aimable à vous, mais je suis dans une telle incertitude quant à la date de mon retour, que je n'ose prendre aucun engagement.

— Oh! mais c'est qu'il faut qu'il revienne! cria sir John. S'il n'est pas ici à la fin de la semaine, j'irai courir après lui.

— Oui, c'est cela, sir John, s'exclama Mrs. Jennings, et alors nous finirons peut-être par savoir quelle est cette affaire.

— Je n'aime pas à me mêler des ennuis des autres, je suppose que c'est une chose qu'il ne veut pas dire.

Les chevaux du colonel Brandon furent annoncés.

— Vous n'allez pas faire le trajet à cheval jusqu'à Londres, n'est-ce pas? ajouta sir John.

— Non, seulement jusqu'à Honiton. Là, je prendrai la poste.

— Eh! bien, puisque rien ne peut vous retenir, je vous souhaite un bon voyage. Mais vous feriez mieux de changer d'avis.

— Je vous assure que ce n'est pas possible.

Il prit alors congé de tout le monde.

— Aurai-je la chance de vous voir, vous et votre sœur, à Londres, cet hiver, miss Dashwood?

— J'ai bien peur que non.

— Je dois alors vous dire adieu pour plus longtemps que je ne le voudrais.

A Marianne, il fit seulement un salut et ne dit rien.

— Allons, colonel, dit Mrs. Jennings, avant de partir, dites-nous ce que vous allez faire là-bas?

Il lui souhaita le bonjour et quitta la salle, accompagné par sir John.

Chacun donna alors libre cours aux plaintes et aux lamentations auxquelles la politesse avait jusque-là mis un frein. Et ce fut à qui déplorerait le plus une déception aussi vexante.

— Je devine pourtant ce que c'est que cette affaire, dit Mrs. Jennings exultant.

— Vraiment, madame ? s'exclama-t-on de tous côtés.

— Oui, il s'agit de miss Williams, j'en suis sûre.

— Et qui est miss Williams ? demanda Marianne.

— Comment, vous ne savez pas qui est miss Williams ? Je suis sûre que vous en avez déjà entendu parler. C'est une parente du colonel, ma chère, une parente très proche. Nous n'avons pas à dire à quel point, de peur d'offusquer les jeunes filles.

Et baissant la voix d'un degré, elle s'adressa à Elinor :

— C'est sa fille naturelle.

— Vraiment ?

— Mais oui, et elle lui ressemble autant qu'il est possible. Je suis convaincue que le colonel lui laissera toute sa fortune.

Quand sir John fut de retour, il se joignit chaleureusement aux regrets unanimes qu'inspirait un si fâcheux contretemps ; mais, en guise de conclusion, il fit observer que, puisqu'on était tous réunis, il fallait faire quelque chose pour s'amuser ; et après quelques échanges de vues, on se mit d'accord sur le fait que, sans remplacer Whitwell, une promenade en voiture à travers la campagne serait un pis-aller acceptable. On commanda alors les voitures : celle de Willoughby fut la première, et Marianne n'avait jamais paru si heureuse que lorsqu'elle y eut pris place. Il conduisit fort vite à travers le Park et ils furent bientôt hors de vue, et on n'eut plus de leurs nouvelles jusqu'à leur retour qui n'eut lieu qu'après celui de tous les autres. Tous deux semblaient ravis de leur course, mais ils se bornèrent à dire qu'ils étaient restés sur les routes tandis que les autres montaient sur les collines.

On décida qu'on danserait le soir et que tout le monde serait très joyeux tout le reste du jour. Quelques autres membres de la famille Carey vinrent pour le dîner et ils eurent le plaisir d'être une quinzaine à table, ce que sir John fit observer avec un grand contentement. Willoughby prit sa place habituelle entre les deux aînées des Dashwood, Mrs. Jennings était à la droite d'Elinor et ils n'étaient pas assis depuis quelques instants qu'elle se pencha derrière elle et Willoughby et dit à Marianne, assez haut pour être entendue d'eux :

— Je vous ai découverts en dépit de tous vos tours. Je sais où vous avez passé votre matinée.

Marianne rougit et demanda très vite :

— Où était-ce donc, je vous prie ?

— Ne savez-vous pas, dit Willoughby, que nous nous sommes promenés dans ma voiture ?

— Oui, oui, monsieur l'imprudent, je le savais fort bien et j'étais résolue à savoir aussi « où » vous aviez été. J'espère que votre maison vous plaît, miss Marianne. Elle est vraiment grande, le le sais, et quand je viendrai vous y voir, je compte que vous l'aurez meublée à neuf, car elle laissait fort à désirer de ce côté lorsque j'y suis passée il y a six ans.

Marianne se détourna en grande confusion. Mrs. Jennings riait de bon cœur, et Elinor découvrit que, dans son ferme propos de savoir où ils avaient été, Mrs. Jennings avait fait interroger le groom de Mr. Willoughby par sa propre femme de chambre, et que, par cette méthode, elle avait su qu'ils étaient allés à Allenham et avaient passé là un temps considérable à se promener dans le jardin et à visiter la maison.

Elinor pouvait difficilement le croire. Il lui semblait improbable que Willoughby ait pu proposer à Marianne et la convaincre d'entrer dans la maison où se trouvait Mrs. Smith, avec qui elle n'avait pas la moindre relation.

Dès qu'on eut quitté la salle à manger, Elinor lui demanda ce qui était et, à sa grande surprise, elle trouva que tout ce qu'avait dit Mrs. Jennings était parfaitement exact. Marianne était très fâchée qu'elle ait pu en douter.

— Pourquoi vous imaginer, Elinor, que nous ne serions pas allés là-bas ou que nous n'aurions pas visité la maison ? N'est-ce pas ce que vous aviez souvent souhaité faire vous-même ?

— Oui, Marianne, mais je n'aurais pas voulu y aller pendant que Mrs. Smith y était et sans autre compagnon que Mr. Willoughby.

— Mais Mr. Willoughby pourtant est la seule personne qui puisse avoir le droit de montrer cette maison ; et, comme il était en voiture découverte, il était impossible d'avoir un autre compagnon. Je n'ai jamais passé une matinée plus agréable de ma vie.

— Je crains, dit Elinor, que l'agrément d'une chose ne suffise pas à la rendre convenable.

— Au contraire, il n'y en pas de plus forte preuve, Elinor. S'il y avait eu réellement inconvenance dans ce que j'ai fait, je m'en serais rendue compte sur le moment, car, lorsque nous faisons le mal, nous le sentons toujours, et, dès lors, je n'aurais pas pu avoir de plaisir.

— Mais, ma chère Marianne, puisqu'elle vous a déjà exposée à des remarques impertinentes, ne commencez-vous pas d'avoir des doutes sur la discrétion de votre conduite?

— Si les remarques impertinentes de Mrs. Jennings sont la preuve d'une conduite indiscrète, nous péchons tous à tous les moments de notre vie. Je fais autant de cas de sa censure que de son estime. J'ai conscience de n'avoir fait aucun mal en me promenant dans le jardin de Mrs. Smith ou en visitant ses appartements. Tout cela sera un jour à Mr. Willoughby, et...

— S'ils devaient un jour être les vôtres, Marianne, vous n'auriez pas été plus fondée à faire ce que vous avez fait.

Elle rougit à cette allusion, mais visiblement elle lui faisait plaisir; et, après avoir réfléchi profondément pendant dix minutes, elle revint vers sa sœur et dit avec une grande bonne humeur :

— Peut-être, Elinor, était-ce un peu inconséquent de ma part d'aller à Allenham; mais Mr. Willoughby désirait particulièrement me faire connaître cet endroit, et c'est une charmante maison, je vous assure. Il y a un petit salon tout à fait délicieux au premier étage, tout à fait de la dimension qui convient pour qu'on puisse s'y tenir ordinairement. Avec un mobilier moderne, il sera tout à fait ravissant. Il est situé au coin de la maison avec des fenêtres des deux côtés. De celles qui donnent sur le jeu de boules, derrière la maison, la vue s'étend sur une belle pente boisée, et, des autres, on peut voir l'église du village et, par derrière, ces hautes collines que nous avons si souvent admirées. Je ne l'ai pas vu à son avantage, car rien ne peut être plus négligé que son ameublement; mais s'il était remis à neuf — l'affaire de deux cents livres, dit Willoughby — on en ferait une des plus agréables résidences d'été de toute l'Angleterre.

Si personne n'était venu l'interrompre, elle aurait décrit toutes les pièces de la maison avec le même plaisir.

XIV

La fin brusquée de la visite du colonel Brandon au Park et sa fermeté à en cacher la cause, remplit l'esprit de Mrs. Jennings et excita sa curiosité pendant deux ou trois jours. Elle était passionnément curieuse, comme il est naturel chez une personne qui prenait l'intérêt le plus vif à tous les faits et gestes de chacune de ses connaissances. Elle cherchait, presque sans arrêt, la raison de ce départ, elle était sûre qu'il avait reçu de mauvaises nouvelles et passait en revue tous les genres de malheurs qui avaient pu fondre sur lui, avec la résolution bien arrêtée de n'en laisser échapper aucun.

— Ce doit être quelque chose de tout à fait fâcheux, j'en suis sûre, dit-elle. J'ai vu cela sur sa figure. Pauvre homme! J'ai peur que ses affaires aillent mal! La fortune de Delaford n'a jamais été estimée à plus de deux mille livres de revenu, et je crois que son frère lui a laissé ses affaires en désordre. Je pense qu'on l'a appelé pour des questions d'argent, comment pourrait-il en être différemment? Je me demande ce que c'est. Je donnerais tout au monde pour le savoir. Peut-être s'agit-il de miss Williams, et, tout compte fait, je crois que c'est cela : il a paru si frappé quand j'ai mentionné son nom. Peut-être est-elle malade à Londres; il n'y a rien de plus probable, car j'ai entendu dire qu'elle était d'une santé chancelante. Je parierais n'importe quoi qu'il est auprès d'elle. Il paraît moins vraisemblable qu'il ait en ce moment des embarras d'argent, car c'est un homme prudent, et, certainement, il a dû mettre ses affaires en ordre à l'époque. Je me demande ce que c'est! Sa sœur va peut-être plus mal à Avignon et l'aura envoyé chercher. Cela cadrerait bien avec son départ précipité. Enfin, je lui souhaite, de tout mon cœur, de se tirer de ses embarras — et une bonne femme par-dessus le marché!

Ainsi cherchait, ainsi parlait Mrs. Jennings, changeant

d'opinion à chaque nouvelle conjecture, car toutes lui semblaient également probables à mesure qu'elles s'offraient à son esprit. Elinor, quoique portant un réel intérêt au colonel Brandon, n'accordait pas à son départ soudain toute l'attention que Mrs. Jennings aurait souhaitée. A vrai dire, elle ne trouvait pas que cet événement justifiât un étonnement si prolongé et l'échafaudage de tant d'hypothèses. Mais, surtout, ses préoccupations étaient ailleurs. Elles devenaient de plus en plus vives en présence de l'extraordinaire silence gardé par Willoughby et sa sœur sur le sujet dont ils ne pouvaient ignorer à quel point il les intéressait toutes. A mesure que ce silence se prolongeait, chaque jour le rendait plus étrange et plus incompatible avec leur façon d'être à tous les deux. Pourquoi ne disaient-ils pas franchement à sa mère et à elle-même ce dont leur constante attitude ne permettait plus de douter ? Elinor ne pouvait l'imaginer.

Elle concevait facilement qu'ils ne puissent se marier tout de suite : Willoughby était indépendant, mais il n'y avait aucune raison de le croire riche. Sa fortune avait été estimée par sir John à un revenu d'environ six ou sept cents livres par an; mais il vivait sur un pied tel que ce revenu pouvait difficilement suffire à ses dépenses, et lui-même s'était souvent plaint de sa pauvreté. Mais, quant à cet étrange parti pris de secret maintenu par eux au sujet de leur engagement et qui, en fait, ne cachait rien du tout, elle n'y comprenait rien. Et c'était chose si contraire à leurs habitudes, que le doute entrait parfois dans son esprit au sujet de leurs fiançailles, et c'en était assez pour l'empêcher de poser la question à Marianne.

Il était impossible de leur montrer à toutes plus d'attachement que ne le faisait Willoughby. Envers Marianne, il déployait toute la tendresse particulière que peut inspirer un cœur épris, et, vis-à-vis du reste de la famille, c'étaient les attentions affectueuses d'un fils et d'un frère. Il avait l'air de considérer le cottage comme sa maison et de s'y plaire tout autant. Il y passait plus de temps qu'à Allenham, et, si une invitation générale ne les réunissait pas tous au Park, ses sorties matinales ne le conduisaient pas plus loin que le cottage où il passait le reste du jour assis à côté de Marianne avec son chien favori à ses pieds.

Certain soir, en particulier, une semaine environ après le départ du colonel Brandon, son cœur semblait plus que d'habitude s'ouvrir à un attachement sentimental pour tous les objets qui l'entouraient. Mrs. Dashwood ayant parlé de son dessein d'apporter au printemps des améliorations à la maison, il s'éleva vivement contre toute altération d'un logis que l'affection lui avait fait considérer comme parfait.

— Comment! s'écria-t-il, améliorer ce cher cottage? Non, je n'y consentirai jamais. Il ne faut pas ajouter une pierre à ses murs, ni un pouce à sa hauteur, si l'on veut me faire plaisir.

— Ne vous inquiétez pas, dit miss Dashwood, on n'entreprendra rien de semblable, car ma mère n'aura jamais assez d'argent pour cela.

— J'en suis profondément satisfait, s'écria-t-il. Puisse-t-elle toujours être pauvre si elle ne doit pas mieux employer ses richesses.

— Grand merci, Willoughby! Mais soyez certain que je ne voudrais pas contrarier votre attachement pour cette maison, ni celui de n'importe lequel autre de mes amis, pour toutes les améliorations du monde! Vous saurez y compter. Tout ce que je pourrai avoir fait d'économies quand je ferai mes comptes au printemps, je le laisserai sans emploi plutôt que de m'en servir d'une façon si pénible pour vous. Mais êtes-vous donc tellement attaché à cette demeure que vous n'y trouviez vraiment aucun défaut?

— Mais oui, dit-il, pour moi, rien n'y manque. Bien plus, j'estime que c'est le seul genre de demeure où l'on puisse trouver le bonheur; et, si j'étais assez riche, je voudrais tout de suite démolir Combe et le rebâtir exactement sur le plan de ce cottage.

— Avec un escalier étroit et obscur et la cheminée de la cuisine qui fume, je suppose, dit Elinor.

— Oui, s'écria-t-il du même ton passionné, avec tout ce qui en fait partie, sans souci des avantages et des inconvénients, sans qu'on puisse y apercevoir le moindre changement. Alors, et alors seulement, dans de telles conditions, je pourrais me trouver aussi bien à Combe que je l'ai été à Barton.

— Je me flatte, répliqua Elinor, que, même avec l'inconvénient de meilleures chambres et d'un meilleur escalier, vous finiriez par trouver votre maison aussi parfaite que celle-ci vous paraît maintenant..

— Il peut y avoir des circonstances, dit Willoughby, qui

me la rendent grandement chère; mais cet endroit aura toujours mon affection à un titre qu'aucun autre ne pourra lui disputer.

Mrs. Dashwood regarda avec plaisir Marianne dont les beaux yeux fixés expressivement sur Willoughby montraient clairement comme elle le comprenait bien.

— Combien souvent j'ai formé le souhait, quand j'étais à Allenham il y a un an, que Barton Cottage fût habité. Je ne passais jamais devant sans admirer sa situation, et déplorer que personne ne l'habitât. Comme je m'attendais peu à ce que la première nouvelle que me donna Mrs. Smith quand je revins la dernière fois fût que Barton Cottage était loué! J'en ressentis immédiatement une grande satisfaction, et je pris à la chose un intérêt que je ne puis expliquer que par une sorte de pressentiment du bonheur qui devait en résulter pour moi. N'était-ce pas cela, Marianne? dit-il en s'adressant à elle sur un ton plus confidentiel.

Puis, reprenant sa voix ordinaire, il dit :

— Et, maintenant, cette maison serait saccagée, Mrs. Dashwood. Vous lui enlèveriez sa simplicité par des améliorations imaginaires. Et ce cher petit salon où nous avons fait pour la première fois connaissance et où nous avons passé, depuis, tant d'heureux moments, vous le dégraderiez en le transformant en une espèce de passage : tout le monde traverserait cette pièce où ont été inclus, jusqu'à présent, mille fois plus de perfectionnement et de confort que n'en peut fournir l'appartement le mieux compris du monde.

Mrs. Dashwood l'assura derechef qu'aucune altération de ce genre n'aurait lieu.

— Vous êtes infiniment bonne, répondit-il chaleureusement. Votre promesse me met à l'aise. Étendez-la un peu plus loin et vous me rendrez heureux. Dites-moi que, non seulement, votre maison restera la même, mais que je vous trouverai toujours, vous et les vôtres, aussi inchangées que votre maison et que vous me regarderez toujours avec cette tendresse qui m'a rendu si cher tout ce qui vous appartient.

La promesse fut promptement donnée et l'attitude de Willoughby durant toute la soirée ne cessa de montrer à la fois son affection et son bonheur.

— Aurons-nous le plaisir de vous avoir demain à dîner? demanda Mrs. Dashwood quand il prit congé. Je ne vous

demande pas de venir le matin, car nous devons aller au Park
rendre visite à lady Middleton.

XV

La visite de Mrs. Dashwood à lady Middleton eut lieu le
lendemain et deux de ses filles l'accompagnèrent; mais
Marianne s'excusa sous prétexte d'une vague occupation;
et sa mère qui en conclut que Willoughby avait dû lui promettre, le soir précédent, de venir la voir pendant leur
absence, la vit avec plaisir rester à la maison.

A leur retour de Park, elles trouvèrent la voiture et le
groom de Willoughby qui l'attendaient devant le cottage
et Mrs. Dashwood fut convaincue de l'exactitude de sa
conjecture. C'était bien ce qu'elle avait pensé; mais, en
entrant dans la maison, elle se trouva en présence d'une
chose tout à fait inattendue. Elle n'avait pas plutôt pénétré
dans le passage que Marianne sortit en hâte du petit salon,
donnant tous les signes de la plus vive affliction, un mouchoir
sur ses yeux, et, sans les voir, se précipita dans l'escalier.
Surprises et alarmées, elles entrèrent directement dans la
pièce qu'elle venait de quitter : elles y trouvèrent Mr. Willoughby, seul, penché vers la cheminée, et leur tournant le
dos. Il se retourna à leur entrée et sa contenance montra qu'il
était, lui aussi, en proie à une vive émotion.

— Est-ce qu'il lui est arrivé quelque chose? s'écria Mrs.
Dashwood en entrant. Est-elle malade?

— J'espère que non, répliqua-t-il, s'efforçant de paraître
à l'aise. C'est moi qui voudrais bien plutôt être malade, car
je suis en ce moment sous le coup d'un cruel désappointement.

— Désappointement?

— Oui, car je ne puis tenir mon engagement envers vous.
Ce matin, Mrs. Smith a exercé son pouvoir sur un cousin
pauvre qui dépend d'elle, en m'envoyant à Londres pour
affaires. En guise de divertissement, je suis venu vous dire
adieu.

— A Londres ? Et vous partez ce matin ?

— A l'instant.

— C'est bien fâcheux. On ne peut refuser cela à Mrs. Smith, et ses affaires ne vous retiendront pas longtemps, j'espère.

Il rougit en répondant :

— Vous êtes bien aimable, mais je ne pense pas revenir immédiatement. Mes visites à Mrs. Smith ne se renouvellent que tous les ans.

— Mais Mrs. Smith est-elle votre seule connaissance ? Allenham est-il le seul endroit du voisinage où vous soyez le bienvenu ? N'avez-vous pas honte, Mr. Willoughby, et ne savez-vous pas que vous êtes toujours invité ici ?

Son embarras augmenta. Les yeux fixés sur le plancher, il répondit seulement :

— Vous êtes trop bonne.

Mrs. Dashwood, surprise, regarda Elinor, tout aussi étonnée. Pendant un moment, le silence régna. Mrs. Dashwood le rompit la première.

—— J'ai seulement à ajouter, mon cher Willoughby, qu'à Barton Cottage, vous serez toujours le bienvenu. Je ne veux pas insister pour que vous reveniez immédiatement, parce que vous seul pouvez juger jusqu'à quel point cela conviendrait à Mrs. Smith; et, sur ce point, je ne suis pas plus disposée à mettre en doute votre jugement qu'à mettre en question vos inclinations.

— Mes engagements en ce moment, répondit Willoughby avec embarras, sont d'une telle nature que je n'ose me flatter...

Il s'arrêta. Mrs. Dashwood était trop étonnée pour répondre et il y eut une nouvelle pause. Willoughby reprit la parole le premier et dit avec un faible sourire :

— C'est une folie de m'attarder ainsi. Je ne veux pas me tourmenter plus longtemps en restant au milieu d'amis dont je ne puis maintenant espérer la société.

Il prit alors congé et sortit. Elles le virent monter dans sa voiture, et une minute après il avait disparu.

Mrs. Dashwood était trop émue pour parler et quitta aussitôt le salon pour donner libre cours, dans la solitude, au chagrin et à l'inquiétude que lui donnait ce départ soudain.

Elinor se sentait au moins aussi mal à l'aise que sa mère. Elle se demandait avec anxiété et défiance ce qui s'était réellement passé. L'attitude de Willoughby en prenant congé, son affectation de gaieté, et, par-dessus tout, sa répugnance à accepter l'invitation de sa mère — une répugnance si étrange chez un amoureux — et qui lui ressemblait si peu, tout cela la troublait profondément. Elle craignit un moment que, de sa part, il n'y ait jamais rien eu de sérieux, et, l'instant d'après, que quelque malheureuse querelle ait surgi entre lui et sa sœur. La détresse montrée par Marianne, à sa sortie du salon, était telle qu'on pouvait raisonnablement croire à une sérieuse dispute. Mais semblable chose lui paraissait bien impossible quand elle réfléchissait à ce qu'était l'amour de Marianne pour Willoughby.

Mais, de quelque manière qu'ils se fussent séparés, l'affliction de sa sœur était indubitable, et elle éprouva la plus tendre compassion pour ce violent chagrin auquel Marianne ne se laissait pas seulement aller pour soulager ses nerfs, mais dans lequel elle se complaisait certainement et qu'elle se croyait obligée de cultiver.

Environ une demi-heure après, sa mère revint et, bien qu'elle eut les yeux rouges, son attitude n'était pas empreinte de tristesse.

— Notre cher Willoughby est maintenant à quelques milles de Barton, dit-elle en s'asseyant devant son ouvrage. Comme il doit avoir le cœur lourd pendant ce voyage!

— Tout cela est bien étrange! Un départ si précipité! Il semble que ç'a été l'œuvre d'un moment. Hier soir, il était si heureux avec nous, si joyeux, si affectueux! Et maintenant, après dix minutes d'explication, il s'en va, et sans intention de retour. Il faut qu'il soit arrivé quelque chose d'autre que ce qu'il a allégué. Il parlait, il agissait comme s'il était un autre. Vous avez dû voir la différence aussi bien que moi. Que peut-il y avoir? Se sont-ils disputés? Sinon, d'où peut venir cette répugnance à accepter votre invitation?

— Ce n'était pas l'envie qui lui en manquait, Elinor. Je l'ai très bien vu. Il ne pouvait pas l'accepter. J'ai bien réfléchi là-dessus, je vous assure, et je m'explique parfaitement, tout ce qui, d'abord, m'a semblé aussi étrange qu'à vous.

— Vraiment?

— Oui. Pour moi, je suis arrivée à une solution tout à fait satisfaisante. Mais vous, Elinor, qui aimez toujours à douter, cela, je le sais, ne vous satisfera pas, mais vous ne me ferez pas sortir de là. Je suis convaincue que Mrs. Smith soupçonne son penchant pour Marianne et le blâme (peut être parce qu'elle a d'autres vues pour lui) et que, pour cette raison, elle cherche à l'éloigner, et que l'affaire qu'elle l'envoie traiter est une invention. Voilà ce qui est arrivé, j'en suis convaincue. Il doit savoir qu'elle n'approuve pas son choix et, ainsi, n'ose pas, pour le moment, lui avouer son engagement avec Marianne; il se sent obligé, en raison de sa situation dépendante, de donner dans ses vues et de s'absenter du Devonshire durant quelque temps. Vous me direz, sans doute, que cela peut être vrai ou pas; mais je ne veux écouter aucune subtilité tant que vous ne m'aurez pas donné une autre explication, aussi satisfaisante. Et maintenant, Elinor, qu'avez-vous à dire?

— Rien, puisque vous avez prévu ma réponse.

— Alors, vous êtes d'avis que ce que je vous ai dit n'est pas sûr? Oh! Elinor, quel esprit incompréhensible est le vôtre! Vous croyez toujours plutôt au mal qu'au bien. Vous préférez conclure au malheur de Marianne et à la faute de Willoughby plutôt que de trouver une excuse pour celui-ci. Vous avez décidé qu'il était à blâmer parce qu'il a pris congé de vous avec moins d'effusion qu'il n'en montrait ordinairement. Comme si cela ne pouvait pas passer pour une inadvertance ou être mis sur le compte de la dépression causée par une contrariété toute fraîche! Faut-il rejeter toutes les probabilités parce que ce ne sont pas des certitudes? Ne devons-nous rien à l'homme que nous avions tant de raisons d'aimer et pas le moindre motif de soupçonner? Pourquoi écarter la possibilité de motifs indiscutables en eux-mêmes, mais impossibles à divulguer pendant un certain temps? Et après tout, de quoi le suspectez-vous?

— Je puis difficilement le dire moi-même. Mais le changement que nous venons de constater, à l'instant, chez lui entraîne inévitablement de fâcheux soupçons. Il y a cependant beaucoup de vérité dans ce que vous venez d'alléguer au sujet du crédit qu'on doit lui faire, et je souhaite ne porter sur quiconque qu'un jugement équitable. Willoughby, certainement, peut avoir eu de bonnes raisons pour se conduire ainsi, et j'espère que c'est le cas. Mais cela lui aurait ressemblé davantage de les expliquer tout de suite. Il peut arriver que le secret soit de mise en certains cas. Mais, chez lui, cela me surprend.

— Vous ne pouvez le blâmer pourtant de sortir de son

caractère quand cela est nécessaire. Mais admettez-vous réellement la justesse de ce que j'ai dit pour sa défense? Je suis heureuse, il est acquitté.

— Pas tout à fait. Il peut être à propos de cacher leurs fiançailles (s'ils sont fiancés) à Mrs. Smith, et, si c'est le cas, il est tout à fait raisonnable, pour Willoughby, de séjourner le moins possible ici pour le moment. Mais cela ne les excuse pas de s'être cachés de nous.

— S'être cachés de nous? Ma chère enfant, comment pouvez-vous les accuser de dissimulation? Voilà qui est étrange, en vérité, alors que vos regards leur reprochaient tous les jours leurs imprudences.

— Je n'ai pas besoin de preuves de leur affection, dit Elinor, mais bien de leur engagement.

— Je suis aussi certaine de l'un que de l'autre.

— Cependant, ni lui, ni elle ne vous ont dit une syllabe à ce sujet.

— Je n'avais pas besoin de syllabes là où leurs sentiments parlaient si clairement. Toute son attitude, envers Marianne et envers nous, au moins pendant cette dernière quinzaine, ne montrait-elle pas qu'il la considérait comme sa future femme et qu'il avait, pour nous, les sentiments d'un proche parent? N'avons-nous pas parfaitement compris tout cela? Ne demandait-il pas constamment mon consentement par son regard, son attitude, son respect attentif et affectueux? Mon Elinor, est-il possible de douter de leur engagement? Comment pareille pensée peut-elle vous venir? Comment supposer que Willoughby, persuadé comme il doit l'être de l'amour de votre sœur, ait pu la laisser, pour des mois peut-être, sans lui dire ses sentiments, qu'ils aient pu se quitter sans un mutuel échange de confidences?

— Je confesse, dit Elinor, que toutes les circonstances, sauf une, militent en faveur de leur engagement, mais il y a tout de même leur total silence là-dessus, et, pour moi, cela l'emporte sur tout le reste.

— Comme c'est singulier! Il faut vraiment que vous ayez une bien mauvaise opinion de Willoughby si après tout ce qui s'est passé ouvertement entre eux, vous pouvez encore douter de la nature de leurs engagements. A-t-il joué la comédie dans son attitude envers votre sœur pendant tout ce temps? Supposez-vous qu'elle lui est réellement indifférente?

— Non, je ne crois pas cela. Il faut qu'il l'aime, et il l'aime, j'en suis sûre.

— Mais alors, c'est un étrange genre de tendresse, s'il peut la laisser avec cette indifférence, ce mépris de l'avenir que vous lui attribuez.

— Il faut vous rappeler, ma chère mère, que je n'ai jamais considéré la chose comme certaine. J'ai eu mes doutes, je le confesse; mais ils vont en s'affaiblissant et ils pourront bientôt disparaître complètement. Si nous avons la preuve qu'ils sont bien d'accord, toutes mes craintes s'évanouiront.

— Une belle concession, en vérité! Quand vous les verrez à l'autel, vous admettrez qu'ils vont se marier! Esprit tracassier! Je ne demande pas de telles preuves. Rien ne s'est produit, à mon avis, qui puisse justifier un doute; on n'a rien cherché à cacher; tout s'est passé constamment à découvert et sans réserve. Vous ne pouvez pas avoir d'hésitation sur les vœux de votre sœur. C'est donc Willoughby que vous suspectez. Mais pourquoi? N'est-il pas un homme de cœur et un homme d'honneur? Y a-t-il eu de l'inconstance, de son côté, pour vous alarmer? Est-il perfide?

— J'espère que non, je crois que non, s'écria Elinor. J'ai de l'affection pour Willoughby, une affection sincère, et un soupçon jeté sur sa loyauté ne peut pas vous être plus pénible qu'à moi. Cela m'est venu involontairement, et je ne veux pas m'y laisser aller. J'ai été impressionnée, je l'avoue, par le changement de ses manières : ce matin, il n'était pas lui-même et ne répondait pas cordialement à vos avances. Mais tout cela peut s'expliquer si l'état de ses affaires est tel que vous le supposez. Il venait de quitter ma sœur; il avait été témoin de la désolation que lui causait son départ et il se trouvait obligé, de peur d'offenser Mrs. Smith, de résister à la tentation de revenir bientôt; il se rendait compte qu'en déclinant votre invitation, en disant qu'il partait pour long-temps, il avait l'air d'agir d'une façon indélicate et suspecte, de rompre avec notre famille; tout cela pouvait lui donner un air embarrassé et troublé. En pareil cas, un exposé franc et ouvert de ses difficultés aurait été plus à son honneur, je crois, et aurait en même temps mieux cadré avec son caractère... Mais je ne veux pas soulever des objections contre la conduite de quelqu'un sur un fondement aussi injuste à cause seulement d'une différence d'appréciation sur ce qui me semble à moi de plus juste et de plus correct.

— Vous vous exprimez très justement. Willoughby, certainement, ne mérite aucune suspicion. Bien que nous ne le connaissions pas depuis longtemps, il n'est pas étranger ici. Et qui a jamais parlé de lui à son désavantage? S'il avait été à même d'agir avec indépendance, et de se marier immédiatement, il aurait été singulier qu'il ne nous ait pas mis tout de suite au courant de ses intentions ; mais ce n'est pas le cas. Par un certain côté, cet engagement s'est noué sous de fâcheux auspices, car leur mariage ne pourra se faire que dans un certain temps, et, même, il vaut mieux tenir la chose secrète, autant qu'il est encore possible.

Elles furent interrompues par l'entrée de Margaret, et Elinor eut alors tout le loisir de réfléchir aux observations de sa mère, de reconnaître que beaucoup d'entre elles offraient une grande probabilité, et de souhaiter qu'elles soient toutes justes.

Elles n'eurent aucune nouvelle de Marianne jusqu'au dîner, lorsqu'elle entra et prit sa place à table sans dire un mot. Ses yeux étaient rouges et gonflés, et il semblait qu'elle eût peine à retenir ses larmes. Elle évitait tous les regards, ne pouvait ni manger ni parler, et, au bout d'un certain temps, sa mère lui ayant pressé la main avec tendresse, le peu de courage qu'elle avait lui manqua. Elle fondit en larmes et quitta la pièce.

Ce violent accablement continua toute la soirée. Elle n'avait aucune force parce qu'elle n'avait aucun désir de se dominer. La plus légère allusion à une chose se rapportant à Willoughby l'abattait à l'instant ; et, quelle que fut l'attention anxieuse de sa famille à pénétrer et ménager ses sentiments, il leur était impossible, pour peu qu'elles prissent la parole, d'éviter tous les sujets que, dans son esprit, elle rapportait à lui.

XVI

Marianne ne se fut pas pardonné si elle avait pu dormir tant soit peu la première nuit après le départ de Willoughby. Elle aurait eu honte de regarder les siens en face, le lende-main matin, si elle ne s'était pas levée plus fatiguée que lors-qu'elle s'était couchée la veille au soir. Mais elle ne courut nullement le danger d'une telle disgrâce. Elle resta éveillée toute la nuit et en employa la plus grande partie à sangloter. Elle se leva ayant mal à la tête, incapable de parler, et sans la moindre envie de manger, désolant, à chaque instant, sa mère et ses sœurs, repoussant toute tentative de consolation de leur part. C'était là l'effet de sa vibrante sensibilité!

Quand le breakfast fut terminé, elle sortit seule et se pro-mena dans le village d'Allenham, se livrant à l'évocation de son bonheur passé et se lamentant sur son malheur présent pendant la plus grande partie de la matinée.

Tout l'après-midi, elle continua à s'abandonner aux mêmes sentiments. Elle joua tous les airs favoris qu'elle avait cou-tume de jouer à Willoughby, tous ceux dans lesquels ils avaient souvent uni leurs voix et se tint devant l'instrument, contemplant chaque ligne de musique qu'il avait copiée pour elle, jusqu'à ce que son cœur fut accablé par la tristesse; et elle continua chaque jour à entretenir ainsi sa douleur. Elle passait de nombreuses heures à son piano, occupée alterna-tivement à chanter et à sangloter, la voix souvent totalement étouffée par les larmes. Dans les livres aussi bien qu'en musi-que, elle recherchait le tourment qu'un contraste entre le présent et le passé ne pouvait manquer de lui fournir. Elle ne lisait rien que ce qu'ils avaient lu ensemble.

Une telle violence d'affliction ne pouvait, cependant, se maintenir toujours à un pareil diapason; au bout de quelques jours, elle se transforma en une mélancolie plus calme; mais ses occupations, ses promenades solitaires et ses méditations silencieuses donnaient encore lieu, de temps en temps, à des effusions de chagrin plus vives que jamais.

Il n'arriva pas de lettres de Willoughby, et Marianne semblait n'en attendre aucune. Sa mère en fut surprise et Elinor commença également à s'inquiéter. Mais Mrs. Dashwood finissait toujours par trouver des explications satisfaisantes.

— Faites attention, Elinor, dit-elle. Bien souvent, sir John porte lui-même nos lettres à la poste et nous rapporte notre courrier. Nous sommes déjà tombées d'accord que le secret peut être nécessaire et il faut reconnaître qu'il ne pourrait être gardé si leur correspondance passe par ses mains.

Elinor ne put nier la justesse de cette observation, et elle essaya d'y trouver un motif suffisant pour leur silence. Mais il y avait un moyen si direct, si simple, et, à son avis, si efficace de savoir exactement où en étaient les choses et de faire ainsi disparaître immédiatement toute ambiguïté, qu'elle ne put s'empêcher de le suggérer à sa mère.

— Pourquoi ne pas demander tout de suite à Marianne, dit-elle, si elle est oui ou non fiancée à Willoughby? Venant de vous, sa mère, et une mère si bonne et si tendre, la question ne peut pas l'offenser. Ce ne serait que le résultat naturel de votre affection pour elle. Elle se montrait si franche et si ouverte, surtout avec vous!

— Pour rien au monde, je ne poserai cette question. Supposez qu'ils ne soient pas fiancés, quelle souffrance lui infligerait une pareille demande! De toute façon, rien ne serait moins généreux. Je perdrais sa confiance pour toujours en la forçant à confesser ce que, pour le moment, ils désirent ne faire connaître à personne. Je connais le cœur de Marianne. Je sais qu'elle m'aime tendrement et que je ne serai pas la dernière à connaître la vérité lorsque les circonstances en rendront la révélation possible. Je ne veux pas tenter de forcer les confidences de personne, et encore moins de ma fille, parce que le sens du devoir pourrait l'obliger contre son gré à me répondre.

Elinor trouva cette générosité exagérée eu égard à la jeunesse de sa sœur et insista, mais en vain; le sens commun, la prudence, l'esprit de prévoyance les plus ordinaires, tout était submergé sous la délicatesse romantique de Mrs. Dashwood.

Il se passa quelques jours avant que le nom de Willoughby

fût mentionné devant Marianne par quelqu'un de sa famille; sir John et Mrs. Jennings, à vrai dire, n'y mirent pas tant de délicatesse, leurs remarques augmentèrent encore la peine de bien des heures déjà pénibles. Mais un soir, Mrs. Dashwood, prenant par hasard un volume de Shakespeare, s'écria :

— Nous n'avons pas encore fini *Hamlet*, Marianne, notre cher Willoughby est parti avant que nous ayons pu arriver au bout. Nous pourrions le mettre de côté, de sorte que, quand il reviendra... Mais peut-être faudra-t-il attendre des mois !

— Des mois ? s'écria Marianne profondément surprise, non, quelques semaines.

Mrs. Dashwood regretta ce qu'elle venait de dire; mais Elinor en fut heureuse parce que ses paroles avaient provoqué une réplique de Marianne qui exprimait toute sa confiance en Willoughby et montrait qu'elle était au courant de ses intentions.

Un matin, une semaine environ après son départ, on obtint de Marianne qu'elle se joignît à ses sœurs pour leur promenade ordinaire au lieu de sortir seule. Jusque-là, elle avait soigneusement écarté toute compagnie. Si ses sœurs se proposaient d'aller vers les collines, elle se glissait immédiatement sur les routes; si elles parlaient de la vallée, elle grimpait rapidement les collines et jamais elle ne se trouvait avec les autres. Mais, à la fin, elle fut gagnée par les efforts d'Elinor qui désapprouvait grandement une si continuelle solitude. Elles parcoururent le chemin traversant la vallée en gardant presque constamment le silence, car les pensées de Marianne leur échappaient. Du reste, Elinor, qui était satisfaite d'être arrivée à un certain résultat, ne cherchait pas à aller plus loin.

A l'entrée de la vallée, là où la campagne, quoique encore opulente, était moins sauvage et plus dégagée, s'étendait devant elles un long ruban de route qu'elles avaient parcouru lors de leur arrivée à Barton. Parvenues en ce lieu, elles s'arrêtèrent pour regarder autour d'elles et examiner l'aspect de leur cottage, vu d'un endroit où elles n'avaient jamais eu l'occasion d'aller dans leurs excursions.

Parmi les objets qui s'offraient à leur vue, elles en découvrirent bientôt un qui était doué de mouvement : c'était un cavalier qui s'avançait dans leur direction. Au bout de quelques minutes, on distingua que c'était un gentleman et, un instant après, Marianne transportée, s'écria :

— C'est lui, c'est sûrement lui. Je le reconnais.

Et elle allait se précipiter à sa rencontre quand Elinor l'arrêta.

— Vraiment, Marianne, je crois que vous vous trompez. Ce n'est pas Willoughby. Il n'est pas aussi grand que lui et il n'a pas son air.

— Si, si, s'écria Marianne, je suis sûre que c'est lui ! Son air, son petit cheval !... Je savais qu'il reviendrait vite !

Elle activait sa marche tout en parlant. Et Elinor, pour ne pas l'exposer au ridicule, car elle était quasi certaine que ce n'était pas Willoughby, hâta le pas pour rester à côté d'elle. Elles furent bientôt à trente yards du gentleman. Marianne regarda encore et son cœur défaillit. Et, se retournant brusquement, elle allait s'enfuir lorsque les voix de ses deux sœurs s'élevèrent pour la retenir, tandis qu'une troisième, à peu près aussi familière que celle de Willoughby, se joignit aux leurs pour l'arrêter et elle se retourna, surprise, pour voir et accueillir Edward Ferrars.

C'était bien la seule personne au monde à qui, en ce moment, elle put pardonner de ne pas être Willoughby, le seul qui pouvait prétendre à recevoir un sourire de sa part. Le fait est qu'elle sécha ses larmes pour lui faire bon accueil et, devant le bonheur de sa sœur, elle oublia pour un moment son désappointement.

Il mit pied à terre, laissant son cheval à son domestique et descendit avec elles jusqu'à Barton qui était le but de sa visite.

Il fut accueilli, par tout le monde, avec la plus grande cordialité, spécialement par Marianne, qui mettait plus de chaleur à le recevoir qu'Elinor elle-même. Pour Marianne, cependant, la rencontre entre sa sœur et Edward ne fut que la continuation de cette inexplicable froideur qu'elle avait si souvent constatée dans leur attitude à Norland. Du côté d'Edward, spécialement, se manifestait une carence complète de tout ce qu'un amoureux doit paraître et dire en une telle occasion. Il était comme terrassé, semblait à peine sensible au plaisir de les voir, ne paraissant ni ravi, ni gai, ne parlant que lorsqu'il y était forcé par des questions et n'accordant à Elinor aucune marque de sollicitude particulière. Marianne écoutait et regardait avec une surprise croissante.

Elle commença à concevoir une sorte d'éloignement pour Edward, et cela eut pour résultat, comme il fallait s'y attendre avec elle, de l'engager à reporter ses pensées sur Willoughby dont les manières formaient un contraste suffisamment frappant avec celles de son éventuel beau-frère.

Après un court silence, qui suivit le premier moment de surprise et les demandes ordinaires en pareil cas, Marianne demanda à Edward s'il venait directement de Londres. Non, il se trouvait dans le Devonshire depuis une quinzaine.

— Une quinzaine ? répéta-t-elle, surprise qu'il soit demeuré si longtemps dans le même comté sans voir Elinor plus tôt.

Il ajouta, non sans paraître gêné, qu'il avait séjourné chez quelques amis près de Plymouth.

— Avez-vous été dernièrement dans le Sussex ? dit Elinor.

— J'étais à Norland, il y a un mois environ.

— Et comment se trouve le cher, cher Norland ? s'écria Marianne.

— Le cher, cher Norland, dit Elinor, ressemble probablement beaucoup à ce qu'il est toujours à cette époque de l'année, les bois et les chemins couverts de feuilles mortes.

— Oh ! s'écria Marianne, avec quels transports je les ai autrefois vues tomber ! Quel plaisir je prenais, en me promenant à les voir rouler en averse sur moi, poussées par le vent ! Quels sentiments ne m'ont-elles pas inspirés, et la saison, et l'air que je respirais ! Maintenant, il n'y a personne pour y prendre garde. On les regarde seulement comme un embarras, on les balaie à la hâte et on les pousse aussi loin que possible de la vue.

— Ce n'est pas tout le monde, dit Elinor, qui a votre passion pour les feuilles mortes.

— Non, mes sentiments sont rarement partagés, rarement compris. Mais, quelquefois, ils le sont.

A ces mots, elle tomba quelque temps dans une rêverie, mais se reprenant de nouveau :

— Maintenant, Edward, dit-elle, appelant son attention sur le paysage, voici la vallée de Barton. Regardez-la et restez indifférent si vous le pouvez. Voyez ces collines ! Avez-vous vu rien de pareil ? Barton Park est à gauche, au milieu de ces bois et de ces plantations. Vous pouvez voir un coin de la maison. Et là, derrière la plus lointaine des collines, celle qui s'élève si haut, se trouve notre cottage.

— C'est une belle contrée, répliqua-t-il, mais ces bas-fonds doivent être boueux, l'hiver.

— Comment pouvez-vous penser à la boue avec de tels objets devant les yeux?

— Parce que, dit-il en souriant, parmi ces beaux objets, je vois un chemin fort boueux.

— Comme c'est étrange! se dit Marianne à elle-même tout en marchant.

— Avez-vous un voisinage intéressant ici? Les Middleton sont-ils des gens agréables?

— Non, non, pas du tout, répond Marianne, nous ne pouvions pas plus mal tomber.

— Marianne, s'écria sa sœur, comment pouvez-vous parler ainsi? Comment pouvez-vous être aussi injuste? C'est une très respectable famille, Mr. Ferrars, et ils se sont conduits, à notre égard, de la façon la plus amicale. Avez-vous oublié, Marianne, combien de jours agréables nous avons passés avec eux?

— Non, dit Marianne à voix basse, ni combien de moments pénibles.

Elinor ne fit pas attention à cela et, portant son attention sur leur visiteur, essaya d'alimenter quelque conversation avec lui en parlant de leur présente résidence, de ses avantages, etc., lui arrachant par-ci, par-là, quelques questions ou remarques. Sa froideur et sa réserve la mortifiaient sérieusement, elle était peinée et à moitié fâchée; mais, résolue à régler sa conduite envers lui plutôt sur le passé que sur le présent, elle évita toute apparence de ressentiment ou de déplaisir et le traita, comme il lui semblait qu'il devait être traité, en raison de sa situation d'allié de sa famille.

XVII

Mrs. Dashwood ne fut surprise qu'au premier moment en voyant Edward, car sa visite à Barton était, dans son opinion, la chose la plus naturelle. Aussi, la surprise fit-elle

tout de suite place à la joie et aux expressions chaleureuses
de bienvenue. Il reçut d'elle le plus gracieux accueil, et son
embarras, sa froideur, sa réserve ne purent tenir contre une
telle réception. Il avait commencé à s'en départir avant
d'arriver à la maison et la cordialité communicative de Mrs.
Dashwood fit le reste. Il était impossible qu'un jeune homme
fût vraiment amoureux d'une de ses filles sans que ce sentiment détînt sur elle et Elinor eut la satisfaction de voir
bientôt Edward redevenir lui-même. Son affection pour
elles toutes semblait se ranimer et il laissa voir l'intérêt qu'il
prenait à leurs affaires. Il n'était pourtant pas dans son assiette.
Il faisait l'éloge de leur maison, admirait le point de vue, se
montrait aimable et attentionné; mais il n'était toujours pas
en train. Tout le monde s'en rendait compte et Mrs. Dashwood, attribuant son état d'esprit au manque de générosité
de sa mère, s'occupait du service de la table, remplie d'indignation contre les parents égoïstes.

— Quels sont les projets de Mrs. Ferrars pour vous en
ce moment? dit-elle quand le dîner fut terminé et qu'ils
furent réunis autour du feu. Etes-vous toujours destiné à
devenir un grand orateur en dépit de vous-même?

— Non. J'espère que ma mère est maintenant convaincue
que j'ai aussi peu de talent que de goût pour la vie publique.

— Mais sur quoi s'établira votre célébrité? Car vous
devez être célèbre, pour satisfaire votre famille; et, sans
inclination pour le faste, sans goût pour la vie mondaine,
sans profession et sans assurance, cela paraît devoir être
difficile.

— Je ne l'essaierai pas. Je n'ai aucune envie d'être remarqué et j'ai de bonnes raisons pour m'attendre à ne l'être
jamais. Grâce au ciel, on ne peut me forcer à avoir du génie
et de l'éloquence.

— Vous n'avez pas d'ambition, je le sais bien. Tous vos
vœux sont modérés.

— Aussi modérés que ceux de la plupart des gens, je
crois. Je souhaite, comme tout le monde, être parfaitement
heureux; mais, comme pour tout le monde, il faut que ce
soit à ma propre façon. Et la grandeur n'est pas ce qu'il me
faut.

— Le contraire serait bien étrange, s'écria Marianne.
Qu'est-ce que la richesse et la grandeur ont à voir avec le
bonheur?

— La grandeur, non, dit Elinor, mais la fortune y est pour beaucoup.

— Elinor, quelle honte! dit Marianne. L'argent peut seulement permettre au bonheur de s'épanouir. Au delà du nécessaire, il ne peut apporter au cœur de satisfactions réelles. Je parle évidemment du vrai bonheur intime.

— Peut-être, dit Elinor en souriant, sommes-nous, au fond, du même avis. Ce que vous appelez le nécessaire et ce que j'appelle la richesse sont bien près l'un de l'autre. Et, au siècle où nous vivons, il faut bien reconnaître que, sans eux, toute espèce de confort extérieur est impossible. Vos idées sont seulement plus nobles que les miennes. Voyons, à quelle somme estimez-vous ce nécessaire?

— A environ dix-huit cents livres ou deux mille livres par an, pas plus.

Elinor se mit à rire :

— Deux mille livres par an? N'est-ce pas cela, la richesse? Je ne m'étais pas trompée.

— Mais, deux mille livres sont un bien modeste revenu, dit Marianne. Une famille ne peut guère se maintenir à moins. Je suis sûre que je ne demande rien d'extravagant. Il faut bien cela pour les domestiques indispensables, une voiture, ou deux peut-être et une meute.

Elinor sourit de nouveau à entendre sa sœur décrire avec tant de précision leurs futures dépenses à Combe Magna.

— Une meute! répéta Edward. Mais pourquoi une meute? Tout le monde n'est pas chasseur.

— Je voudrais, dit Margaret sautant sur une nouvelle idée, que quelqu'un puisse nous donner à chacune une belle fortune.

— Oh! oui, s'écria Marianne les yeux brillants d'animation, et le visage illuminé par la joie imaginaire de ce bonheur.

— Nous sommes tous unanimes à le souhaiter, je suppose, dit Elinor, en dépit de l'inutilité de la richesse.

— O ma chère, s'écria Margaret, comme je serais heureuse! Je me demande ce que je pourrais en faire.

Marianne avait l'air de n'avoir aucune inquiétude sur ce point.

— Je serais bien embarrassée pour dépenser moi-même une grande fortune, dit Mrs. Dashwood, si mes enfants étaient tous riches et n'avaient pas besoin de mon aide.

— Vous pourriez entreprendre quelques embellissements

dans la maison, dit Elinor, et je crois que votre embarras cesserait bientôt.

— Quelles magnifiques commandes partiraient d'ici pour Londres, dit Edward, si pareille chose arrivait! Quel heureux jour pour les libraires, les marchands de musique et d'articles de peinture! Vous, Mrs. Dashwood, passeriez une commande générale pour qu'on vous envoie toutes les nouveautés intéressantes parues en librairie, et, pour Marianne dont je connais l'élévation d'âme, il n'y aurait pas assez de musique à Londres pour la satisfaire. Et les livres! Thomson, Cowper, Scott, elle les achèterait tous; elle voudrait se procurer, je crois, tous les exemplaires pour les empêcher de tomber entre des mains indignes, et posséder tous les livres qui apprennent à admirer un vieil arbre tordu, n'est-ce pas, Marianne? Excusez-moi, je suis vraiment impoli. Mais je voulais vous montrer que je n'ai pas oublié nos vieilles disputes.

— J'aime à m'entendre rappeler le passé, Edward, qu'il soit mélancolique ou gai, j'aime à l'évoquer, et vous ne m'offenserez jamais en parlant des jours écoulés. Vous êtes certainement dans le vrai en imaginant comment je dépenserais mon argent. Une partie au moins, ce qui serait mon argent de poche, servirait à augmenter ma collection de musique et de livres.

— Et le gros de votre fortune à servir des pensions aux auteurs ou à leurs héritiers.

— Non, Edward, j'aurais quelque autre chose à faire avec.

— Peut-être, alors, fonderiez-vous un prix pour la personne qui aurait écrit la meilleure défense de votre maxime favorite, qui veut qu'on ne puisse être amoureux qu'une fois dans sa vie — car j'imagine que votre opinion sur ce point n'a pas dû varier!

— Bien sûr que non. A mon âge, les opinions sont suffisamment arrêtées. Il est peu probable que je puisse, maintenant, rien voir ou entendre qui vienne les modifier.

— Marianne n'a pas changé, vous voyez, dit Elinor, elle est aussi ferme que jamais.

— Elle est devenue seulement un peu plus grave.

— Eh! bien, Edward, dit Marianne, ce n'est pas à vous à m'en faire des reproches. Vous-même n'êtes pas très gai.

— Puissiez-vous le croire, répliqua-t-il avec un sourire. Mais, moi, la gaieté n'a jamais été dans mon caractère.

— Ni, je crois, dans celui de Marianne, dit Elinor. Elle est très ardente, très passionnée pour tout ce qu'elle fait, elle parle parfois beaucoup et avec vivacité, mais il ne lui arrive pas souvent d'être vraiment joyeuse.

— Je crois que vous avez raison, répliqua-t-il, et, pourtant, je l'avais toujours considérée comme telle.

— Je me suis souvent surprise moi-même à faire ce genre d'erreur, dit Elinor, à me méprendre sur quelque aspect d'un caractère; on s'imagine que les gens sont plus gais ou plus graves, plus ingénieux ou plus stupides qu'ils ne le sont en réalité, et il est difficile de dire comment et en quoi l'erreur a pris naissance. Parfois, on se fonde sur ce qu'ils disent eux-mêmes et, plus fréquemment, sur ce qu'en disent les autres, sans se donner à soi-même le loisir de réfléchir et de juger.

— Je croyais qu'il était juste, dit Marianne, de se laisser conduire uniquement par l'opinion des autres. Je croyais que notre faculté de juger nous avait été donnée uniquement pour être subordonnée aux opinions de nos voisins : ç'avait toujours été, jusqu'à aujourd'hui, votre doctrine.

— Non, Marianne, jamais. Ma doctrine n'a jamais tendu à l'asservissement de votre jugement. Tout ce que j'ai essayé d'influencer a été votre conduite. Il ne faut pas déformer mes idées. Je suis coupable, je le confesse, d'avoir souvent désiré vous voir traiter, en général, votre entourage avec plus d'égards; mais quand vous ai-je conseillé d'en adopter tous les sentiments ou de vous conformer à leurs jugements sur des questions d'importance?

— Vous n'avez donc pas pu amener votre sœur à adopter votre règle de conduite en matière de courtoisie mondaine, dit Edward à Elinor. N'avez-vous pourtant pas obtenu quelques petits résultats?

— Tout au contraire, répliqua Elinor jetant un regard expressif du côté de Marianne.

— Sur cette question, poursuivit-il, je suis tout à fait de votre avis, mais j'ai peur que l'opinion générale ne penche plutôt vers celle de votre sœur. Je ne cherche jamais à choquer, mais je suis tellement timide que je semble souvent mal élevé alors que je me laisse seulement aller à ma lourdeur naturelle. J'ai souvent pensé que j'étais porté, par nature,

à me plaire dans la compagnie des gens du commun. Je suis
si peu à mon aise au milieu d'étrangers de la haute société!

— Marianne n'a pas l'excuse de la timidité pour ses man-
quements, dit Elinor.

— Elle connaît trop bien sa propre valeur pour être
accessible à une fausse honte, répliqua Edward. D'une
manière ou d'une autre, la timidité n'est que l'effet d'un
sentiment d'infériorité. Si je pouvais me convaincre que mes
manières sont parfaitement aisées et gracieuses, je ne serais
pas intimidé.

— Mais vous resteriez encore réservé, dit Marianne, et
c'est déjà trop.

Edward s'informa :

— Réservé? Suis-je réservé, Marianne?

— Oui, très.

— Je ne vous comprends pas, dit-il en rougissant. Réservé?
Comment? de quelle façon? Qu'ai-je donc à vous dire?
Que supposez-vous?

Elinor le regarda, surprise de son trouble. Mais, cherchant
à tourner la chose en plaisanterie, elle lui dit :

— Ne connaissez-vous pas assez ma sœur pour comprendre ce qu'elle veut dire? Ne savez-vous pas que, pour elle,
on est réservé lorsqu'on ne parle pas aussi abondamment
qu'elle de ce qu'elle admire et qu'on ne s'en montre pas
aussi passionnément épris?

Edward ne fit aucune réponse. Sa gravité et son inquiétude reprirent complètement le dessus et il resta pendant
quelque temps silencieux et sombre.

XVIII

Elinor éprouva un grand chagrin à constater la mélancolie
de son ami. Sa visite ne lui apportait qu'une satisfaction
imparfaite, du moment que son propre plaisir à lui semblait
si douteux. Il était clair qu'il était malheureux. Elle aurait

voulu qu'il fût également évident qu'il la tenait toujours dans cette tendre préférence qu'il lui témoignait autrefois ; mais, jusqu'ici, la persistance de ce sentiment paraissait bien incertaine et la réserve de ses manières, à son égard, contredisait, à chaque instant, ce qu'une minute auparavant, un regard plus animé avait pu suggérer.

Le lendemain matin, il la rejoignit, ainsi que Marianne, au breakfast avant que les autres fussent descendues, et Marianne, toujours à l'affût de ce qui pouvait être agréable à sa sœur, s'arrangea pour les laisser bientôt seuls. Mais, avant d'arriver au milieu de l'escalier, elle entendit ouvrir la porte, et en se retournant, eut la surprise de voir Edward sortir à son tour.

— Je vais au village voir mes chevaux, dit-il en attendant le breakfast. Je rentrerai tout à l'heure.

Edward revint plein d'une admiration toute fraîche pour les environs. En allant au village, il avait vu la vallée sous des angles particulièrement plaisants, et d'un peu plus haut que le cottage, on prenait un coup d'œil d'ensemble qui lui avait paru tout à fait charmant.

Un tel sujet devait immanquablement captiver l'attention de Marianne et elle commençait à décrire ses propres sentiments devant ces spectacles et à le questionner avec plus de détails sur ce qui l'avait particulièrement frappé, quand Edward l'interrompit en disant :

— Il ne faut pas chercher trop loin, Marianne. Rappelez-vous ; je ne connais rien au pittoresque et je vous choquerai par mon ignorance et mon manque de goût si j'en viens au détail. Je dirai des collines qu'elles sont escarpées alors qu'il faudrait les qualifier d'imposantes ; du relief, qu'il est étrange et bizarre tandis que vous le qualifierez de sauvage et de romantique ; des lointains qu'ils sont hors de vue au lieu d'être fondus dans une molle brume. Il faut vous contenter de l'admiration que je puis honnêtement vous offrir. Je trouve ce pays tout à fait à mon goût. Les collines ont de hautes pentes, les bois semblent pleins de beaux arbres et la vallée paraît heureuse et cachée avec ses riches prairies et ses quelques fermes bien tenues répandues çà et là. Tout cela répond exactement à ma conception d'un beau paysage parce que la beauté s'y allie à l'utilité ; j'irai jusqu'à dire qu'il est pittoresque aussi, puisque vous l'admirez. Je puis aisément croire que la contrée est pleine de rocs et de promontoires, de mousse grisâtre et de broussailles, mais tout cela est perdu pour moi. Je n'ai pas l'âme d'un peintre.

— J'ai peur que ce ne soit que trop vrai, dit Marianne; mais pourquoi vous en moquez-vous?

— Je soupçonne, dit Elinor, que, pour éviter un genre d'affectation, Edward tombe ici dans un autre. Parce qu'il est persuadé que beaucoup de gens affichent plus d'admiration pour les beautés de la nature qu'ils n'en ressentent réellement, et que leur prétention l'irrite, il affecte une plus grande indifférence et moins de perspicacité à les découvrir que ce n'est réellement le cas. Il est délicat et veut avoir son genre d'affectation personnel.

— Il est très vrai, dit Marianne, qu'il est de mode de se pâmer devant un paysage. Chacun prétend être touché par la nature et essaie de la décrire avec le goût et l'élégance de celui qui, le premier, en découvrit et définit le pittoresque. Je déteste les jargons de toutes sortes et, quelquefois, j'ai gardé mon impression pour moi-même, rien que parce que je ne pouvais pas trouver à l'exprimer de façon originale.

— Je suis convaincu, dit Edward, que vous ressentez réellement, devant une belle perspective, tout le plaisir que vous affirmez ressentir. Mais, en retour, votre sœur doit admettre que je n'en ressens pas plus que je ne dis. Je goûte un beau point de vue, mais pas sur des principes de pittoresque. Je n'aime pas les arbres difformes, tordus, dévastés. Je les aime bien mieux lorsqu'ils sont droits, fermes et florissants. Je n'aime pas les cottages en ruines, à l'abandon. Je ne suis pas amoureux des orties, des chardons et des bruyères. J'ai plus de plaisir à voir une ferme modèle qu'une tour de guet, et une troupe de villageois heureux et bien tenus me plaît plus que les plus beaux bandits du monde.

Marianne regarda Edward avec stupéfaction et sa sœur avec pitié. Elinor se borna à rire.

Le sujet ne fut pas poussé plus loin, et Marianne resta pensive et silencieuse jusqu'à ce qu'un nouvel objet vint soudain attirer son attention. Elle était assise auprès d'Edward. Celui-ci, en prenant la tasse de thé que lui tendait Mrs. Dashwood, tendit sa main de manière à laisser voir, à l'un de ses doigts, un anneau portant enchâssée une boucle de cheveux.

— Je ne vous avais jamais vu porter une bague aupara-

vant, Edward, s'écria Marianne. Ce sont des cheveux de
Fanny? Je me rappelle qu'elle vous en avait promis. Mais
j'aurais cru qu'ils étaient plus noirs.

Marianne disait étourdiment ce qu'elle pensait; mais
quand elle vit la peine qu'elle avait faite à Edward, elle en
fut plus touchée qu'Edward lui-même. Celui-ci rougit
profondément, et, jetant un coup d'œil furtif à Elinor,
répondit :

— Oui, ce sont des cheveux de ma sœur. La monture a
toujours pour effet de les faire paraître sous un jour un peu
différent.

Elinor avait rencontré son regard et lui rendit un regard
d'intelligence. Que les cheveux fussent à elle, elle le comprit
aussi vite que Marianne; la seule différence, dans leur conclusion, était que, tandis que Marianne croyait que c'était
un don volontaire de sa sœur, Elinor avait conscience qu'Edward se les était procurés par une ruse qu'elle ignorait.
Elle n'était, d'ailleurs, nullement disposée à s'en formaliser;
elle affecta de ne pas avoir fait attention à ce qui venait de
se passer en mettant tout de suite la conversation sur un
autre sujet. Mais elle se promit de saisir la première occasion
d'examiner la bague et de s'assurer, de façon tout à fait
certaine, que c'était bien exactement de ses cheveux qu'il
s'agissait.

L'embarras d'Edward dura quelque temps et aboutit à
le rendre plus profondément absent que jamais. Il fut particulièrement grave toute la matinée. Marianne s'adressa les
plus sévères reproches pour ce qu'elle avait dit; mais elle
se serait bien plus facilement pardonné si elle avait su
combien sa sœur avait été peu offensée.

Avant le milieu du jour, ils reçurent la visite de sir John
et de Mrs. Jennings qui, ayant entendu parler de l'arrivée
d'un gentleman au cottage, venaient en reconnaissance examiner ce nouvel hôte. Avec l'aide de sa belle-mère, sir John
ne fut pas long à découvrir que le nom de Ferrars commençait par un F, ce qui voua Elinor à un déluge de railleries
que seule la nouveauté de leurs relations avec Edward
empêchait de se produire immédiatement. Mais, tout compte
fait, elle apprit seulement, par quelques coups d'œil bien
significatifs, à quel point leur perspicacité, guidée par les
indications de Margaret, était fondée.

Sir John ne venait jamais chez les Dashwood sans les

inviter à dîner au Park le lendemain ou à prendre le thé le soir. Dans le cas présent, pour mieux accueillir leur visiteur qu'il se mettait, ainsi, en devoir de distraire, il décida de cumuler les deux invitations.

— Venez donc prendre le thé chez nous ce soir, dit-il, car nous sommes tout à fait seuls, et, demain, il faut absolument que vous dîniez avec nous, car nous avons une nombreuse société.

Mrs. Jennings renchérit sur cette nécessité.

— Et qui sait si l'on ne pourra pas danser un peu ? dit-elle. Voilà qui peut vous tenter, miss Marianne.

— Une danse ? s'écria Marianne, impossible. Qui pourrait danser ?

— Qui ? Mais vous-même, et les Careys, et les Whitakers, qu'est-ce qu'il y a ? Vous croyez que personne ne peut danser parce qu'une certaine personne, que je ne dois pas nommer, s'en est allée ?

— Je voudrais de tout mon cœur, s'écria sir John, que Willoughby fût encore parmi nous.

Ces mots et la rougeur de Marianne éveillèrent des soupçons nouveaux chez Edward.

— Et qui est Willoughby ? dit-il à voix basse à Mrs. Dashwood auprès de laquelle il était assis.

Elle lui fit une réponse brève. L'attitude de Marianne était plus instructive. Edward en vit assez pour comprendre ce que voulaient dire les autres. Ainsi s'éclairaient pour lui certaines expressions de Marianne qui l'avaient d'abord étonné. Après le départ de leurs visiteurs, il vint tout de suite à côté d'elle et lui glissa à voix basse :

— J'ai deviné. Puis-je vous dire ce que je crois ?

— Que voulez-vous dire ?

— Puis-je vous le dire ?

— Certainement.

— Bien. Alors, j'ai deviné quel gibier chasse Mr. Willoughby.

Marianne fut surprise et confuse, mais elle ne put s'empêcher de sourire de son innocente malice et, après un moment de silence, répondit :

— Oh ! Edward, comment pouvez-vous !... Mais un moment viendra, j'espère... vous l'aimerez, j'en suis sûre.

— Je n'en doute pas, répondit-il assez étonné par la chaleur et l'animation qu'elle avait mises dans sa réponse. S'il n'avait pas cru qu'il ne s'agissait là que de quelque taquinerie sans fondement, jamais il ne se serait hasardé à faire allusion aux liens qui pouvaient unir Marianne et Willoughby.

XIX

Edward demeura une semaine au cottage. Mrs. Dashwood le pressait vivement de rester plus longtemps; mais, comme s'il ne cherchait que les occasions de se faire de la peine à lui-même, il parut résolu à partir au moment où il se sentait le plus heureux d'être au milieu de ses amies. Son humeur, pendant les deux ou trois derniers jours, quoique encore très inégale, s'était grandement améliorée; il prenait de plus en plus de goût pour la maison et ses environs, ne parlait jamais de son départ sans un soupir de regret, déclarait disposer entièrement de son temps, hésitait même pour savoir où il irait, en les quittant, mais, tout de même, affirmait qu'il fallait qu'il parte. Jamais semaine ne s'était écoulée aussi vite. Il pouvait à peine croire qu'elle fût passée. Il ne cessait de le répéter. Il disait aussi d'autres choses qui indiquaient le sens de ses pensées et donnaient un démenti à ses actions. Il ne se plaisait pas à Norland, il détestait Londres; mais il fallait qu'il retournât à Norland ou à Londres. Il plaçait leur amitié au-dessus de tout et son plus grand bonheur était de se trouver au milieu d'elles. Cependant, il fallait qu'il les quittât avant la fin de la semaine, en dépit de leurs vœux et des siens, et sans rien qui l'y obligeât.

Elinor prit l'avis de sa mère sur cette façon étonnante d'agir; en l'occurrence, il valut mieux qu'elle s'abusât sur l'irrésistible tendance de celle-ci à excuser toute étrangeté de la part de celui qu'elle considérait comme un fils. Désappointée, peinée comme elle l'était, et parfois choquée par son attitude équivoque envers elle, elle inclinait au total, cependant, à interpréter ses façons d'agir dans le sens candide et généreux que sa mère avait eu précédemment si grand peine à lui faire accepter quand il s'agissait de Willoughby. Son manque d'entrain, d'ouverture, de fermeté devaient, très naturellement, être imputé à son état de dépendance et à la connaissance plus complète qu'il avait des dispositions et des projets de Mrs. Ferrars; la brièveté de sa visite, son obstination à maintenir sa résolution de départ avaient leur origine dans la même obligation, la même inévitable nécessité de temporiser avec sa mère. La vieille opposition bien connue entre le devoir et l'amour, entre les parents et les enfants, expliquait tout. Elle aurait été heureuse de savoir quand ces difficultés prendraient fin, quand cette opposition tomberait, quand Mrs. Ferrars reviendrait à de meilleurs sentiments, rendant à son fils la liberté de suivre son inclination. Mais elle laissait de côté ce vain souhait. Elle ne pouvait que reprendre confiance lorsqu'elle évoquait toutes les marques d'affection qu'Edward lui avait données par ses regards et ses paroles depuis qu'il était à Barton; et, par-dessus tout, la preuve flatteuse qu'il en portait constamment à son doigt.

— Je crois, Edward, dit Mrs. Dashwood, au breakfast, le lendemain matin, que vous vous trouveriez bien plus heureux si vous aviez une profession pour occuper votre temps et donner un intérêt à vos projets et à vos actions. Il pourrait en résulter quelques inconvénients pour vos amis, certainement, car vous ne pourriez pas leur consacrer autant de temps. Mais, du moins, ajouta-t-elle en souriant, cela vous permettrait de savoir où vous devez aller quand vous les quittez.

— Je vous assure, répondit-il, que, pendant longtemps, j'ai eu, sur ce point, la même façon de voir que vous. Ç'a été, c'est encore, et ce sera toujours un grand malheur pour moi de n'avoir jamais été enchaîné à une occupation donnée. J'aurais tiré le plus grand profit d'une profession qui m'aurait occupé et apporté une certaine indépendance. Mais, malheureusement, mes propres exigences et celles de mes amis ont fait de moi ce que je suis : un être inoccupé et sans but. Nous n'avons jamais pu tomber d'accord sur le choix d'une profession. J'aurais eu du goût pour l'Eglise, et je continue d'en avoir. Mais, pour ma famille, ce n'était pas assez distingué. Elle me conseillait l'armée qui l'était beaucoup trop pour moi. On fit valoir le barreau comme suffisamment bien porté; beaucoup de jeunes gens qui ont leur

logement au Temple sont bien considérés, fréquentent les
cercles élégants, et font sensation, en ville, dans leurs cabriolets. Mais je n'avais pas de goût pour l'étude — même super-
ficielle — du droit dont ma famille se serait contentée. Et,
quant à la marine, elle avait bien du prestige à mes yeux,
mais j'étais trop âgé pour y entrer quand il en fut question
pour la première fois. Pour finir, comme il n'était pas du
tout nécessaire que j'eusse une profession, comme je pouvais
être aussi brillant et aussi prodigue sans un habit rouge sur
le dos, on décida qu'après tout, l'oisiveté était pour moi
l'état le plus avantageux et le plus honorable ; et un jeune
homme de dix-huit ans n'est pas, en général, si vivement
porté au travail qu'il résiste beaucoup aux sollicitations des
siens lorsqu'ils lui demandent de ne rien faire. En conséquence, j'entrai à Oxford, et j'ai été convenablement oisif
depuis lors.

— Et la conséquence sera, je suppose, dit Mrs. Dashwood,
puisque le loisir ne vous a pas procuré le bonheur, que
vous dirigerez vos enfants vers toutes sortes d'entreprises,
d'emplois, de professions et de commerces.

— Ils seront formés, dit-il d'un ton sérieux, à me ressem-
bler aussi peu que possible, en pensée, en action, en condition, en tout.

— Allons, allons, tout cela est un accès de découragement, Edward. Vous êtes un mélancolique et vous vous
figurez que quiconque ne vous ressemble pas doit être heureux. Tout le monde éprouve un certain chagrin quand il
faut quitter des amis : cela ne dépend pas de l'éducation ni
de la situation. Connaissez votre propre bonheur. Vous
n'avez besoin que de patience, ou, pour employer un terme
plus engageant, que d'espoir. Votre mère vous accordera,
avec le temps, cette indépendance après laquelle vous sou-
pirez ; c'est son devoir, c'est sa volonté, et ce sera, avant
longtemps, sa joie d'empêcher que toute votre jeunesse
soit gâchée et malheureuse. Combien quelques mois seulement peuvent changer de choses !

— Je défie le temps d'améliorer quoi que ce soit pour
moi, répondit Edward.

Ce découragement, encore qu'il fût sans effet sur Mrs.
Dashwood, aggrava, pour tous, la peine de la séparation
et laissa, à Elinor, en particulier, une impression fâcheuse
qu'elle ne put surmonter qu'avec des efforts et du temps.

Mais, comme elle était déterminée à en venir à bout, et à ne pas montrer qu'elle souffrait plus du départ d'Edward que le reste de la famille, elle n'adopta pas la méthode de Marianne qui, réfugiée dans le silence, la solitude et l'inaction, n'était arrivée qu'à augmenter et fixer sa douleur. Leurs procédés différaient autant que leurs buts. Et chacune, du reste, arrivait ainsi à atteindre le sien.

Elinor s'assit à sa table de travail aussitôt qu'il fut sorti de la maison, s'employa activement tout le reste du jour, ne rechercha, ni évita de prononcer son nom, et parut s'intéresser, comme toujours, aux préoccupations générales de la famille. Si par cette conduite, elle n'allégea pas sa propre peine, elle évita, au moins, de l'accroître inutilement et épargna à sa mère et à ses sœurs beaucoup d'inquiétude sur son compte.

Une pareille conduite, si exactement opposée à la sienne, ne parut pas plus méritoire à Marianne que la sienne ne lui avait semblé fautive. Pour elle, la maîtrise de soi s'analysait facilement : pour les sentiments profonds, elle était impossible; pour les sentiments calmes, elle ne comportait aucun mérite. Que les sentiments de sa sœur fussent calmes, elle n'osait le nier, bien qu'elle rougit de le reconnaître; et, quant à la force des siens, elle en donnait une preuve bien frappante en continuant à aimer et respecter cette sœur en dépit d'une conviction aussi mortifiante.

Sans se cacher de sa famille, sans s'enfermer systématiquement dans la solitude pour éviter tout le monde ou rester éveillée toute la nuit pour s'abandonner à la méditation, Elinor trouva que chaque jour lui apportait assez de loisir pour songer à Edward. Elle avait mille façons, suivant le moment ou l'état de son cœur, pour réfléchir sur sa conduite et y repensait tour à tour avec tendresse, pitié ou indécision parfois et blâme. Il y avait de nombreux moments où, sinon par l'absence de sa mère et de ses sœurs, au moins par la nature de leurs occupations, la conversation était impossible et tout se passait alors comme si elle jouissait de la solitude. Son esprit retrouvait inévitablement sa liberté, ses pensées n'étaient pas enchaînées ailleurs. Le passé et l'avenir de cet amour pouvaient lui apparaître, la captiver, et remplir sa mémoire ou nourrir sa réflexion et sa fantaisie.

Un matin, peu de temps après le départ d'Edward, elle était assise à sa table de travail, plongée dans une rêverie

de ce genre lorsqu'elle en fut tirée par l'arrivée de visiteurs.
Elle se trouvait toute seule. Le bruit de la petite porte, à
l'entrée de la pelouse, devant la maison, lui fit lever les yeux
vers la fenêtre et elle aperçut une nombreuse compagnie
qui se dirigeait vers l'entrée. Il y avait sir John et lady Middleton, ainsi que Mrs. Jennings et, avec eux, deux autres personnes, un gentleman et une dame qui lui étaient totalement
inconnus. Elle se trouvait près de la fenêtre et aussitôt que
sir John l'aperçut, il laissa, au reste de la société, le soin
de frapper à la porte, traversa la pelouse et l'obligea à ouvrir
la croisée pour lui parler, bien que la distance entre la porte
et la croisée fût si faible qu'il n'était pas croyable qu'il ne
pût être entendu du groupe.

— Eh! bien, dit-il, nous vous amenons quelques étrangers.
Comment les trouvez-vous?

— Chut! ils vous entendent.

— Cela ne fait rien. Ce ne sont que les Palmer. Charlotte
est vraiment bien, je vous assure. Vous pouvez la voir en
vous penchant un peu de côté.

Elinor qui était certaine de la voir, dans quelques minutes,
sans avoir à prendre cette liberté, le pria de l'excuser.

— Où est Marianne? Est-ce qu'elle est partie parce que
nous arrivons? Je vois son piano ouvert.

— Elle est en promenade, je crois.

Ils furent alors rejoints par Mrs. Jennings qui n'avait pas
eu la patience d'attendre que la porte soit ouverte pour
raconter son histoire. Elle l'interpella à sa fenêtre.

— Comment allez-vous, ma chère? Comment va Mrs.
Dashwood? Et où sont vos sœurs? Comment? Toute seule?
Vous serez heureuse d'avoir un peu de compagnie. J'ai
amené mon autre fille et son mari pour vous voir. Figurez-
vous qu'ils sont arrivés à l'improviste. Il m'avait semblé
entendre une voiture, hier soir, quand nous prenions notre
thé, mais jamais il ne me serait venu à l'esprit que ce fût eux.
Je ne voyais pas qui ce pouvait être — à moins que ce ne
soit le colonel Brandon qui revenait... Aussi je dis à John:
« Il me semble que j'entends une voiture, peut-être que le
colonel Brandon revient. »

Elinor fut obligée de la laisser au milieu de ses explications
pour accueillir le reste de la société. Lady Middleton présenta les deux étrangers. Mrs. Dashwood et Margaret descendirent en même temps et tous s'assirent pour se regarder,

les uns les autres, pendant que Mrs. Jennings continuait son histoire en traversant le corridor pour gagner le salon, escortée par sir John.

Mrs. Palmer était de quelques années plus jeune que lady Middleton et totalement différente sous tous les rapports. Elle était petite et dodue, avec une très jolie figure où se reflétait la plus belle humeur qu'on puisse imaginer. Ses manières n'étaient en aucune façon aussi distinguées que celles de sa sœur, mais beaucoup plus engageantes. Elle fit son entrée le sourire aux lèvres, sourit tout le temps de la visite quand elle n'éclatait pas de rire, et partit en souriant.

Son mari était un jeune homme de vingt à trente ans, à l'aspect grave, l'air plus élégant et plus posé que sa femme, mais moins porté à plaire aux autres et à se plaire avec eux. Il entra dans le salon avec un air d'importance, s'inclina légèrement devant les dames sans dire un mot, et après leur avoir jeté un bref coup d'œil ainsi qu'à l'appartement, prit un journal sur la table et se plongea dans sa lecture jusqu'à son départ.

Mrs. Palmer, au contraire, constamment inclinée, par nature, à la courtoisie et à la gaîté, s'était à peine assise qu'elle fit éclater son admiration pour le salon et tout ce qui s'y trouvait.

— Oh! que cette pièce est délicieuse! Je n'ai jamais rien vu d'aussi étonnant! Voyez donc, maman, comme elle a gagné depuis la dernière fois que nous l'avons vue! Je l'avais toujours trouvée fort agréable, mais (se tournant vers Mrs. Dashwood), vous en avez fait, madame, quelque chose de si charmant! Regardez donc, ma sœur, comme tout cela est délicieux! Comme j'aimerais une semblable maison pour moi-même! Ne l'aimeriez-vous pas, Mr. Palmer?

Mr. Palmer ne répondit pas et ne leva même pas les yeux de son journal.

— Mr. Palmer ne m'entend pas, dit-elle en riant. Cela lui arrive quelquefois. C'est très amusant!

C'était là une idée nouvelle pour Mrs. Dashwood; jamais elle n'aurait imaginé que l'inattention pût passer pour chose spirituelle et elle ne put s'empêcher de les regarder tous deux avec surprise.

Mrs. Jennings, pendant tout ce temps, parlait aussi fort qu'elle le pouvait et continuait, sans s'arrêter, le récit de leur surprise du soir précédent jusqu'à ce qu'elle ait tout dit.

Mrs. Palmer rit de bon cœur à l'évocation de leur étonnement, et chacun répéta, à deux ou trois reprises, que ç'avait
été une surprise tout à fait agréable.

— Vous pouvez croire combien nous étions tous heureux
de les voir, ajouta Mrs. Jennings en se penchant vers Elinor
et parlant bas comme si elle ne voulait être entendue que
d'elle seule bien qu'elles fussent assises à l'opposé l'une de
l'autre; mais, pourtant, je ne puis m'empêcher de regretter
qu'ils aient voyagé aussi vite et fait une aussi longue étape!
Car ils sont passés par Londres pour quelque affaire et vous
comprenez (avec un coup d'œil significatif vers sa fille),
cela ne lui valait rien dans son état. Je voulais qu'elle reste
à la maison et se repose pendant la matinée mais elle a voulu
venir avec nous; il lui tardait si fort de vous voir toutes.

Mrs. Palmer se mit à rire et dit que cela ne pouvait lui
faire aucun mal.

— Elle s'attend à être délivrée en février, continua Mrs.
Jennings.

Lady Middleton ne put souffrir plus longtemps pareille
conversation et, en conséquence, prit sur elle de demander
à Mr. Palmer s'il y avait quelque chose de neuf dans le journal.

— Non, rien du tout, répondit-il. Et il se remit à lire.

— Voici Marianne qui arrive, cria sir John. Maintenant,
Palmer, vous allez voir une jeune fille prodigieusement jolie.

Il se précipita dans le passage, ouvrit la porte d'entrée et
l'introduisit lui-même. Mrs. Jennings, dès qu'elle apparut,
lui demanda si elle n'avait pas été à Allenham. Mrs. Palmer,
à cette question, se mit à rire de tout son cœur, pour montrer qu'elle en comprenait bien le sens. Mr. Palmer, qui
avait levé les yeux à son entrée, la considéra quelques minutes,
puis retourna ensuite à sa lecture. Mrs. Palmer aperçut
ensuite les peintures suspendues aux murs. Elle se leva pour
les examiner.

— Oh! ma chère, comme c'est beau! Mais oui, c'est délicieux! Mais regardez, maman, comme c'est joli. Elles sont
charmantes, je vous le déclare, je ne me lasserai pas de les
regarder.

Et, là-dessus, elle se rassit et parut presqu'aussitôt en
oublier l'existence.

Lorsque lady Middleton se leva pour le départ, Mr. Palmer

se leva aussi, posa son journal sur la table, s'étira et les regarda tous à la ronde.

— Mon amour, avez-vous dormi? dit sa femme en riant.

Il ne lui répondit pas. Il observa, seulement, après avoir encore examiné la pièce, qu'elle était trop basse et que le plafond était de travers. Il fit alors sa révérence et partit avec les autres.

Sir John avait vivement pressé ces dames de passer la journée suivante au Park. Mrs. Dashwood qui ne voulait pas dîner chez eux plus souvent qu'ils ne dînaient au cottage, refusa absolument pour son compte; ses filles pouvaient faire comme elles voudraient. Mais elles n'éprouvaient nullement la curiosité de voir comment Mr. et Mrs. Palmer mangeaient leur dîner et n'attendaient d'eux aucun plaisir d'aucune sorte. Elles essayèrent, en conséquence, d'alléguer quelques excuses : le temps était incertain et ne paraissait pas tourner au beau. Mais sir John ne se tint pas pour battu, il leur enverrait la voiture et il faudrait qu'elles viennent. Lady Middleton aussi, bien qu'elle n'ait pas insisté auprès de leur mère, insista auprès d'elles. Mrs. Jennings et Mrs. Palmer joignirent leurs efforts, tous semblaient également désireux d'éviter de se trouver seuls en famille et les jeunes filles ne purent faire autrement qu'acquiescer.

— Pourquoi nous invitent-elles? demanda Marianne dès qu'ils furent partis. Le loyer du cottage est, paraît-il, avantageux. Mais c'est trop le payer si nous devons dîner au Park chaque fois qu'il y a un invité chez eux ou chez nous!

— Ils n'ont pas l'intention d'être moins polis et aimables à notre égard, dit Elinor, que lorsqu'ils nous invitaient il y a seulement quelques semaines. Ce n'est pas leur faute si leurs réunions sont devenues ennuyeuses et mornes. C'est de notre côté qu'il vous faut chercher le changement.

XX

Au moment où les demoiselles Dashwood, le jour suivant, entrèrent par une porte dans le salon du Park, Mrs. Palmer accourait par l'autre paraissant aussi joyeuse et bien disposée que la veille. Elle leur tendit très affectueusement la main à toutes et exprima son grand bonheur de les retrouver.

— Je suis si heureuse de vous voir, dit-elle, s'asseyant entre Elinor et Marianne. Il fait si mauvais que j'avais peur que vous ne puissiez pas venir, ce qui aurait été déplorable puisque nous repartons demain. Il nous faut partir, vous comprenez, car les Waston viennent chez nous la semaine prochaine. La décision de notre départ a été tout à fait brusque et je n'en savais rien jusqu'au moment où la voiture a été devant la porte. C'est alors que Mr. Palmer m'a demandé si je voulais venir avec lui à Barton. Il ne me dit jamais rien. Je suis si fâchée de ne pouvoir rester davantage! Mais j'espère bien que nous pourrons nous revoir à Londres.

Elles durent couper court à cette espérance.

— Ne pas aller à Londres? s'écria Mrs. Palmer en riant. Je serai bien étonnée si vous n'y allez pas. Je puis vous offrir la plus délicieuse maison du monde, porte à porte avec nous dans Hanover Square. Vous viendrez certainement, je suis sûre que j'aurai le grand plaisir de vous chaperonner quelque temps avant mes couches, si Mrs. Dashwood préfère ne pas aller dans le monde.

Elles la remercièrent, mais elles durent résister à toutes ses offres.

— Oh! mon amour, dit Mrs. Palmer à son mari qui venait d'entrer, il faut que vous me veniez en aide pour persuader les demoiselles Dashwood de venir en ville cet hiver.

Son amour ne fit aucune réponse, et s'étant incliné devant les dames, commença à parler du temps.

— Comme il est horrible! dit-il. Un tel temps fait prendre en dégoût les gens et les choses. La pluie engendre la tristesse à la maison aussi bien qu'à l'extérieur. A quoi pense sir John de n'avoir pas un billard chez lui ? Que peu de gens ont donc le sens du confort ! Sir John est aussi stupide que le temps !

Le reste de la compagnie fit bientôt son entrée.

— Je crains, miss Marianne, dit sir John, que vous n'ayez pas pu faire votre promenade habituelle à Allenham aujourd'hui.

Marianne prit un air bien sérieux et ne répondit rien.

— Oh ! ne soyez pas si mystérieuse avec nous, dit Mrs. Palmer, car nous sommes bien renseignés, je vous assure, et j'admire beaucoup votre goût, car il est extrêmement bien de sa personne. Nous n'habitons pas très loin de lui à la campagne, comprenez-vous, pas à plus de dix milles, je crois.

— Trente plutôt, dit son mari.

— Ah ? Oh ! bien, cela ne fait pas grande différence. Je ne suis jamais allée chez lui, mais on dit que c'est très gentil.

— Le plus vilain endroit que j'aie jamais vu de ma vie, dit Mr. Palmer.

Marianne gardait le plus profond silence bien que sa contenance trahit l'intérêt qu'elle prenait à ce qu'on disait.

— Vraiment, il est si laid que ça ? continua Mrs. Palmer. Alors, c'est un autre endroit qui est joli, je suppose.

Quand ils furent installés à table, sir John observa avec regret qu'ils n'étaient que huit en tout.

— Ma chère, dit-il à sa femme, c'est vraiment désolant que nous soyons si peu. Pourquoi n'avons-nous pas invité les Gilbert aujourd'hui ?

— Ne vous ai-je pas dit, sir John, quand vous m'en avez déjà parlé, que cela ne se pouvait pas ? Ils ont dîné avec nous dernièrement.

— Vous et moi, sir John, dit Mrs. Jennings, ne nous arrêtons pas à de telles vétilles.

— Alors, vous êtes bien mal élevés, s'écria Mr. Palmer.

— Mon amour, vous contredisez tout le monde, dit sa femme, riant comme à son habitude. Savez-vous que vous êtes passablement brutal ?

— Je crois ne contredire personne en disant que votre mère est mal élevée.

— Oui, vous pouvez me dénigrer tant que vous voudrez,

dit la joyeuse vieille dame. Vous m'avez débarrassée de Charlotte et vous ne pouvez pas me la renvoyer maintenant. Aussi, j'ai l'avantage sur vous.

Charlotte rit de tout son cœur à l'idée que son époux ne pouvait pas la renvoyer et dit triomphalement qu'il lui importait peu qu'il la traitât ainsi puisqu'il était bien forcé de vivre avec elle. Il était impossible de trouver quelqu'un d'une aussi complète bonne humeur que Mrs. Palmer et aussi parfaitement décidée à tout prendre du bon côté. L'indifférence étudiée, l'insolence et le mauvais caractère de son mari ne la troublaient en rien; et, quand il la grondait et la rudoyait, elle s'en amusait beaucoup.

— Mr. Palmer est si drôle! dit-elle à l'oreille d'Elinor. Il est toujours de mauvaise humeur.

Elinor n'était pas portée, après l'avoir un peu observé, à admettre qu'il fut naturellement et sans effort aussi rustre et mal élevé qu'il cherchait à le paraître. Son caractère avait pu être un peu aigri en découvrant, comme beaucoup d'autres de son sexe, que, par l'aveugle impulsion qui l'avait attiré vers sa beauté, il était devenu le mari d'une femme très sotte; mais elle savait que ce genre de faute était trop répandu pour qu'un homme sensé n'en prenne pas finalement son parti. C'était plutôt, croyait-elle, un désir de distinction qui le poussait à traiter tout le monde d'une façon méprisante et à dénigrer, en général, tout ce qui s'offrait à lui. C'était le désir de paraître supérieur aux autres. Le motif était trop commun pour qu'on en fût surpris. Mais les moyens employés, quelqu'efficaces qu'ils fussent pour établir sa réputation de mauvaise éducation, n'étaient propres à lui attacher personne, à l'exception de sa femme.

— Oh! ma chère miss Dashwood, dit Mrs. Palmer bientôt après, j'ai une faveur à vous demander à vous et à votre sœur. Voudriez-vous venir passer quelque temps à Cleveland pour Noël? Je vous en prie, et venez quand les Watson seront avec nous. Vous ne pouvez croire le plaisir que vous nous ferez. Ce sera tout à fait délicieux!

S'adressant à son mari:

— Mon amour, n'avez-vous pas envie d'avoir les Dashwood à Cleveland?

— Certainement, répondit-il en ricanant, je ne suis venu dans le Devonshire que pour cela.

— Eh! bien, reprit sa femme, vous voyez que Mr. Palmer vous attend, donc vous ne pouvez refuser de venir.

Elles déclinèrent énergiquement et résolument l'invitation.

— Mais je vous assure que vous pouvez et devez venir. Je suis sûre que tout vous plaira. Les Waston seront avec nous et ce sera tout à fait délicieux. Vous ne pouvez imaginer combien Cleveland est agréable! Et tout sera si gai alors, car Mr. Palmer est tout le temps à courir le pays pour les élections. Et tant de gens, que je ne connais pas, viennent dîner avec nous, c'est tout à fait charmant. Mais le pauvre! c'est si fatigant pour lui! car il est obligé de plaire à tout le monde.

Elinor eut grand peine à se contenir en affirmant qu'elle appréciait toute la dureté d'une pareille obligation.

— Comme ce sera amusant, dit Charlotte, s'il est au Parlement! Y sera-t-il? Comme je rirai! Ce sera si drôle de voir tout le courrier qu'on lui adressera marqué d'un M.P.! Mais, savez-vous, il dit qu'il ne me donnera jamais la franchise postale. Il déclare que non. Vous ne me la donnerez pas, Mr. Palmer?

Mr. Palmer ne fit pas attention à elle.

— Il ne peut pas supporter qu'on m'écrive, vous comprenez, continua-t-elle. Il dit que c'est tout à fait choquant.

— Non, dit-il, je n'ai jamais rien dit d'aussi absurde. Ne me prenez pas pour cible de toutes vos plaisanteries.

— Et voilà! Vous voyez comme il est drôle. C'est toujours comme cela avec lui. Quelquefois, il reste une demi-journée sans rien me dire, et puis il arrive avec quelque chose de si drôle — à propos de n'importe quoi.

Elle surprit beaucoup Elinor quand on fut de retour au salon en lui demandant si elle aimait vraiment beaucoup Mr. Palmer.

— Certainement, dit Elinor, il semble fort agréable.

— Bon. Je suis si heureuse que vous le trouviez. Je le pensais, il est si amusant! Et vous lui plaisez excessivement, vous et vos sœurs, je puis vous le dire, et vous ne pouvez croire combien il serait désappointé si vous ne veniez pas à Cleveland. Je ne puis pas imaginer pourquoi vous n'accepteriez pas.

Elinor fut encore obligée de décliner son invitation, et, en changeant de sujet, elle mit fin à ses importunités. Elle jugeait probable que, vivant dans le même comté, Mr. Palmer était en état de lui fournir quelques renseignements particuliers sur le caractère général de Willoughby, plus intéressants que ceux qu'elle avait pu glaner chez les Middleton qui, eux, ne le voyaient qu'en passant. Elle était fort désireuse d'avoir l'impression d'un tiers sur ses mérites, de façon à pouvoir écarter toute possibilité de crainte pour Marianne. Elle commença par demander s'ils voyaient souvent Mr. Willoughby à Cleveland et s'ils étaient intimement liés avec lui.

— Oh! oui, ma chère, je le connais extrêmement bien, répondit Mrs. Palmer. Non pas que je lui aie jamais parlé, mais je l'ai souvent vu en ville. Pour une raison ou pour une autre, je ne me suis jamais trouvé à Barton pendant qu'il était à Allenham. Maman l'avait vu déjà une fois ici avant, mais j'étais avec mon oncle à Weymouth. Cependant, je puis dire que nous l'aurions beaucoup vu dans le Somersetshire; seulement, par grande malchance, nous n'avons jamais été à la campagne ensemble. Il séjourne bien peu à Combe, je crois; même s'il y était plus souvent, je ne crois pas, d'ailleurs, que Mr. Palmer lui rendrait visite, car il est dans l'opposition, vous comprenez, et, de plus, c'est si loin! Je sais pourquoi vous me posez cette question. Votre sœur doit l'épouser. J'en suis heureuse. car alors, n'est-ce pas, je l'aurai pour voisine.

— Sur ma parole, répliqua Elinor, vous en savez là-dessus plus long que moi, si vous avez quelque raison de croire à cette union.

— Ne prétendez pas le contraire puisque vous savez que tout le monde en parle. Je vous assure que je l'ai entendu dire quand je suis passée à Londres.

— Chère Mrs. Palmer!

— Sur mon honneur, c'est vrai. J'ai rencontré le colonel Brandon, lundi matin, dans Bond Street, juste au moment de notre départ et il me l'a dit formellement.

— Vous me surprenez beaucoup. Le colonel Brandon vous avoir dit cela! Certainement, vous vous êtes trompée. Donner un pareil renseignement à une personne que cela n'intéressait pas, même si c'était vrai, voilà qui ne ressemble pas au colonel Brandon.

— Mais je vous assure que cela s'est passé ainsi. Tout compte fait, je vais vous dire comment. Quand nous l'eûmes rencontré, il revint sur ses pas et fit route avec nous; et nous commençâmes à parler de mon frère et de ma sœur, et de choses et d'autres. Je lui dis : « Colonel, il y a une nouvelle famille à Barton Cottage, m'a-t-on dit, et maman m'a écrit qu'ils étaient très bien et qu'une des filles allait épouser Mr. Willoughby de Combe Magna. Est-ce vrai, je vous prie? Car, certainement, vous devez être au courant puisque vous étiez dernièrement dans le Devonshire. »

— Et qu'a dit le colonel?

— Oh! il n'a pas dit grand'chose, mais il avait l'air de le croire, de sorte qu'à partir de ce moment, j'ai considéré la chose comme certaine. Ce sera d'ailleurs tout à fait charmant. Et à quelle époque?

— Mr. Brandon était en bonne santé, j'espère?

— Oh! oui, tout à fait bien. Et tout plein d'éloges à votre égard; il n'a pas arrêté de dire du bien de vous.

— J'en suis flattée. Il a l'air d'un excellent homme et je le trouve particulièrement agréable.

— Moi aussi. C'est un homme si charmant, que c'est une pitié qu'il soit aussi grave et si triste! Maman dit qu'il était amoureux de votre sœur, lui aussi. Je puis vous affirmer que, s'il l'était, ce serait un grand compliment, car il ne s'attache pour ainsi dire à personne.

— Mr. Willoughby est-il bien connu dans votre région? dit Elinor.

— Oh! oui, extrêmement, c'est-à-dire, je ne crois pas que beaucoup de gens soient en relation avec lui parce que Combe Magna est si loin! Mais tout le monde le trouve excessivement agréable, je vous assure. Personne ne se fait plus aimer que Mr. Willoughby partout où il va, et vous pouvez le dire à votre sœur. Elle a une chance phénoménale, sur mon honneur; et lui n'en a pas moins, car elle est vraiment si jolie et agréable que rien ne peut être assez bon pour elle. Mais, cependant, je ne crois pas qu'elle soit sensiblement mieux que vous, je vous assure, je vous trouve toutes deux excessivement bien et Mr. Palmer aussi j'en suis sûre, bien que nous n'ayons pas pu le lui faire avouer devant vous.

Les renseignements de Mrs. Palmer sur Willoughby n'étaient guère positifs, mais tout témoignage en sa faveur, si insignifiant qu'il fût, lui faisait plaisir.

— Je suis si heureuse que nous ayons fini par faire connaissance, continua Charlotte. Et maintenant, j'espère que nous serons toujours grandes amies. Vous ne pouvez vous figurer combien il me tardait de vous voir! Quelle charmante chose que vous puissiez vivre dans un cottage! Il n'y a rien comme cela, sûrement. Et je suis si contente que votre sœur soit sur le point de se bien marier. J'espère que vous serez souvent à Combe Magna. C'est un joli endroit, tout compte fait.

— Connaissez-vous le colonel Brandon depuis longtemps?

— Oh! oui, il y a longtemps. Depuis le mariage de ma sœur. C'était un ami personnel de sir John. Je crois — elle baissa la voix. — qu'il aurait été très heureux de m'épouser. Sir John et lady Middleton le désiraient beaucoup. Mais maman ne trouva pas le parti assez bon pour moi, autrement, sir John en aurait parlé au colonel et nous aurions été mariés tout de suite.

— Le colonel Brandon était-il au courant de la proposition de sir John à votre mère avant qu'il lui en eût parlé? Vous a-t-il jamais donné des marques de ses sentiments?

— Oh! non, mais si maman n'avait pas fait d'objections, je crois bien qu'il aurait fort aimé cela. Il ne m'avait pas vue plus de deux fois, car c'était avant que je fusse sortie de pension. Tout de même, je suis plus heureuse comme je suis. Mr. Palmer est juste le genre d'homme que je préfère.

XXI

Les Palmer retournèrent à Cleveland, le lendemain, et les deux familles se trouvèrent de nouveau réduites à leurs propres ressources. Mais cela ne dura pas longtemps; Elinor avait à peine écarté de sa mémoire le souvenir de leurs derniers visiteurs, elle s'était à peine remise de son étonnement devant le spectacle de Charlotte si heureuse sans raison, de Mr. Palmer se comportant si niaisement, malgré son intelligence, et de l'étrange contraste qui existe souvent entre mari et femme, quand le zèle infatigable

de sir John et de Mrs. Jennings à se procurer de la société
vint offrir de nouveaux sujets à son observation.

Au cours d'une excursion matinale à Exeter, ils avaient
rencontré deux jeunes filles avec qui Mrs. Jennings eut la
satisfaction de se découvrir une parenté, et cela suffit à sir
John pour les inviter immédiatement à venir au Park, aussitôt
que leurs engagements à Exeter auraient pris fin. Les engagements s'évanouirent aussitôt devant une pareille invitation et
lady Middleton fut un peu alarmée, au retour de sir John,
en apprenant qu'elle allait incessamment recevoir la visite de
deux personnes qu'elle n'avait vues de sa vie, et de l'élégance
ou au moins de la simple éducation desquelles elle n'avait
aucune preuve; car les assurances de son mari et de sa mère,
à ce sujet, ne comptaient pour rien à ses yeux. Le fait qu'elles
étaient aussi leurs cousines n'arrangeait pas les choses, bien
au contraire; et cela donnait du poids aux exhortations de
Mrs. Jennings, lorsque celle-ci répétait à sa fille de ne point
trop s'inquiéter de leur éducation car, « étant cousins,
disait-elle, nous devons nous supporter les uns les autres ».

Cependant, comme il était maintenant impossible d'éviter
leur visite, lady Middleton se résigna à cette idée avec toute
la philosophie d'une femme bien élevée, se contentant simplement de donner, à son époux, une amicale réprimande,
à ce sujet, cinq ou six fois par jour.

Les jeunes filles arrivèrent; elles ne parurent en aucune
façon ni mal mises, ni mal élevées. Leur toilette était
très correcte, leurs façons civiles, elles se montraient enchantées de la maison et ravies du mobilier. Et il se trouva qu'elles
raffolaient tellement des enfants que la bonne opinion de
lady Middleton leur fut acquise une heure après qu'elles
furent arrivées au Park. Elle déclara les trouver agréables,
ce qui, pour Sa Seigneurie, valait une admiration enthou-
siaste. La confiance de sir John en son propre jugement
fut exaltée par cet éloge animé et il fila directement vers le
cottage pour annoncer aux Dashwood l'arrivée des demoiselles Steeles et les assurer que c'étaient les plus agréables
personnes du monde. Pareille recommandation, à vrai dire,
ne signifiait pas grand'chose; Elinor savait bien que les
plus agréables personnes du monde pouvaient se rencontrer
dans tous les coins de l'Angleterre et sous toutes les variétés
possibles de forme, de figure, de caractère et d'intelligence.
Sir John aurait voulu que toute la famille descendît immé-

diatement au Park pour contempler ses hôtes. Homme béné-
vole et philantropique! Il lui était pénible de garder pour
lui seul, même un cousin au troisième degré.

— Venez maintenant, dit-il, je vous en prie, venez, il
vous faut venir, je déclare que vous viendrez. Lucy est
extraordinairement gracieuse et de si bonne humeur, et si
agréable! Et toutes deux désirent, par-dessus tout, vous
voir, car elles ont entendu dire à Exeter que vous étiez les
plus belles créatures du monde. Et je leur ai dit que c'était
entièrement vrai, et beaucoup plus encore. Vous en serez
enchantées, j'en suis sûr. Elles ont apporté une pleine voiture de jouets pour les enfants. Comment pouvez-vous être
assez contrariantes en ne venant pas? En somme, vous êtes
cousines, savez-vous, d'après l'usage. Vous êtes mes cousines, elles sont les cousines de ma femme, ainsi vous êtes
apparentées.

Mais sir John ne l'emporta pas. Il put seulement obtenir
la promesse de leur visite au Park dans un jour ou deux, et
les quitta, stupéfait de leur indifférence, pour rentrer chez
lui et vanter de nouveau leurs attraits aux demoiselles
Steeles comme il venait de leur vanter ceux des demoiselles
Steeles.

Lorsque la visite promise au Park eut lieu et qu'en conséquence elles furent présentées aux jeunes filles, elles ne trouvèrent rien de remarquable dans l'apparence de l'aînée,
qui était âgée d'une trentaine d'années, avec une figure bien
ordinaire et sans expression; mais l'autre, qui n'avait pas
plus de vingt-deux ou vingt-trois ans, leur donna l'impression d'une grande beauté. Elle avait de jolis traits avec un
regard vif et perçant, et quelque chose de piquant dans son
allure qui, sans être précisément de l'élégance et de la grâce,
donnait de la distinction à sa personne. Leurs manières
étaient particulièrement civiles et Elinor leur fit immédiatement crédit d'un certain bon sens quand elle vit avec quelles
constantes et judicieuses attentions elles se rendaient agréables à lady Middleton. Avec les enfants, elles étaient continuellement en extase, exaltant leur beauté, recherchant leur
attention, se prêtant à tous leurs caprices. Et tout le temps
qui n'était pas pris par les demandes importunes que leur
attirait cette politesse était employé à admirer tout ce que
faisait Sa Seigneurie, quand il arrivait à Sa Seigneurie de
faire quelque chose, ou à copier les patrons de quelque nou-

velle et élégante toilette dans laquelle elle leur était apparue
le jour précédent et qui les avait jetées dans un ravissement
sans fin.

Quand, pour faire sa cour, on spécule sur la tendresse et
l'aveuglement d'une mère, on ne saurait jamais exagérer les
éloges. Mais il faut reconnaître que la crédulité qu'ils ren-
contrent rend ceux-ci plus faciles à faire.

En conséquence, l'affection excessive et la patience des
demoiselles Steeles envers sa progéniture n'inspiraient pas
la moindre surprise ni la moindre défiance à lady Middleton.
Elle contemplait, avec une indulgence maternelle, toutes
les impertinences et les tours pendables qu'enduraient béné-
volement ses cousines. Elle vit leurs ceintures défaites, leurs
cheveux tirés derrière leurs oreilles, leurs sacs à main fouillés,
leurs couteaux et leurs ciseaux volés, et ne douta pas le moins
du monde que le plaisir ne fût partagé. Rien ne la surprit,
sinon de voir qu'Elinor et Marianne puissent rester tranquilles sans réclamer leur part de ces divertissements.

— John est tellement en train aujourd'hui, dit-elle, comme
il s'emparait du mouchoir de miss Steeles pour le jeter par
la fenêtre. Il est malin comme un singe!

Et, bientôt après, comme le second garçon pinçait violemment un des doigts de la même victime, elle observa
tendrement :

— Comme William est joueur! Et voici ma douce petite
Annamaria, ajouta-t-elle caressant amoureusement une fil-
lette de trois ans, qui n'a pas fait de bruit depuis deux minutes, toujours si gentille et si tranquille! On n'a jamais vu
une aussi tranquille petite chose.

Mais, malheureusement, au milieu de ces embrassades,
une épingle à cheveux de Sa Seigneurie, effleurant le nez de
l'enfant, tira de ce modèle de gentillesse de si violents hurle-
ments qu'aucune créature professionnellement bruyante
n'aurait guère pu en produire de plus forts. La consternation
de la mère fut excessive; mais elle ne put surpasser l'alarme
des demoiselles Steeles, et elles tentèrent, toutes trois, dans
une conjoncture si critique, tout ce que l'affection pouvait
imaginer pour calmer la douleur de la petite patiente. Sa
mère la prit sur son sein, la couvrit de baisers; la blessure fut
lavée à l'eau de lavande par une des demoiselles Steeles à
genoux devant lady Middleton, tandis que l'autre lui remplissait la bouche de prunes au sucre. Devant un tel résultat,

l'enfant était trop bien avisée pour cesser de crier. Elle continua donc de gémir et de sangloter vigoureusement, repoussa ses deux frères qui faisaient mine de la toucher et toutes leurs consolations réunies restaient inefficaces quand, heureusement, lady Middleton se rappela que, dans une scène semblable, la semaine dernière, une certaine marmelade d'abricots avait été appliquée avec succès pour un coup à la tempe. Le même remède fut proposé aussitôt pour la malheureuse égratignure et une légère interruption dans les cris de la jeune personne, dès qu'elle en entendit parler, leur donna lieu d'espérer qu'il ne serait pas rejeté. Elle fut, en conséquence, portée hors de la chambre dans les bras de sa mère, à la recherche de cette médecine, et comme les deux autres enfants décidèrent de la suivre bien que leur mère les eût instamment priés de rester là, les quatre jeunes filles furent laissées dans un calme que la chambre n'avait pas connu depuis plusieurs heures.

— Pauvre petite créature! dit miss Steeles, aussitôt qu'ils furent partis. Ç'aurait pu être un accident grave!

— Je ne vois pas trop comment, protesta Marianne, à moins que les circonstances aient été totalement différentes. Mais c'est une habitude que de prendre les choses au tragique quand il n'y a pas lieu!

— Quelle personne aimable que lady Middleton! dit Lucy Steeles.

Marianne garda le silence, il lui était impossible de dire le contraire de ce qu'elle pensait, même dans les occasions les plus banales; et c'est, en conséquence, sur Elinor que retombait la tâche de mentir lorsque la politesse l'exigeait. Elle fit de son mieux, ainsi interpellée, pour parler de lady Middleton avec plus de chaleur qu'elle n'en ressentait, quoiqu'elle ne pût arriver au diapason de Lucy.

— Et sir John, lui aussi, s'écria la sœur aînée, quel homme charmant!

Ici aussi, l'éloge de miss Dashwood étant seulement simple et juste, fut émis sans éclat. Elle observa seulement qu'il avait un caractère parfait et fort amical.

— Et quelle charmante petite famille ils ont! Je n'ai jamais vu de ma vie d'aussi jolis enfants. J'en suis déjà folle et, à la vérité, j'ai toujours raffolé des enfants.

— Je l'aurais deviné, dit Elinor, d'après ce que j'ai vu ce matin.

— J'ai idée, reprit Lucy, que vous trouvez que les jeunes Middleton sont trop gâtés. Peut-être leur lâche-t-elle un peu la bride, mais c'est si naturel chez lady Middleton; et, pour ma part, j'aime à voir les enfants pleins de vie et d'ardeur; je ne puis supporter de les voir mous et tranquilles.

— J'avoue, répliqua Elinor, que, lorsque je suis à Barton, je ne puis haïr les enfants mous et tranquilles.

Une courte pause suivit cette déclaration et fut rompue par miss Steeles qui semblait fort disposée à la conversation et qui dit, plutôt brusquement :

— Et comment trouvez-vous le Devonshire, miss Dash-wood ? Je suppose que vous avez beaucoup regretté de quitter le Sussex.

Un peu surprise de la familiarité de cette question, ou, du moins, de la manière dont elle était formulée, Elinor répondit que c'était vrai.

— Norland est une résidence prodigieusement belle, n'est-ce pas ? ajouta miss Steele.

— Nous avons entendu sir John en faire d'extrêmes éloges, dit Lucy qui semblait juger nécessaire de s'excuser pour la hardiesse de sa sœur.

— Je crois que tous ceux qui l'ont vue doivent l'admirer, répondit Elinor, quoiqu'il soit peu croyable que personne estime sa beauté autant que nous.

— Et aviez-vous beaucoup de jeunes gens intéressants ? Je suppose que vous n'en avez pas autant dans cette région. Pour ma part, je trouve que c'est toujours un grand surcroît d'agrément.

— Mais d'où prenez-vous, dit Lucy, qui parut gênée pour sa sœur, qu'il n'y ait pas autant de jeunes gens aimables dans le Devonshire que dans le Sussex ?

— Certainement, ma chère, je ne veux pas dire qu'il n'y en ait pas ici. Je suis sûre qu'il y en a beaucoup à Exeter. Mais, vous comprenez, comment puis-je savoir combien il y en avait à Norland ? J'avais seulement peur que les demoi-selles Dashwood trouvent Barton ennuyeux, si elles n'y sont pas entourées d'autant de beaux jeunes gens qu'elles en ont l'habitude. Mais peut-être n'y faites-vous pas attention et vous trouvez-vous aussi bien sans eux qu'avec eux. Pour ma part, je trouve leur société bien agréable pourvu qu'ils s'habillent bien et soient bien élevés. Mais je ne puis supporter de les voir négligés et malpropres. Tenez, prenez Mr. Rose à Exeter, un jeune homme prodigieusement bien de sa personne, tout à fait dandy, clerc chez Mr. Simpson, vous connaissez? Eh bien! s'il vous arrive de le rencontrer un matin, on ne peut pas le regarder. Je suppose que votre frère devait être aussi un dandy, miss Dashwood, avant son mariage, car il était si riche!

— Ma parole, je ne puis vous le dire, répondit Elinor, car je ne comprends pas très bien la signification de ce terme. Mais ce que je puis vous affirmer, c'est que, s'il a jamais été bel homme avant d'être marié, il doit l'être encore, car il n'a pas le moins du monde changé.

— Oh! ma chère, les hommes mariés n'ont plus le temps d'être des dandys. Ils ont autre chose à faire!

— Mon Dieu, amie! s'écria sa sœur, vous ne pouvez parler que de dandys. Vous allez faire croire à miss Dashwood que vous ne pensez pas à autre chose.

Et là-dessus, pour changer la conversation, elle se lança dans l'éloge de la maison et de son arrangement.

Cet échantillon des demoiselles Steeles était suffisant. La liberté vulgaire et la folie de l'aînée ne laissaient place à aucune qualité, et l'éclat du regard perçant de la plus jeune n'aveuglait pas Elinor sur son manque de réelle distinction et de simplicité; elle quitta la maison sans aucun désir de les revoir l'une et l'autre.

Mais il n'en fut pas de même pour les demoiselles Steeles. Elles arrivaient d'Exeter favorablement prévenues pour tout ce qui concernait sir John Middleton, sa famille et toute sa parenté, elles reportaient maintenant une proportion considérable de leur admiration sur ses jolies cousines qu'elles déclarèrent être les plus belles, les plus élégantes, les plus accomplies et les plus agréables personnes qu'elles eussent jamais rencontrées et avec lesquelles elles étaient particulièrement désireuses de faire plus ample connaissance. En conséquence, Elinor découvrait, bientôt, que faire plus ample connaissance était leur lot et qu'elles ne pouvaient y échapper; car sir John appréciait beaucoup les demoiselles Steeles, et il fallut accepter de passer une heure ou deux avec elles à peu près chaque jour. Sir John ne pouvait faire plus; mais il ne soupçonnait pas qu'on pût demander davantage. Etre ensemble signifiait qu'on était intime et puisqu'il arrivait à les faire se rencontrer, il ne doutait absolument pas qu'une grande amitié ne se soit établie entre elles.

Il faut reconnaître qu'il fit tout ce qu'il put pour les mettre à l'aise, en faisant part aux demoiselles Steeles de tout ce qu'il savait ou devinait concernant ses cousines. Et Elinor ne les avait pas vues deux fois que déjà l'aînée la félicitait de ce que sa sœur avait été assez heureuse pour faire la conquête d'un « jeune élégant » très distingué, depuis sa venue à Barton.

— Ce sera une belle chose, pour sûr, de la voir mariée si jeune et j'ai entendu dire que c'était tout à fait un « élégant » prodigieusement bien. J'espère que bientôt la même chance vous favorisera à votre tour, mais peut-être avez-vous déjà un bon ami sous roche ?

Elinor ne pouvait supposer que sir John avait négligé de la prévenir de ce qu'il pressentait au sujet d'Edward. A vrai dire, c'était surtout sur les rapports d'Edward et d'Elinor qu'il faisait porter les traits de son esprit. Le sujet était plus neuf et laissait plus de part à l'hypothèse. Et, depuis la visite d'Edward, ils n'avaient jamais dîné ensemble sans qu'il ait bu à ses amours avec un air tellement significatif, et tant de signes et de clins d'œil qu'il ne pouvait manquer d'attirer l'attention générale. La lettre F avait, de même, été mise invariablement en avant et avait engendré tant de plaisanteries que cette lettre était devenue, depuis longtemps, aux yeux d'Elinor la lettre la plus spirituelle de l'alphabet.

Les demoiselles Steeles, comme Elinor s'y attendait, avaient maintenant le bénéfice de toutes ces plaisanteries, et, chez l'aînée, elles excitèrent une grande curiosité. Elle brûlait de connaître le nom du gentleman visé, et ce vœu, quoique souvent exprimé de façon intempestive, était parfaitement en harmonie avec le tour indiscret de son esprit et sa manie de se mêler des affaires de famille. Mais sir John ne laissa pas longtemps languir la curiosité qu'il avait eu tant de bonheur à éveiller, car il avait, au moins, autant de plaisir à révéler le nom en question que miss Steeles à l'entendre.

— Son nom est Ferrars, dit-il dans un murmure très perceptible, mais, je vous en prie, ne le dites pas, c'est un grand secret.

— Ferrars, répéta miss Steeles, Mr. Ferrars est donc l'homme heureux ? Quoi ! le frère de votre belle-sœur, miss Dashwood ? Un bien agréable jeune homme, certainement. Je le connais fort bien.

— Comment pouvez-vous parler ainsi, Anne ? s'écria

Lucy qui, généralement, corrigeait toutes les assertions de
sa sœur. Bien que nous l'ayons vu une ou deux fois chez mon
oncle, c'est beaucoup trop prétendre que d'affirmer que
nous le connaissons bien.

Elinor écoutait tout cela avec attention et surprise. Quel
pouvait être cet oncle? Où habitait-il? Comment avaient-ils
fait connaissance? Elle aurait bien voulu que la conversation continuât sur ce sujet, bien qu'elle ne jugeait pas à propos
de s'y joindre; mais on n'en dit pas davantage, et pour la
première fois de sa vie, elle pensa que Mrs. Jennings manquait de curiosité envers une intéressante possibilité d'information. La façon dont miss Steeles avait parlé d'Edward
augmentait sa curiosité; elle lui avait semblé y apercevoir
quelque chose de forcé. Il lui vint même l'idée que miss
Steeles savait ou faisait semblant de savoir quelque chose
de désavantageux à l'égard d'Edward.

Mais sa curiosité fut vaine. Miss Steeles ne fit plus d'autre
observation à propos du nom de Mr. Ferrars quand sir John
y faisait allusion ou en parlait ouvertement.

XXII

Marianne, qui n'avait jamais beaucoup d'indulgence pour
tout ce qui avait couleur d'impertinence et de vulgarité,
était à ce moment particulièrement mal disposée à se plaire
avec les demoiselles Steeles ou à encourager leurs avances.
Et Elinor attribuait à cette froideur d'attitude, qui arrêtait à
peu près toute tentative d'intimité de leur part, la préférence
qu'elles lui témoignaient toutes deux et qui devint bientôt
évidente. Lucy, particulièrement, ne manquait jamais une
occasion d'engager la conversation avec elle ou de rendre
leurs entretiens plus intimes en lui faisant part d'une manière
franche de ses sentiments.

Lucy avait l'esprit naturellement pénétrant. Ses remarques étaient souvent justes et amusantes; et, pour la voir

pendant une demi-heure, Elinor la trouvait souvent agréable : mais ses facultés n'avaient reçu aucune aide de l'éducation. Elle était sans instruction, et son manque de culture intellectuelle, son ignorance des choses les plus communes, malgré tous ses efforts pour paraître à son avantage, ne pouvaient échapper à miss Dashwood. Elinor s'en rendait compte et regrettait pour elle qu'on eût laissé en friche des facultés dont une meilleure éducation aurait certainement pu tirer parti. Mais elle voyait aussi, avec beaucoup moins de commisération, le manque total de délicatesse, de rectitude et de fierté d'esprit que trahissaient ses attentions, son assiduité, ses flatteries envers ses cousines du Park. Elle ne pouvait avoir de plaisir durable dans la compagnie d'une personne qui unissait tant d'insincérité à tant d'ignorance. Son manque d'instruction mettait obstacle à tout véritable échange, et sa conduite avec ses semblables enlevait pratiquement toute valeur aux marques d'attention particulières qu'elle pouvait vous prodiguer.

— Vous allez trouver ma question singulière, je crois, dit Lucy un jour qu'elles allaient ensemble du Park au cottage, mais dites-moi, je vous prie, connaissez-vous personnellement la mère de votre belle-sœur, Mrs. Ferrars?

Elinor trouva en effet la question vraiment singulière, et son attitude le laissa voir tandis qu'elle répondait n'avoir jamais vu Mrs. Ferrars.

— Vraiment? répondit Lucy. J'en suis étonnée, car je pensais que vous auriez pu la voir à Norland quelque fois. Alors, peut-être ne pourrez-vous me dire quel genre de femme c'est?

— Non, répondit Elinor soucieuse de ne pas donner sa véritable opinion sur la mère d'Edward, et peu désireuse de satisfaire ce qui lui semblait une curiosité déplacée, non, non, je ne sais rien d'elle.

— Je suis sûre que vous me trouverez fort étrange de m'informer ainsi d'elle, dit Lucy, fixant attentivement Elinor tout en parlant; mais peut-être ai-je des raisons pour cela. Ah! ma chère, je le voudrais tant! J'espère cependant que vous me ferez l'honneur de croire que je n'ai pas l'intention d'être indiscrète.

Elinor fit une réponse polie et elles marchèrent quelque temps en silence. Lucy reprit, la première, la parole, pour revenir au même sujet, en disant avec quelque hésitation :

— Je ne puis souffrir l'idée que vous me croyiez indiscrète et curieuse; certainement, je ne voudrais pour rien au monde être ainsi jugée par quelqu'un à l'opinion de qui j'attache autant d'importance. Mais je suis bien sûre de n'avoir absolument rien à craindre en me confiant à vous... Vraiment, je serais très heureuse d'avoir votre avis sur la façon de me comporter dans la situation difficile où je me trouve; mais ce n'est pas une raison pour vous importuner. Je regrette que vous ne connaissiez pas Mrs. Ferrars...

— J'en suis fâchée, dit Elinor très étonnée, surtout si mon opinion sur elle pouvait vous être de quelqu'utilité. Je vous avoue que je ne m'étais jamais figuré que vous ayez le moins du monde à faire avec cette famille, aussi, je suis toute surprise, il faut bien le dire, de vous voir si intriguée par le caractère de Mrs. Ferrars.

— Oui, bien sûr, cela ne m'étonne pas. Mais, si j'osais tout vous dire, vous seriez moins surprise. Mrs. Ferrars n'est certainement rien pour moi, pour le moment, mais un temps peut venir — et il dépend d'elle que ce temps soit proche — où nous pourrons être très intimement rapprochées.

Elle baissait les yeux en disant cela, d'un air honteux et timide, mais non sans jeter un regard de côté sur sa compagne pour observer l'effet produit sur elle.

— Seigneur! s'écria Elinor, que voulez-vous dire? Seriez-vous liée avec Mr. Robert Ferrars? Est-il possible?

(Elle n'éprouvait qu'un médiocre plaisir à l'idée d'une pareille belle-sœur).

— Non, répliqua Lucy, non, pas avec Mr. Robert Ferrars. Je ne l'ai jamais vu de ma vie; mais — elle regarda fixement Elinor — avec son frère aîné.

Quels sentiments furent ceux d'Elinor à ce moment? L'étonnement aurait été aussi pénible que violent, s'il n'avait été immédiatement suivi d'une complète incrédulité. Stupéfaite, elle se tourna en silence vers Lucy, incapable de deviner la raison ou l'objet d'une telle déclaration; et, quoique troublée, elle resta ferme dans sa conviction et ne risqua point de tomber dans une attaque de nerfs ou de s'évanouir.

— Vous avez bien le droit d'être surprise, continua Lucy, car certainement, vous ne pouviez avoir aucune idée de cela; je puis bien dire qu'il n'en a jamais soufflé le moindre mot à vous ni à votre famille, parce qu'il avait toujours été entendu que c'était un grand secret, et je suis sûre de l'avoir fidèlement gardé jusqu'à cette heure. Personne parmi mes relations n'en sait rien, excepté Anne, et je ne vous en aurais rien dit si je n'avais pas eu la plus grande confiance du monde dans votre discrétion. Mais, réellement, j'ai pensé que mon attitude en posant tant de questions au sujet de Mrs. Ferrars doit sembler si singulière qu'elle a besoin d'une explication. Et je ne pense pas que Mr. Ferrars m'en veuille lorsqu'il saura que je me suis confiée à vous, car je sais qu'il a plus haute opinion de toute votre famille et qu'il vous regarde, vous et les autres demoiselles Dashwood, comme des sœurs.

Elle fit une pause.

Elinor, pendant quelques instants, garda le silence. Son étonnement devant ce qu'elle entendait était encore trop grand pour lui permettre d'articuler un mot; mais, à la fin, se forçant à parler, et à parler prudemment, elle dit avec un calme qui cachait assez bien sa surprise et son angoisse :

— Puis-je vous demander si votre engagement date de loin?

— Il y a quatre ans.

— Quatre ans?

— Oui.

Elinor, quoique sérieusement ébranlée, se sentit encore incapable de le croire.

— J'ignorais jusqu'à l'autre jour que vous vous connaissiez seulement, dit-elle.

— Nos rapports, pourtant, datent de loin. Il a été longtemps sous la tutelle de mon oncle.

— Votre oncle?

— Oui, Mr. Pratt. Ne lui avez-vous jamais entendu parler de Mr. Pratt?

— Si, je crois, dit Elinor avec une tension d'esprit qui croissait en même temps que son émotion.

— Il est resté quatre ans chez mon oncle qui demeure à Longstaple, près de Plymouth. C'est là que nos relations ont commencé, car ma sœur et moi venions souvent chez mon oncle, et c'est là que nous nous sommes fiancés, bien qu'il fût à peine majeur. Il était presque toujours avec nous ensuite. J'hésitais beaucoup à m'engager, comme vous pouvez le croire, sans que sa mère soit prévenue et eût donné son consentement; mais j'étais trop jeune pour être aussi prudente qu'il l'aurait fallu. Bien que vous ne le connaissiez pas autant que moi, miss Dashwood, vous l'avez assez vu pour comprendre qu'il puisse inspirer un sincère attachement.

— Certainement, répondit Elinor, sans savoir ce qu'elle disait.

Mais, après un moment de réflexion, elle ajouta avec la certitude retrouvée de l'honneur et de l'amour d'Edward et de la fausseté de sa compagne :

— Fiancée à Mr. Edward Ferrars ? J'avoue que je suis tellement surprise de ce que vous me dites, que..., je vous demande pardon, mais, sûrement, il doit y avoir quelque malentendu de personne ou de nom. Nous ne pouvons pas penser au même Mr. Ferrars.

— Vous ne pouvez vous tromper, s'écria Lucy en souriant. La personne dont je vous parle est bien Mr. Edward Ferrars, le fils aîné de Mrs. Ferrars de Park street, et le frère de votre belle-sœur, Mrs. John Dashwood. Vous devez admettre que je ne risque pas de me tromper sur le nom d'un homme dont tout mon bonheur dépend.

— Il est étrange, répondit Elinor, dans la plus cruelle perplexité, que je ne lui aie jamais entendu prononcer seulement votre nom.

— Non, eu égard à notre situation, il n'y a rien là d'étrange. Notre plus grand souci a été de tenir la chose secrète. Vous ne saviez rien de moi, ni de ma famille, par conséquent, il n'avait aucune raison pour mentionner mon nom devant vous. Et, comme il craignait spécialement que sa sœur vienne à suspecter quelque chose, il avait assez de motifs pour éviter de le prononcer.

Elle se tut. Toute l'assurance d'Elinor chavira. Mais son sang-froid ne l'abandonna pas.

— Il y a quatre ans que vous êtes fiancés ? dit-elle d'une voix ferme.

— Oui. Et Dieu sait combien plus longtemps peut-être nous avons à attendre ! Pauvre Edward ! Cela le met tout à fait hors de lui-même.

Et, tirant de sa poche une petite miniature, elle ajouta :

— Pour prévenir toute possibilité d'erreur, ayez la bonté de regarder ce portrait. Il ne le peint pas comme il faudrait, certainement, mais je pense, pourtant, que vous ne pouvez vous tromper sur la ressemblance. Je l'ai depuis un peu plus de trois ans.

Elle le lui mit dans les mains tout en parlant, et quand Elinor eut vu la peinture, quelque doute qu'elle voulût nourrir et quelque désir qu'elle ait eu de découvrir une tromperie dans tout cela, il lui fallut bien convenir de l'identité du modèle. Elle le lui rendit presqu'aussitôt, en convenant de la ressemblance.

— Je n'ai jamais pu, continua Lucy, lui donner mon portrait en échange, ce qui m'a beaucoup contrariée, car il en avait un si grand désir! Mais je suis décidée à poser dès que j'en aurai l'occasion.

— Vous avez tout à fait raison, répondit Elinor avec calme.

Elles firent alors quelques pas en silence. Puis Lucy reprit la parole :

— Je suis sûre, dit-elle, je n'ai pas le moindre doute à avoir sur votre fidèle discrétion, car vous vous rendez compte de quelle importance c'est pour nous que notre engagement ne parvienne pas aux oreilles de sa mère; en effet, j'en suis certaine, elle ne donnera jamais son consentement. Je n'aurai aucune fortune, et je crois que c'est une femme extrêmement orgueilleuse.

— Je n'ai certainement pas provoqué vos confidences, dit Elinor; mais vous ne faites que me rendre justice en pensant qu'on peut se fier à moi. Votre secret est en sécurité; mais pardonnez-moi si j'exprime quelque surprise devant une communication que rien ne nécessitait. Vous auriez dû, au moins, vous rendre compte que le fait de mettre au courant n'ajoutait rien à votre sécurité.

En s'exprimant ainsi, elle observait attentivement Lucy, espérant que son attitude lui révélerait quelque chose, peut-être la fausseté d'une grande partie de ses dires, mais Lucy ne changea pas de contenance.

— J'avais bien peur d'être accusée de prendre une trop grande liberté en vous racontant tout cela. Je ne vous connais pas depuis longtemps, c'est certain, personnellement au moins, mais j'ai beaucoup entendu parler de vous et de votre famille; et, dès que je vous ai vue, il m'a semblé me trouver devant une vieille connaissance. Et puis, dans le cas présent, je pensais que réellement je vous devais quelque explication après vous avoir tant interrogée sur la mère d'Edward; et, hélas! je ne connais nul être au monde dont je puisse prendre conseil. Anne est la seule personne qui soit au courant, et elle n'a pas de jugement; certainement, elle me gênerait plutôt, car j'ai toujours peur qu'elle ne me trahisse. Elle ne sait pas tenir sa langue, comme vous avez dû vous en apercevoir; et j'ai eu très grand peur l'autre jour, quand le nom d'Edward a été prononcé par sir John, qu'elle ne laisse tout échapper. Vous ne sauriez croire combien je suis tourmentée de tout cela. Je me demande comment je puis vivre après tout ce que j'ai souffert à cause d'Edward pendant ces quatre ans. Tout est en suspens, tout dans l'incertitude! Je le vois si rarement, c'est à peine si nous pouvons nous rencontrer deux fois par an. Je ne m'explique pas comment mon cœur n'est pas brisé!

Ici, elle sortit son mouchoir; mais Elinor n'éprouva pas beaucoup de compassion.

— Parfois, continua Lucy, après s'être essuyé les yeux, je me demande s'il ne vaudrait pas mieux pour nous deux de rompre entièrement. (En disant cela, elle fixait son interlocutrice). Mais ensuite, à d'autres moments, je ne m'en sens pas le courage. Je ne puis supporter la pensée de le rendre si malheureux. Je sais l'effet que lui produirait une telle pensée! Et à moi-même, il m'est si cher, que je ne sais si je pourrais supporter ce sacrifice. Dans une telle situation, que me conseillez-vous de faire, miss Dashwood? Que feriez-vous vous-même?

— Excusez-moi, répliqua Elinor stupéfaite par cette question, mais je ne puis vous donner aucun conseil. Dans de telles conjonctures, vous ne pouvez vous guider que sur votre propre jugement.

— Certainement, continua Lucy, après que toutes deux furent restées silencieuses un moment, sa mère fera quelque chose pour lui un jour ou l'autre. Mais le pauvre Edward est si abattu par tout cela! Ne l'avez-vous pas trouvé terriblement déprimé quand il est venu à Barton? Il était si malheureux quand il nous a laissées à Longstaple pour venir vous voir, que je craignais que vous ne le trouviez vraiment malade.

— Il arrivait donc de chez votre oncle lorsqu'il est venu chez nous?

— Mais oui. Il est resté une quinzaine avec nous. Avez-vous cru qu'il venait directement de Londres?

— Non, répondit Elinor vivement frappée par chaque nouveau détail qui attestait la véracité des dires de Lucy.

Je me rappelle qu'il nous a dit être resté une quinzaine chez des amis à Plymouth.

Elle se rappelait aussi combien elle avait été surprise, à ce moment, de ne lui entendre rien dire de plus au sujet de ces amis et d'avoir même gardé un total silence, même sur leurs noms.

— Ne l'avez-vous pas trouvé terriblement déprimé? répéta Lucy.

— Si, particulièrement au moment de son arrivée.

— Je le priais de prendre sur lui, de peur que vous ne soupçonniez ce qui en était; mais il était si malheureux de ne pouvoir rester qu'une quinzaine avec nous, et il me voyait si affectée! Pauvre ami! J'ai bien peur qu'il ne soit encore dans le même état, car il m'écrit sur un ton pitoyable. J'ai eu de ses nouvelles juste au moment de quitter Exeter.

Elle tira une lettre de sa poche et montra négligemment la suscription à Elinor.

— Vous connaissez son écriture certainement, elle est charmante; mais il n'a pas écrit aussi bien que d'habitude. Il était fatigué certainement, car il avait écrit longuement, remplissant tout son papier.

Elinor reconnut l'écriture et ne put douter plus longtemps. Le portrait, elle avait essayé de le croire, Lucy avait pu réussir à se le procurer, et ce pouvait ne pas être un cadeau d'Edward; mais une correspondance par lettre entre eux ne pouvait exister que si elle s'appuyait sur un engagement positif; rien d'autre ne pouvait l'autoriser. Pendant quelques instants, elle fut comme terrassée, son cœur défaillant, à peine pouvait-elle se tenir debout; mais il fallait absolument se dominer, et elle réagit si énergiquement contre son sentiment d'oppression que son succès fut prompt et, sur le moment, complet.

— Nous écrire l'un l'autre, dit Lucy remettant la lettre dans sa poche, est notre seule consolation au cours de ces longues séparations. Oui, c'est vrai, j'ai une autre consolation avec son portrait; mais le pauvre Edward n'a même pas cela. S'il avait seulement mon portrait, il dit qu'il serait heureux. Je lui ai donné une boucle de mes cheveux dans une bague la dernière fois qu'il est venu à Longstaple et cela lui a fait plaisir, m'a-t-il dit, mais pas autant qu'un portrait. Peut-être avez-vous remarqué sa bague?

— Oui, dit Elinor d'un ton qu'elle réussit à rendre calme,

mais sous lequel elle cachait une détresse qui dépassait tout ce qu'elle avait jamais éprouvé. Elle était mortifiée, révoltée, confondue.

Heureusement pour elle, elles venaient d'atteindre le cottage, et la conversation n'alla pas plus avant. Après s'être arrêtées quelques minutes, les demoiselles Steeles retournèrent au Park et Elinor eut le loisir de s'abandonner à ses réflexions et à sa douleur.

XXIII

Quelque peu de confiance qu'elle eût dans la sincérité de Lucy, il lui était impossible, après y avoir sérieusement réfléchi, de la mettre en doute dans le cas présent, car on ne pouvait vraiment supposer qu'elle ait pu être assez folle pour inventer de toutes pièces ce qu'elle venait de raconter. Par conséquent, ce que Lucy affirmait être la vérité, Elinor ne pouvait pas, n'osait pas, le mettre plus longtemps en doute. Des deux côtés, s'accumulaient une probabilité et des preuves auxquelles elle n'avait à opposer que ses propres désirs. L'occasion qui leur avait été offerte de se rencontrer dans la maison de Mr. Pratt était le fondement à la fois indiscutable et alarmant de toute leur aventure. Et la visite d'Edward à Plymouth, sa mélancolie, ses inquiétudes sur son avenir, son attitude incertaine vis-à-vis d'elle, la connaissance détaillée que possédaient les demoiselles Steeles de Norland et de leur famille dont elle avait été souvent surprise, le portrait, la lettre, l'anneau, tout concordait. Un tel faisceau d'évidences écartait toute crainte de condamner injustement Edward et établissait, comme un fait impossible à écarter, la duplicité de sa conduite envers elle.

Son ressentiment à l'égard d'une telle conduite, son indignation d'avoir été sa dupe l'occupèrent pendant quelque temps tout entière; mais, bientôt, surgirent d'autres idées, d'autres considérations. Edward l'avait-il vraiment trompée volontairement? Avait-il feint, à son égard, un penchant qu'il n'éprouvait point? Son engagement avec Lucy partait-il du cœur? Non. Quoiqu'il ait pu se passer auparavant, elle ne pouvait croire que ce fût le cas actuellement... C'est à elle qu'allait tout son amour. Elle ne pouvait s'y tromper. Sa mère, ses sœurs, Fanny, tous s'en étaient aperçu à Norland; ce n'était pas une illusion de sa propre vanité. Certainement, il l'aimait. Quel baume pour son cœur que cette certitude! Et combien n'était-elle pas inclinée à lui pardonner! Il avait été blâmable, hautement blâmable de rester à Norland quand il avait senti que son penchant pour elle l'emportait plus loin qu'il n'aurait fallu. Là-dessus, on ne pouvait le justifier. Mais, s'il lui avait fait tort, combien plus s'en était-il fait à lui-même? Si elle était à plaindre, il était, lui, sans espoir. Son imprudence la rendait malheureuse pour un moment, mais lui semblait s'être ôté toute chance de jamais retrouver le bonheur. Avec le temps, elle pourrait recouvrir la tranquillité. Mais lui, qu'avait-il à espérer? Pourrait-il jamais avoir une existence acceptable aux côtés de Lucy Steeles? En faisant abstraction de son amour pour elle, pourrait-il, avec sa loyauté, sa délicatesse, son esprit si cultivé, prendre son parti d'une femme comme Lucy, perfide et égoïste et sans instruction?

La légèreté de la jeunesse avait dû naturellement l'aveugler sur tout, excepté sur sa beauté et la facilité de son caractère; mais les quatre années suivantes qui, bien employées, font tant pour le développement du jugement, devaient lui avoir ouvert les yeux sur les lacunes de son éducation; alors que ce même temps passé par Lucy dans un milieu plus commun et plus frivole, lui avait peut-être ôté cette simplicité qui avait pu, dans sa toute première jeunesse, donner un certain caractère à sa beauté.

Dans l'hypothèse d'un mariage avec Elinor, l'opposition de Mrs. Ferrars avait semblé très considérable. Combien ne serait-elle pas plus acharnée quand il s'agirait d'une personne dont la situation, et même probablement la fortune, étaient bien inférieures encore. A la vérité, étant donné son absence de sympathie pour Lucy, elle prenait aisément son parti de ces obstacles; mais c'était une situation mélancolique que d'être obligée, pour se consoler, de penser à toutes les difficultés qu'allait rencontrer cette pauvre fille!

A mesure que ces considérations se succédaient douloureusement dans son esprit, elle s'attendrissait sur Edward plus que sur elle-même. Soutenue par la conviction de n'avoir rien fait pour mériter son malheur actuel, et consolée par la croyance qu'Edward, de son côté, n'avait rien fait pour perdre son estime, elle se sentit capable, même à ce moment et sous la première impression de ce coup terrible, de se dominer assez pour écarter tout soupçon de la part de sa mère et de ses sœurs.

Elle y réussit tellement bien que, lorsqu'elle se retrouva à la table de famille, deux heures seulement après avoir vu s'écrouler ses plus chères espérances, personne n'eut pu supposer, d'après l'attitude des deux sœurs, qu'Elinor se consumait secrètement devant les obstacles qui devaient la séparer pour toujours de l'objet de son amour, et que Marianne, elle, se délectait intérieurement à évoquer les perfections d'un homme dont elle sentait le cœur entièrement à elle et qu'elle s'attendait à voir descendre de toutes les voitures qui passaient près de la maison.

La nécessité de cacher à sa mère et à Marianne ce qui lui avait été confié sous le sceau du secret, bien que l'obligeant à une attention continuelle, n'était pas une aggravation de sa peine. Au contraire, c'était pour elle un soulagement de n'avoir pas à leur apprendre ce qui les aurait si fort affligées. Il lui était ainsi épargné la douleur d'entendre condamner Edward. Entraînées par leur affection aveugle, sa mère et sa sœur n'auraient pas manqué de le faire, et elle ne se sentait pas capable de le supporter.

Elle savait qu'elle n'aurait tiré aucun secours de leurs entretiens ou de leurs conseils; leur tendresse et leur chagrin auraient aggravé sa détresse et sa fermeté n'aurait puisé aucun encouragement dans leur exemple ou dans leur éloge. Elle était plus forte seule, et son bon sens la soutenait si bien, que sa maîtrise d'elle-même était aussi sûre, son apparence de gaieté aussi invariable qu'il était possible de l'imaginer sous l'empire de regrets aussi poignants et aussi récents.

Si pénible qu'ait été pour elle sa première conversation sur ce sujet avec Lucy, elle éprouva bientôt le vif désir de la reprendre, et cela pour plus d'une raison. Elle désirait l'entendre répéter certains détails sur leurs fiançailles. Elle voulait aussi s'éclairer, plus à fond, sur les vrais sentiments de Lucy pour Edward et savoir s'il y avait quelque sincérité dans ses protestations d'amour envers lui. Et elle tenait particulièrement à convaincre Lucy, par son empressement à revenir sur le sujet, qu'elle ne s'y intéressait pas autrement qu'en amie, car elle craignait beaucoup de lui avoir donné lieu de soupçonner le contraire par son agitation involontaire au cours de leur entretien du matin.

Que Lucy fut portée à la jalousie envers elle, cela apparaissait comme bien probable; il était évident qu'Edward avait dû toujours faire son éloge; cela résultait non seulement de l'affirmation de Lucy, mais du fait que, ne la connaissant que depuis si peu de temps, elle s'était risquée à lui confier un secret dont elle confessait elle-même l'importance; sans compter que les plaisanteries de sir John pouvaient bien avoir eu aussi quelque influence sur ses confidences. Mais, naturellement, alors qu'Elinor était si bien assurée de la réelle affection d'Edward, il n'était pas besoin d'aller chercher bien loin pour trouver normal que Lucy fût jalouse; et, qu'elle le fut, sa confidence en était la preuve. Quelle autre raison aurait-elle pu avoir de lui révéler son secret, sinon d'affirmer devant elle ses droits antérieurs sur Edward et l'engager à s'écarter de lui à l'avenir? Il ne lui était pas difficile de pénétrer ainsi les intentions de sa rivale. Elinor était, sans doute, résolue à agir fermement envers elle suivant les principes de l'honneur et de l'honnêteté; elle saurait combattre son propre penchant pour Edward et se résoudre à le voir aussi peu que possible; mais elle ne pouvait se refuser le plaisir d'essayer de convaincre Lucy que son cœur n'avait reçu aucune blessure. Et, comme elle n'avait rien à entendre de plus pénible que ce qu'elle avait déjà entendu, elle se sentait capable de revenir de nouveau sur tous les détails de leur conversation sans se troubler.

Mais ce ne fut pas tout de suite qu'une occasion de ce genre pût se rencontrer, bien que Lucy fut aussi bien disposée qu'elle-même à saisir la première qui se présenterait. En effet, le temps n'était pas souvent assez beau pour leur permettre une promenade où elles auraient pu facilement s'isoler des autres; et, bien qu'elles se rencontrassent à peu près tous les soirs au Park ou au cottage, et surtout au Park, il ne faudrait pas supposer que ce fût pour s'y livrer à la conversation. Pareille idée ne pouvait entrer ni dans la tête de sir John, ni dans celle de lady Middleton, et, par suite, il n'y avait guère de place que pour un entretien général, et pas du tout pour des confidences particulières. On se retrouvait pour manger, boire, rire en commun, jouer aux cartes ou à tout autre jeu, pourvu qu'il fût suffisamment bruyant.

Une ou deux réunions de ce genre avaient eu lieu sans apporter à Elinor aucune occasion de prendre Lucy à part, lorsque sir John vint au cottage, un matin, les supplier, au nom de la charité, de bien vouloir venir dîner ce jour-là avec lady Middleton, car il était obligé, lui-même, de se rendre au club à Exeter, et elle allait se trouver seule, avec sa mère et les deux demoiselles Steeles. Elinor, prévoyant les occasions que lui donnerait une réunion tenue sous la direction calme et décente de lady Middleton, au lieu du désordre bruyant qui accompagnait toujours la présence de sir John, s'empressa d'accepter; Margaret, avec la permission de sa mère, en fit autant, et Marianne, qui refusait toujours de se joindre à ces réunions, se laissa persuader par sa mère qui ne pouvait supporter la pensée de la voir privée d'une chance de distraction.

Toutes les trois vinrent donc, et lady Middleton fut heureusement préservée de l'effrayante solitude qui la menaçait. La réunion fut exactement aussi insipide qu'Elinor s'y attendait; rien ne put être moins intéressant que toutes les conversations échangées à table et au salon; après dîner, les enfants étaient restés avec eux, et, tant qu'ils furent là, elle était bien trop convaincue de l'impossibilité qu'il y avait à vouloir prendre Lucy à part pour rien tenter. Ils s'en allèrent seulement au moment où l'on emporta le plateau du thé. On installa alors la table à jeu et Elinor commença à se reprocher d'avoir cru qu'il était possible d'engager une conversation quelconque au Park. Tout le monde s'agitait en se préparant à un jeu général.

— Je suis heureuse, dit lady Middleton à Lucy, que vous n'ayez pas à finir ce soir la corbeille pour la pauvre petite Annamaria, car je suis sûre que cela vous fatiguerait les yeux de faire du filigrane à la lueur des bougies. Et nous ferons, à la chère petite, quelques gâteries pour lui faire oublier son désappointement demain; j'espère qu'elle n'y fera pas grande attention.

Il n'en fallut pas plus. Lucy fut tout de suite au fait et répondit :

— Mais vous faites tout à fait erreur, lady Middleton, j'attendais seulement de savoir si vous pouviez organiser la partie sans moi, sans quoi je me serais déjà mise à mon filigrane. Je ne voudrais, pour rien au monde, désappointer le petit ange; et, si vous avez besoin de moi au jeu, maintenant, je suis décidée à finir la corbeille ensuite.

— Vous êtes bien bonne, j'espère que cela ne vous fatiguera pas les yeux. Voulez-vous sonner pour qu'on apporte des bougies supplémentaires? Ma pauvre petite fille serait cruellement déçue, je le sais, si la corbeille n'était pas finie demain, car j'ai eu beau lui dire qu'elle ne le serait pas, je suis sûre qu'elle y compte.

Lycy poussa aussitôt sa table de travail auprès d'elle et se rassit avec un empressement et une gaieté qui semblaient montrer qu'elle ne concevait de plus grand plaisir que de confectionner une corbeille en filigrane pour une enfant gâtée.

Lady Middleton proposa aux autres un whist. Personne ne fit d'objection, que Marianne qui, avec son naturel mépris des formes de la civilité ordinaire, s'exclama :

— Que Votre Seigneurie ait la bonté de m'excuser. Vous savez que je déteste les cartes. J'irai au piano-forte. Je ne l'ai pas touché depuis qu'il est accordé.

Et sans plus de cérémonie, elle se retourna et alla s'installer devant l'instrument. Lady Middleton parut rendre grâce au ciel de l'avoir personnellement préservée de tenir jamais un tel langage.

— Marianne ne peut jamais rester bien longtemps loin de cet instrument, dit Elinor tentant d'atténuer l'offense, et je ne m'en étonne guère, car c'est un des meilleurs piano-forte que j'ai jamais entendus.

Les cinq autres étaient maintenant à leurs cartes.

— Peut-être, continua Elinor, si je me trouvais mise hors du jeu, pourrais-je aider miss Lucy Steeles, en roulant les papiers pour elle; il reste tellement à faire pour la corbeille, qu'il me semble qu'elle ne pourra pas la finir seule ce soir. Cela me plairait extrêmement si elle voulait accepter mon aide.

— Mais certes, je vous serais fort obligée pour cette aide, s'écria Lucy, car je vois qu'il reste plus de travail à faire que je ne croyais. Et ce serait désolant, après tout, de désappointer la chère Annamaria.

— Oh! ce serait vraiment terrible, dit miss Stelles. Chère petite âme, comme je l'aime!

— Vous êtes bien aimable, dit lady Middleton à Elinor, et si réellement vous avez plaisir à travailler, peut-être aimeriez-vous autant ne pas continuer à jouer jusqu'au prochain robre, ou bien préférez-vous prendre votre chance maintenant ?

Elinor s'empressa de profiter de la première de ces propositions et, ainsi, grâce à un peu de cette adresse que Marianne n'aurait jamais condescendu à employer, elle arriva à ses fins, tout en faisant plaisir à lady Middleton. Lucy lui fit place avec empressement, et les deux belles rivales se trouvèrent ainsi, côte à côte, à la même table et sous un flot d'harmonie, occupées au même travail. Le piano-forte devant lequel Marianne, plongée dans sa musique et ses propres pensées, avait complètement oublié la présence des autres personnes, se trouvait heureusement si près d'elles que miss Dashwood jugea qu'elle pouvait maintenant en toute sécurité, sous le couvert de ses sonorités, entamer le sujet qui l'intéressait, sans aucun risque d'être entendue des occupants de la table de jeu.

XXIV

D'un ton ferme, quoique prudent, Elinor commença :

— Je ne mériterais pas la confidence dont vous m'avez honorée, si je ne sentais pas le désir de la voir se poursuivre ou si je n'éprouvais pas plus de curiosité sur son objet. Je n'ai donc pas à m'excuser d'y revenir à nouveau.

— Merci ! s'écria chaleureusement Lucy, pour avoir ainsi brisé la glace ; vous me mettez à l'aise, car j'avais un peu peur de vous avoir choquée par ce que je vous avais dit lundi.

— Me choquer ? Comment pouvez-vous le supposer ? Croyez-moi — et Elinor dit cela avec la plus grande sincérité — rien ne peut être plus loin de mes intentions que de vous donner une pareille idée. Pouviez-vous avoir un motif de confiance qui ne fût honorable et flatteur pour moi ?

— Et pourtant, je vous assure, répliqua Lucy avec un regard significatif de son petit œil perçant, j'avais cru percevoir chez vous une froideur et un mécontentement qui me mettaient vraiment mal à l'aise. Je me sentais sûre de vous avoir fâchée, et je n'ai cessé de me faire des reproches, depuis lors, pour avoir pris la liberté de vous importuner avec mes affaires. Mais je suis bien heureuse de voir que c'était pure imagination de ma part et que vous ne me blâmez réellement pas. Si vous saviez quelle consolation ç'a été pour moi de soulager mon cœur en vous parlant de ce dont j'ai l'âme occupée à tous les moments de ma vie, votre pitié vous ferait passer sur toute autre considération, j'en suis sûre.

— Certainement, je crois facilement que vous avez dû éprouver un grand soulagement en me révélant votre situation, et vous pouvez être assurée que vous n'aurez jamais à le regretter. C'est, en effet, une chose bien pénible pour vous. Au milieu de tant de difficultés, vous devez avoir besoin de toute notre mutuelle affection pour ne pas y succomber. Mr. Ferrars, je crois, est entièrement sous la dépendance de sa mère?

— Il a seulement deux mille livres à lui; ce serait joli de se marier avec cela, et je serais prête, pour ma part, à abandonner, sans un regret, toute perspective d'un surplus. J'ai toujours été habituée à me contenter d'un petit revenu, et, pour Edward, je saurais me mesurer avec la pauvreté. Mais je l'aime trop pour le priver de tout ce que sa mère pourrait lui donner s'il faisait un mariage qui lui plaise. Il nous faut attendre, peut-être des années. Avec tout autre homme au monde, ce serait une perspective alarmante. Mais je sais bien que l'affection et la constance d'Edward sont à toute épreuve.

— Cette conviction doit certainement être tout pour vous. Et, sans aucun doute, il est également soutenu par une foi égale en vous. Si la force de votre attachement réciproque avait dû faillir, comme cela serait naturellement arrivé chez beaucoup d'autres gens et dans beaucoup d'autres circonstances au cours de ces quatre années, vous auriez été bien à plaindre.

Ici, Lucy la regarda, mais Elinor se garda soigneusement de donner par son attitude à ses paroles une expression particulière.

— L'amour d'Edward pour moi, dit Lucy, a été largement mis à l'épreuve par notre longue, si longue séparation
depuis nos fiançailles. Il l'a si bien supportée que je serais
impardonnable maintenant de douter de lui. Je puis assurer,
en toute tranquillité, qu'il ne m'a pas donné un moment
d'alarme, à ce sujet, depuis le début de nos relations.

Elinor ne sut au juste si elle devait sourire ou soupirer
devant cette assertion.

Lucy continua :

— Je suis plutôt, par nature, d'un tempérament jaloux,
et en raison de la différence de nos situations, de sa position
si au-dessus de la mienne et de notre continuelle séparation,
j'étais trop portée au doute pour ne pas reconnaître à l'instant la plus petite altération dans son attitude envers moi.
Une dépression quelconque dans son humeur m'aurait
tout de suite trouvée en éveil, ou s'il avait parlé d'une femme
plus que d'une autre, ou si d'une façon ou d'une autre, il
avait paru moins heureux à Longstaple que d'habitude. Je
ne prétends pas être particulièrement pénétrante et avisée
en général, mais en pareil cas, je sais bien que je ne me serais
pas trompée.

(Tout cela, pensa Elinor, est fort joli ; mais ni elle ni
moi n'en sommes dupes). Après un court silence, elle reprit :

— Mais formez-vous quelques projets ? Ou bien ne
faites-vous rien d'autre que d'attendre la mort de Mrs.
Ferrars, ce qui est vous réduire à une extrémité mélancolique et choquante ? Son fils est-il décidé à en passer par là
et à subir le supplice de ces longues années d'attente qu'il
va vous faire partager, plutôt que de courir en une fois le
risque de son déplaisir momentané en lui révélant la vérité ?

— Si nous pouvions être certains que ce ne sera que
pour un temps! Mais Mrs. Ferrars est une femme très auto-
ritaire, très orgueilleuse, et, dans le premier moment de sa
colère, elle serait capable de léguer toute sa fortune à son
fils Robert; et, cette idée, vous comprenez, à cause d'Edward,
m'empêche de précipiter les choses.

— A cause d'Edward et de vous-même, car, enfin, votre
désintéressement passerait les bornes.

Lucy regarda encore Elinor et garda le silence.

— Connaissez-vous Mr. Robert Ferrars ? demanda Elinor.

— Pas du tout, je ne l'ai jamais vu; mais je crois qu'il

ne ressemble pas du tout à son frère, c'est un sot et un grand fat.

— Un grand fat, répéta miss Steeles dont l'oreille avait saisi ces mots au milieu d'une pause de la musique de Marianne. Oh! elles parlent de leurs amoureux, je gage.

— Mais, ma sœur, s'écria Lucy, vous vous trompez, car nos amoureux ne se recrutent pas dans cette catégorie.

— Ah! pour ça, je puis bien vous garantir que celui de miss Dashwood n'en est pas un, dit Mrs. Jennings riant de tout son cœur, car c'est un des jeunes gens les plus modestes et les plus réservés que j'ai jamais vus. Mais, pour Lucy, c'est une créature si secrète, qu'il n'y a pas moyen de savoir qui elle aime.

— Oh! s'écria miss Steeles jetant à la ronde un regard significatif, je ne crains pas d'affirmer que le soupirant de Lucy est aussi modeste et réservé que celui de miss Dashwood.

Elinor rougit malgré elle. Lucy se mordit la lèvre et lança à sa sœur un regard courroucé. Un silence général régna quelque temps. Lucy y mit fin en disant à voix basse, bien que Marianne leur donnât en ce moment la puissante protection d'un magnifique concert :

— Je veux honnêtement vous faire part d'un projet que j'ai dernièrement conçu pour rendre notre situation supportable. En fait, je dois vous mettre dans le secret, puisque cela vous concerne. Je sais que vous connaissez assez Edward pour ne pas ignorer qu'il préfère l'Eglise à toute autre profession. Mon plan est donc qu'il se fasse ordonner aussi vite que possible. Par votre intercession que, j'espère, vous ne me refuserez pas, par amitié pour lui et aussi, peut-être, un peu pour moi, on pourrait persuader votre frère de lui donner la cure de Norland; je sais qu'elle est très bonne et que le titulaire actuel n'a pas longtemps à vivre. Cela serait suffisant pour que nous puissions nous marier, et, pour le reste, nous nous fierions au temps et à la chance.

— Je serais toujours heureuse, répondit Elinor, de donner une marque d'estime et d'amitié à Mr. Ferrars; mais ne croyez-vous pas que mon intermédiaire dans cette affaire est parfaitement inutile? Il est le frère de Mrs. John Dashwood, c'est une recommandation suffisante pour son époux.

— Mais Mrs. John Dashwood n'approuvera pas le projet d'Edward d'entrer dans les ordres.

— Alors, je crains bien que mon intervention ne puisse pas servir à grand-chose.

Il y eut de nouveau un silence assez long. A la fin, Lucy s'exclama avec un profond soupir :

— Je crois que le plus sage serait de renoncer à tout cela. Nous sommes entourés de tous côtés de telles difficultés que ce serait peut-être préserver notre bonheur futur que d'accepter le chagrin d'une rupture. Mais vous ne me donnez pas votre opinion, miss Dashwood ?

— Non, répondit Elinor avec un soupir qui dissimulait mal l'agitation de son esprit, sur un tel sujet, je ne le ferai certainement pas. Vous savez fort bien que mon opinion ne serait d'aucun poids pour vous, à moins qu'elle ne soit conforme à la vôtre.

— Je vous assure que vous me calomniez, répondit Lucy, du ton le plus solennel. Je ne connais personne dont je prise le jugement plus que le vôtre. Je crois réellement que si vous me disiez : « Je vous conseille, de toute façon, de rompre votre engagement avec Edward Ferrars, cela vaudrait mieux pour votre bonheur à tous deux », et je m'y résoudrais immédiatement.

Elinor, rougissant, pour la future femme d'Edward, de son manque de sincérité, répondit :

— Un pareil compliment m'empêcherait de formuler aucune opinion sur ce sujet si j'en avais une. Vous mettez mon influence trop haut. Prendre sur soi de diviser deux êtres entièrement unis constitue une responsabilité trop lourde pour une personne indifférente.

— C'est également parce que vous êtes une personne indifférente, dit Lucy, d'un air un peu piqué et en appuyant sur ces mots, que votre jugement a tant de poids pour moi. Si l'on pouvait supposer que vous êtes guidée, en quelque mesure, par vos propres sentiments, votre opinion serait sans valeur.

Elinor jugea plus sage de ne pas faire de réponse dans la crainte de provoquer entre elles un trop grand abandon et une trop grande familiarité, et prit, ou peu s'en faut, la détermination de ne plus jamais évoquer ce sujet. En conséquence, il y eut encore une autre pause de quelques minutes, et Lucy de nouveau parla la première :

— Viendrez-vous à Londres, cet hiver, miss Dashwood ? dit-elle avec son amabilité accoutumée.

— Certainement non.

— J'en suis fâchée, répondit l'autre, tandis qu'un éclair traversait ses yeux à cette nouvelle, j'aurais un tel plaisir à vous y rencontrer! Mais je suis convaincue que vous irez tout de même. Certainement, votre frère et votre belle-sœur vous demanderont de venir les voir.

— S'ils m'invitaient, je ne pourrais pas accepter leur invitation.

— Comme c'est malheureux! Je comptais tout à fait vous y rencontrer. Anne et moi devons aller voir, à la fin de janvier, des parents qui nous demandent cette visite depuis des années. Mais je n'y vais que pour rencontrer Edward. Il y sera en février; sans cela, Londres n'aurait aucun charme pour moi et ne m'attirerait pas.

Elinor fut bientôt appelée à la table de jeu pour la fin du premier robre, et leur entretien confidentiel prit fin, ce dont ni l'une ni l'autre ne furent fâchées, car, des deux côtés, rien n'avait été dit qui les empêchât de se détester mutuellement moins qu'auparavant. Et Elinor s'assit à la table de jeu avec la mélancolique conviction que non seulement Edward n'avait aucune affection pour la personne qui allait être sa femme, mais qu'il n'avait même pas la perspective d'être à peu près heureux avec elle; ce qui aurait pu être si elle avait eu une réelle affection pour lui. Car seul l'intérêt personnel pouvait pousser une femme à réclamer d'un homme l'exécution d'un engagement dont elle était si bien convaincue qu'il était excédé.

A partir de ce moment, Elinor ne revint jamais sur ce sujet; et, quand il était abordé par Lucy, qui manquait rarement une occasion d'en parler et prenait particulièrement soin d'informer sa confidente de son bonheur toutes les fois qu'elle recevait une lettre d'Edward, elle ne faisait que des réponses calmes et prudentes et laissait tomber la conversation aussitôt que possible; car elle jugeait que de tels entretiens étaient une concession que Lucy ne méritait pas et qui n'étaient pas sans danger pour elle-même.

La visite des demoiselles Steeles à Barton Park se prolongea bien au delà du terme d'abord fixé. Leur faveur grandissait, on ne pouvait s'y passer d'elles. Sir John ne voulait pas entendre parler de leur départ, et, en dépit de leurs nombreux et anciens engagements à Exeter, en dépit de l'absolue nécessité de les remplir qui devenait plus pressante à la fin de chaque semaine, on obtint d'elles qu'elles prolongent leur séjour au Park pendant près de deux mois et qu'elles assistent à la célébration en règle des fêtes de cette époque de l'année, dont l'importance est soulignée par un déploiement exceptionnel de bals et de dîners de gala.

XXV

Bien que Mrs. Jennings eût l'habitude de passer une grande partie de l'année chez ses enfants ou chez des amis, elle ne laissait pas d'avoir un domicile personnel. Depuis la mort de son mari qui s'était adonné, avec succès, au commerce dans un quartier moins élégant, elle passait, chaque hiver, dans une maison située dans une des rues qui avoisinaient Portman square. Aux environs de janvier, elle commença à penser à ce séjour, et, un beau jour, elle demanda à l'improviste aux demoiselles Dashwood, qui ne s'y attendaient aucunement, de l'y accompagner. Elinor, sans faire attention au changement de couleur de sa sœur et à l'animation subite de son regard qui trahissait l'intérêt qu'elle prenait à cette proposition, formula immédiatement un refus poli et catégorique pour toutes deux, convaincue qu'elle exprimait leur volonté commune. La raison alléguée était leur ferme résolution de ne pas abandonner leur mère à cette époque de l'année. Mrs. Jennings fut assez surprise du refus et réitéra immédiatement son invitation.

— Oh! Seigneur! Mais je suis sûre que votre mère peut très bien se passer de vous et je vous supplie de me faire cette faveur, car j'y tiens tout à fait. Ne vous figurez pas que vous me gênerez le moins du monde, car je ne me dérangerai en rien pour vous. Je n'aurai qu'à envoyer Betty par la diligence, je suppose que je puis me risquer à cela. Nous tiendrons fort bien toutes trois dans ma voiture, et, quand nous serons en ville, si vous n'avez pas envie d'aller où j'irai, vous pourrez toujours sortir avec une de mes filles. Je suis sûre que votre mère n'y fera pas d'objection, car j'ai eu la main si heureuse en établissant mes filles, qu'elle doit me juger capable de me charger de vous. Et, avant que vous preniez congé, si je n'ai pas bien marié l'une de vous, il n'y aura pas de ma faute. Je dirai tout le bien possible de vous à tous les jeunes gens, vous pouvez y compter.

— J'ai idée, dit sir John, que miss Marianne ne refuserait pas si sa sœur aînée y consentait elle-même. Il est un peu fort qu'elle ne puisse prendre un petit plaisir si miss Dashwood n'en a pas envie. Aussi, je vous conseille à toutes deux, miss Margaret et vous, de vous embarquer pour Londres dès que vous vous sentirez fatiguées de Barton, sans en souffler mot à miss Dashwood.

— Certes, s'écria Mrs. Jennings, je serai immensément heureuse d'avoir la compagnie de miss Marianne avec ou sans miss Dashwood. Je dis toujours que plus on est plus on s'amuse. Il me semble que ce serait bien plus agréable, pour elles, d'être ensemble, parce que, si je les ennuie, elles pourront se parler l'une à l'autre et se moquer de mes maniè-res derrière mon dos. Mais il faut que j'en aie au moins une, sinon les deux. Dieu me bénisse ! Comment voulez-vous que je vive seule, livrée à moi-même, moi qui ai tou-jours eu l'habitude d'avoir Charlotte à côté de moi pendant l'hiver ? Allons, miss Marianne, donnez-moi la main, marché conclu, et si miss Dashwood vient à changer d'avis, eh ! bien, ce sera pour le mieux !

— Je vous remercie, madame, je vous remercie sincère-ment, dit Marianne avec chaleur, votre invitation vous vaudra pour toujours ma reconnaissance et elle me ferait un grand plaisir — oui, le plus grand plaisir possible — si je pouvais l'accepter. Mais je sais combien ce qu'Elinor a objecté est juste, comment pourrais-je agir ainsi si je sais que ma mère, ma bien-aimée, mon excellente mère devait être moins heureuse, moins à son aise à cause de notre ab-sence. Oh ! non, rien ne peut me convaincre de l'abandonner. Il ne peut pas, il ne doit pas y avoir d'hésitation !

Mrs. Jennings répéta son affirmation que Mrs. Dashwood pouvait parfaitement se passer d'elles. Et Elinor, qui avait compris sa sœur, et savait à quel point elle était indifférente à tout ce qui n'était pas la possibilité de rencontrer de nou-veau Willoughby, ne fit plus d'opposition directe au projet. Elle s'en remit simplement à la décision de sa mère, bien qu'elle n'espérât pas en recevoir grand appui dans les efforts qu'elle faisait pour empêcher un séjour, qu'elle n'approuvait pas en ce qui concernait Marianne, et que, pour son compte, elle avait des raisons personnelles de ne pas désirer. Mrs. Dashwood était toujours prête à accepter tout ce que désirait Marianne. Du reste, dans cette affaire, Elinor n'avait jamais pu éveiller la méfiance de sa mère, elle ne pouvait donc pas s'attendre à lui voir mettre quelque prudence dans sa conduite; et elle n'osait pas donner les motifs de sa propre répugnance à aller à Londres.

Dans la poursuite de son idée fixe, Marianne, qui était si susceptible et détestait tant les manières de Mrs. Jennings, acceptait, cependant, la perspective de voir sa délicatesse continuellement blessée. Elinor le constatait et voyait là une preuve si forte, si pleine de l'importance unique que sa sœur attachait à ce voyage que, malgré tout ce qui s'était passé, elle en demeurait stupéfaite.

Mise au courant de l'invitation, Mrs. Dashwood, persuadée que ce déplacement serait la source de beaucoup d'amusement pour ses deux filles et se rendant compte, à travers toutes les attentions affectueuses de Marianne, combien la chose lui tenait à cœur, ne voulut à aucun prix que ses filles repoussassent cette invitation à cause d'elle; elle insista pour que toutes deux acceptassent immédiatement, et commença, avec son optimisme habituel, à exalter les avantages que tout le monde retirerait de cette séparation.

— Je suis ravie de ce projet, s'écria-t-elle, c'est exactement ce que j'aurais pu désirer. Margaret et moi en profiterons autant que vous. Quand vous et les Middleton serez partis, nous serons si tranquilles et si heureuses ici avec nos livres et notre musique! Vous verrez les progrès qu'aura faits Margaret quand vous rentrerez! Et j'ai aussi un petit projet d'amélioration pour vos chambres que je pourrai, pendant ce temps, mener à bien sans gêner personne. Il n'y a pas de doute que vous devez aller à Londres. Toutes les jeunes filles de votre condition doivent être familiarisées avec les façons et les distractions de la capitale. Vous serez sous la garde d'une brave femme maternelle dont l'affection pour vous ne fait aucun doute. Et, très probablement, vous verrez votre frère et, quelles que soient ses fautes ou les fautes de sa femme, quand je pense à son père, je ne puis supporter l'idée que vous restiez si entièrement étrangers les uns aux autres.

— Avec votre souci habituel de notre bonheur, dit Elinor, vous avez éliminé toutes les difficultés. Cependant, il en reste une qui, à mon sens, ne peut être levée si facilement.

Marianne perdit contenance.

— Eh bien! dit Mrs. Dashwood, que va suggérer la prudence de ma chère Elinor? Quel formidable obstacle va-t-elle dresser? D'abord, je ne veux pas entendre un mot au sujet de la dépense.

— Voici mon objection : Malgré tout le bien que je pense de Mrs. Jennings, je ne crois pas que ce soit une personne dont la société puisse nous apporter beaucoup de plaisir et cela m'étonnerait qu'elle puisse nous introduire auprès de gens bien intéressants.

— C'est très vrai, répondit sa mère, mais vous ne serez que rarement seules avec elle et vous serez presque toujours en public avec lady Middleton.

— Si Elinor ne peut surmonter son peu de goût pour Mrs. Jennings, dit Marianne, du moins cela ne m'empêche pas d'accepter pour mon compte. Je n'ai pas de tels scrupules, et suis sûre de pouvoir supporter ce genre d'inconvénients sans grand effort.

Elinor ne put s'empêcher de sourire devant l'étalage de cette indifférence concernant les façons de quelqu'un avec qui, bien des fois, Elinor avait dû forcer Marianne à se conduire d'une manière à peu très polie! Du reste, elle était décidée intérieurement, si sa sœur persistait dans ses projets de départ, à partir aussi; elle ne jugeait pas bon d'abandonner Marianne à ses propres inspirations, ni de laisser Mrs. Jennings à la merci de Marianne pour lui tenir compagnie dans ses heures de solitude. Elle accepta d'autant plus facilement cette idée qu'Edward Ferrars, à ce qu'avait dit Lucy, ne devait pas être à Londres avant février, et que leur séjour aurait donc pris fin avant son arrivée, sans qu'il soit nécessaire de recourir à un départ précipité.

— Il faut que vous partiez toutes les deux, dit Mrs. Dashwood ; ces objections n'ont pas de sens. Vous prendrez beaucoup de plaisir à Londres, surtout si vous êtes ensemble. Et, si Elinor voulait bien condescendre à penser à tous les plaisirs qui l'attendent, elle en pourrait trouver de toutes sortes; quand ce ne serait que l'occasion de devenir plus intime avec la famille de sa belle-sœur.

Elinor avait souhaité une occasion de tempérer l'idée que

sa mère se faisait de ses rapports avec Edward, afin que le choc fût moins violent quand la vérité se révélerait. Devant cette invite, et sans compter beaucoup sur son succès, elle se força à entamer sa campagne, en disant du ton le plus calme qu'elle put :

— J'aime beaucoup Edward Ferrars et serai toujours très heureuse de le voir; mais, pour le reste de la famille, il m'est tout à fait indifférent de jamais faire leur connaissance ou non.

Mrs. Dashwood sourit et ne dit rien. Marianne leva vers sa sœur un regard étonné, et Elinor conjectura qu'elle aurait aussi bien pu tenir sa langue.

On échangea encore quelques propos et l'on décida, à la fin, d'accepter franchement l'invitation. Mrs. Jennings en reçut la nouvelle avec une grande joie et de grandes démonstrations d'amabilité et de sollicitude. Le plaisir n'était pas pour elle seule : sir John était enchanté, car pour un homme dont le principal souci était de ne jamais se trouver seul, c'était quelque chose de grossir de deux unités le nombre des habitants de Londres. Même lady Middleton prit sur elle de s'en montrer satisfaite, ce qui était bien en dehors de ses habitudes. En ce qui concernait les demoiselles Steeles et spécialement Lucy, elles n'avaient jamais été si heureuses de leur vie qu'en apprenant cette nouvelle.

Elinor s'accommoda de cet arrangement contraire à ses vœux avec moins de répugnance qu'elle ne l'avait craint. En ce qui la concernait personnellement, ce lui était maintenant chose indifférente d'aller à Londres ou non; et, voyant sa mère si entièrement satisfaite de ce projet et le bonheur de sa sœur devant cette perspective, bonheur qui rayonnait dans ses regards, sa voix et son attitude qui avait repris toute son ancienne animation et plus encore, elle ne pouvait en regretter la cause et se serait reprochée d'en craindre les conséquences.

La joie de Marianne dépassait ce qu'on peut imaginer tant son esprit était agité par l'impatience du départ. Le seul frein à son enthousiasme était le regret de quitter sa mère; et, au moment de la séparation, sa douleur fut excessive. Sa mère n'était guère moins affligée. Elinor était la seule des trois qui parut ne pas considérer la séparation comme éternelle.

Leur départ eut lieu dans la première semaine de janvier,

Les Middleton devaient suivre dans la huitaine. Les demoiselles Steeles restaient au Park et ne devaient le quitter qu'avec le reste de la famille.

XXVI

Elinor, en se trouvant en voiture avec Mrs. Jennings et commençant son voyage sous sa protection, ne put s'empêcher d'admirer le concours de circonstances qui les réunissait ainsi. La nouveauté de leurs relations, la disproportion de leurs âges, la différence de goûts qui existait entre elles et toutes les objections qu'elle avait faites à ce projet les jours précédents lui revenaient en mémoire. Mais ces objections avaient toutes été bousculées et écartées avec cette heureuse ardeur de la jeunesse qui distinguait également Marianne et sa mère. Et Elinor, en dépit des doutes qui l'assaillaient parfois sur la constance de Willoughby, ne pouvait rester témoin du transport qui remplissait l'âme de Marianne d'une attente délicieuse et se reflétait dans l'éclat de ses yeux, sans faire un retour sur elle-même. Elle n'avait rien à espérer, aucun rêve à caresser et elle aurait volontiers échangé sa situation contre l'incertitude de celle de Marianne pour avoir en vue le même objet, la même possibilité de former des souhaits.

De toute façon, il ne devait, maintenant, s'écouler qu'un court, bien court espace de temps avant qu'on fût fixé sur les intentions de Willoughby. Selon toute probabilité, il était déjà à Londres. L'empressement de Marianne à y venir montrait sa conviction de l'y trouver. Et Elinor était décidée, non seulement à s'éclairer le plus possible sur son caractère par ses propres observations ou par les rapports d'autrui, mais aussi à scruter son attitude envers sa sœur avec la plus vive attention afin de savoir ce qu'il était et voulait réellement, et cela dès les premières rencontres. Si le résultat de ses investigations était défavorable, elle était bien déterminée à ouvrir les yeux à sa sœur; s'il en était autrement, ses efforts auraient alors un autre but. Elle devrait s'étudier à éviter tout retour égoïste sur elle-même et à bannir tout regret capable de diminuer la part qu'elle prenait au bonheur de Marianne.

Leur voyage dura trois jours et l'attitude de Marianne pendant le trajet fut un heureux présage de ce qu'on pouvait attendre, dans l'avenir, de sa complaisance et de sa façon de tenir compagnie à Mrs. Jennings. Elle se tint pendant presque tout le temps assise en silence, enfoncée dans ses propres méditations et ne parlant presque jamais de son propre mouvement, excepté quand quelque objet pittoresque s'offrait à leur vue et tirait d'elle une exclamation de plaisir qu'elle adressait exclusivement à sa sœur.

Pour corriger l'effet de cette conduite, Elinor prit immédiatement possession du rôle aimable qu'elle s'était assignée, s'occupa avec la plus grande attention de Mrs. Jennings, parla avec elle, rit avec elle et l'écouta autant qu'elle put; et, de son côté, Mrs. Jennings les traita toutes deux avec toute l'amabilité possible, s'inquiéta, en toute occasion, de leur bien-être et de leur plaisir, désolée seulement de ne pouvoir arriver à leur faire choisir leur dîner à l'hôtel et leur faire dire si elles préféraient le saumon à la morue, la poule bouillie aux côtelettes de veau. Elles arrivèrent en ville le troisième jour vers trois heures, contentes d'être délivrées, après un tel voyage, de leur emprisonnement, et disposées à jouir de tout le plaisir possible.

La maison était belle et bien meublée et les jeunes filles furent immédiatement mises en possession d'un très confortable appartement. Il avait auparavant été celui de Charlotte et, sur la cheminée, se voyait encore un paysage en soies colorées de sa façon, et qui témoignait qu'elle n'avait pas passé tout à fait inutilement son temps, pendant sept ans, dans une grande école de la capitale.

Comme le dîner ne devait pas être prêt avant deux bonnes heures, Elinor décida d'employer ce temps à écrire à leur mère et s'installa à cet effet. Au bout de quelques instants, Marianne en fit autant.

— J'écris à la maison, Marianne, dit Elinor, ne feriez-vous pas mieux de retarder votre lettre d'un jour ou deux?

— Je n'écris pas à ma mère, répondit Marianne précipitamment et comme si elle désirait éviter toute autre question.

Elinor n'insista pas, et fut tout de suite convaincue qu'elle écrivait à Willoughby; elle en tira, tout de suite, cette conclusion que, si mystérieusement qu'ils aient conduit leur affaire, il fallait qu'ils fussent fiancés. Cette conviction, quoique ne lui donnant pas entière satisfaction, ne laissa pas que de la rassurer et elle continua sa lettre avec plus d'entrain. Marianne eut fini en quelques minutes; ce ne pouvait être qu'un simple billet. Elle le plia, le cacheta et mit l'adresse avec précipitation. Elinor crut distinguer un grand W dans l'adresse et, dès qu'elle eut terminé, Marianne sonna pour appeler la domestique à qui elle donna l'ordre de mettre la lettre à la poste. Tout fut ainsi réglé sur-le-champ.

Elle continua à montrer le même entrain, mais il s'y mêlait une ombre d'hésitation qui empêchait sa sœur de s'en réjouir sans mélange, et cette agitation augmentait à mesure que la soirée s'avançait. A peine pût-elle manger à dîner. Et, quand, on fut de retour au salon, elle parut écouter anxieusement le bruit de chaque voiture.

Ce fut une grande satisfaction pour Elinor que Mrs. Jennings, fort occupée dans sa chambre, ne pût guère se rendre compte de ce qui se passait. On avait desservi, et Marianne avait déjà été plusieurs fois déçue par des coups frappés dans le voisinage, quand retentit, frappé cette fois à leur porte, un coup très fort qui ne pouvait être confondu avec aucun autre. Elinor eut la certitude que c'était l'annonce de l'arrivée de Willoughby et Marianne se précipita vers la porte. Tout était silencieux; incapable de se contenir plus longtemps, elle ouvrit, avança de quelques pas dans l'escalier et, après avoir écouté une demi-minute, retourna dans le salon en proie à toute l'agitation que lui donnait la conviction de l'avoir entendu. Dans l'extase où elle était plongée, alors, elle ne put s'empêcher de s'écrier à Elinor : « C'est Willoughby, c'est lui! », paraissant toute prête à se jeter dans ses bras, quand le colonel Brandon apparut.

Le choc était trop fort pour qu'elle conservât son calme et elle sortit immédiatement. Elinor était également déçue, mais en même temps, son estime pour le colonel Brandon la portait à le bien accueillir et elle était particulièrement choquée qu'un homme si attaché à sa sœur fût à même de voir que son arrivée ne lui apportait que chagrin et désappointement. Elle vit tout de suite qu'il s'en était aperçu. Et même l'attitude de Marianne, quittant brusquement la pièce, manifestement contrariée, l'avait tellement frappé qu'à peine put-il prendre sur lui d'adresser ses civilités à Elinor.

— Votre sœur est-elle malade? demanda-t-il.

Elinor, en désespoir de cause, répondit que oui et parla de mal à la tête, de dépression, d'excès de fatigue et de tout ce qu'elle put imaginer pour expliquer décemment l'attitude de sa sœur.

Il l'écouta avec la plus grande attention, mais, paraissant se ressaisir, ne dit plus rien sur ce sujet, et se mit tout de suite à parler du plaisir qu'il éprouvait à les voir à Londres, lui posa les questions d'usage sur leur voyage et les amis qu'elles avaient laissés derrière elles.

La conversation continua sur ce ton calme avec aussi peu d'intérêt de part et d'autre, tous deux se trouvant également sans entrain, l'esprit occupé ailleurs. Elinor aurait bien voulu demander si Willoughby se trouvait à Londres, mais craignait de le froisser par une demande concernant son rival; et, à la fin, pour dire quelque chose, elle demanda s'il était resté à Londres depuis son départ.

— Oui, répondit-il en marquant quelque embarras, pendant presque tout le temps. Je suis allé une ou deux fois à Delaford passer quelques jours, mais il m'a toujours été impossible de retourner à Barton.

Cette phrase, et la manière dont elle fut prononcée, lui rappela immédiatement toutes les circonstances de son départ, qui furent entourées de la curiosité et des suppositions de Mrs. Jennings. Elinor craignit que sa question n'impliquât, de sa part, une certaine indiscrétion qui était loin de sa pensée.

Mrs. Jennings arriva bientôt.

— Oh! colonel, dit-elle avec l'empressement bruyant qui lui était habituel, je suis terriblement heureuse de vous voir. Je regrette de vous avoir fait attendre, mais j'ai été forcée de m'occuper un peu de moi, et d'arranger mes affaires. Car il y a si longtemps que j'étais partie, et vous savez, on a toujours une foule de petites choses à faire après une longue absence. Et puis, il m'a fallu donner des instructions à Cartwright. Seigneur, depuis le dîner, je suis occupée comme une abeille. Mais dites-moi, colonel, comment avez-vous découvert que j'étais en ville aujourd'hui?

— J'ai eu le plaisir de l'apprendre chez Mrs. Palmer où j'étais invité à dîner.

— Oh! vraiment? C'est très bien. Et comment va-t-on chez eux? Et Charlotte, comment se trouve-t-elle? Sa grossesse doit être maintenant bien avancée.

— Mrs. Palmer m'a paru en très bonne santé et je suis chargé de vous dire qu'elle viendra sûrement vous voir demain.

— Ah! certainement, je le pense bien. Dites donc, colonel, j'ai amené deux jeunes filles, vous voyez, c'est-à-dire vous en voyez une, mais l'autre est ici quelque part. C'est votre amie Marianne que vous ne serez pas fâché de retrouver. Je ne sais pas comment vous vous arrangez avec elle, vous et Mr. Willoughby. Ah! c'est une belle chose que d'être jeune et jolie! J'ai été jeune autrefois, mais jolie, jamais, pas de chance pour moi. Et pourtant, j'ai eu un bon mari et je ne vois pas que toute la beauté du monde puisse procurer davantage. Ah! le pauvre homme! Voilà plus de huit ans qu'il est mort. Mais, colonel, qu'êtes-vous devenu depuis votre départ? Et comment vont vos affaires? Allons, allons, n'ayons pas de secret entre amis.

Il répondit avec son habituelle douceur à toutes ces demandes, mais sans en satisfaire aucune. Elinor commença à préparer le thé et Marianne fut forcée de reparaître.

Après son apparition, le colonel Brandon devint plus absorbé et silencieux qu'avant, et Mrs. Jennings n'arriva pas à le retenir longtemps. Aucun autre visiteur ne se présenta dans la soirée et ces dames furent d'accord pour aller se coucher de bonne heure.

Le lendemain, Marianne avait le visage rasséréné et content. Le désappointement de la veille semblait oublié dans l'attente de ce que ce jour allait amener. Peu de temps après qu'elles eurent terminé leur breakfast, la voiture de Mrs. Palmer s'arrêta à leur porte et, quelques minutes après, elle faisait son entrée en riant, si heureuse de les voir toutes qu'il était difficile de dire si elle avait plus de plaisir à revoir sa mère ou les demoiselles Dashwood.

Bien que ce fût la chose qu'elle avait espérée de tout temps, elle paraissait toute surprise de leur arrivée, et toute fâchée qu'elles aient accepté l'invitation de leur mère au lieu de la sienne, ce qui, d'ailleurs, ne l'empêcha pas d'affirmer qu'elle ne leur aurait jamais pardonné si elles n'étaient pas venues.

— Mr. Palmer sera si heureux de vous voir, dit-elle. Que croyez-vous qu'il a dit quand il a su que vous veniez avec maman? Je ne me rappelle plus maintenant, mais c'était quelque chose de si drôle!

Après une heure ou deux employées à ce que sa mère appelait une confortable causerie, autrement dit à toutes espèces de demandes faites par Mrs. Jennings au sujet des gens de leur connaissance et en rires sans cause de la part de Mrs. Palmer, celle-ci proposa que tout le monde l'accompagnât dans quelques boutiques où elle avait à faire ce matin. Mrs. Jennings et Elinor y consentirent volontiers, ayant elles-mêmes quelques emplettes en vue, et Marianne qui avait d'abord refusé finit par se laisser persuader.

Partout où elles allaient, Marianne était évidemment toujours à l'affût. Dans Bond Street, en particulier, où elles avaient principalement à faire, ses yeux étaient toujours occupés à chercher; et, dans toutes les boutiques où elles entrèrent, son esprit était également absent de tout ce qui était devant elle, de tout ce qui intéressait et occupait les autres. Agitée et mécontente comme elle l'était, sa sœur ne put jamais obtenir qu'elle donnât un avis sur n'importe quel article à acheter, même s'il devait leur servir à toutes deux; rien ne lui procurait de plaisir, il lui tardait seulement d'être de nouveau à la maison. Elle eut peine à maîtriser son impatience devant la lenteur de Mrs. Palmer dont les regards s'attardaient devant tout ce qui lui paraissait joli, cher ou nouveau, portée à tout acheter, ne pouvant se déterminer pour rien, et perdant son temps en extase et en indécision.

Elles ne rentrèrent à la maison que tard dans la matinée et, aussitôt, Marianne monta l'escalier au galop. Quand Elinor la rejoignit, elle la trouva s'éloignant de la table avec un air d'affliction qui montrait que Willoughby n'était pas venu.

— On n'a pas laissé de lettre pour moi pendant que j'étais sortie? demanda-t-elle au domestique qui arrivait portant les paquets.

La réponse fut négative.

— En êtes-vous tout à fait sûr? insista-t-elle. Etes-vous certain qu'aucun domestique, aucun porteur n'a laissé de lettre ou de billet?

L'homme confirma que non.

— Comme c'est bizarre! dit-elle à voix basse et d'un ton qui marquait son désappointement tandis qu'elle retournait vers la fenêtre.

— Bien bizarre, en effet, se répéta intérieurement Elinor regardant sa sœur avec inquiétude. Si elle n'avait pas su qu'il était en ville, elle ne lui aurait pas écrit comme elle l'avait fait, elle aurait adressé sa lettre à Combe Magna; et, s'il était en ville, comme c'est étrange qu'il ne vienne ni n'écrive! O ma chère mère! vous avez eu tort de permettre qu'un engagement entre une enfant si jeune et un homme dont nous savions si peu, soit traité d'une façon si douteuse, si mystérieuse! Je brûle d'interroger, mais comment prendra-t-on mon intervention?

Elle décida, après quelque réflexion, que si les apparences continuaient à se présenter aussi mal pendant quelques jours, elle écrivait à sa mère pour insister de la façon la plus pressante sur la nécessité d'une enquête sérieuse à ce sujet.

Mrs. Palmer et deux dames âgées, amies intimes de Mrs. Jennings qu'elle avait rencontrées et invitées le matin, dînèrent avec elles. La maîtresse de maison les laissa peu de temps après pour aller à divers rendez-vous, et Elinor fut obligée d'organiser une table de whist. Marianne n'était bonne à rien dans ces occasions, n'ayant jamais voulu apprendre le jeu; mais, quoique, par suite, elle put disposer de tout son temps, l'après-midi ne fut en aucune façon plus agréable pour elle que pour Elinor, car elle s'écoula tout entière dans l'anxiété de l'attente et l'amertume de la déception. Elle essayait parfois de lire pendant quelques minutes; mais le livre était bientôt jeté de côté et elle revenait à l'occupation bien plus intéressante de marcher de long en large à travers la chambre, s'arrêtant un moment chaque fois qu'elle arrivait près de la fenêtre, dans l'espoir d'entendre le coup de marteau si longtemps désiré.

XXVII

— Si le temps reste encore au beau, dit Mrs. Jennings quand elles se rencontrèrent au breakfast, le lendemain matin, sir John n'aura pas envie de quitter Barton la semaine prochaine; c'est une chose pénible pour un sportman de perdre un jour de plaisir. Les pauvres! Je les plains toujours quand cela leur arrive! Ils semblent prendre cela si à cœur!

— Voilà qui est vrai, s'écria Marianne d'un ton joyeux et en se dirigeant vers la fenêtre pour examiner le temps. Je n'y avait pas pensé. Un pareil temps doit retenir beaucoup de sportmen à la campagne.

C'était une heureuse idée et sa bonne humeur lui revint.

— C'est un temps parfait pour eux, certainement, continua-t-elle en s'asseyant d'un air joyeux à la table du breakfast. Comme ils doivent prendre du plaisir! Mais (et ici un léger retour d'anxiété) on ne peut compter qu'il dure longtemps! A cette époque de l'année, et après une telle série de pluies, cela ne durera certainement pas longtemps. Le froid va bientôt arriver et, très probablement, il sera sévère. Dans un jour ou deux peut-être; un temps si doux ne peut pas durer. Qui sait? il gèlera peut-être cette nuit?

— De toute façon, dit Elinor soucieuse d'empêcher Mrs. Jennings de lire dans les pensées de sa sœur aussi clairement qu'elle le faisait elle-même, je crois pouvoir dire que nous aurons sir John et lady Middleton en ville à la fin de la semaine prochaine.

— Certainement, ma chère, je vous le garantis, Mary fait toujours à sa tête.

Et maintenant, conjectura silencieusement Elinor, elle va écrire à Combe par le prochain courrier.

Mais, si elle le fit, la lettre fut écrite et envoyée avec une discrétion qui trompa l'attention d'Elinor.

Elle était loin de se contenter de l'hypothèse que faisait Marianne, mais quelqu'en fût le bien fondé, tant qu'elle voyait

Marianne de bonne humeur, elle ne pouvait se sentir vraiment mal à l'aise. Et Marianne était de bonne humeur, enchantée de la température clémente et plus enchantée encore de la perspective d'une recrudescence de froid.

La matinée se passa principalement à déposer des cartes chez les connaissances de Mrs. Jennings pour les informer de sa présence en ville; et Marianne fut tout le temps occupée de la direction du vent, épiant les variations du cie et imaginant une altération dans la température.

— Ne trouvez-vous pas qu'il fait plus froid que ce matin, Elinor? Il me semble qu'il y a une différence sensible. C'est à peine si je puis me réchauffer les mains avec mon manchon. Ce n'était pas la même chose hier. Les nuages paraissent se dissiper, le soleil va paraître dans un moment et nous aurons beau temps cette après-midi.

Elinor était à la fois amusée et peinée; mais Marianne persévérait et voyait, chaque soir, dans l'éclat de la braise du feu, et, chaque matin, dans l'apparence de l'atmosphère, les symptômes certains de la froidure approchante.

Les demoiselles Dashwood n'avaient pas plus de raisons de ne pas être satisfaites du genre de vie et des relations de Mrs. Jennings que de son attitude invariablement bienveillante. Tout dans ses arrangements domestiques était conduit sur le plan le plus libéral et, à l'exception d'un petit nombre de vieux amis avec lesquels, au regret de lady Middleton, elle n'avait jamais voulu rompre, elle ne voyait que des gens chez qui elle pouvait introduire ses jeunes amies sans la moindre gêne pour elles. Heureuse de se trouver mieux partagée sous ce rapport qu'elle ne l'espérait, Elinor était très disposée à passer sur le manque d'agrément véritable de leurs réunions du soir qui, à la maison ou en ville, étaient consacrées uniquement à jouer aux cartes.

Le colonel Brandon, qui était invité à la maison une fois pour toutes, était avec elles presque chaque jour : il venait pour voir Marianne et parler avec Elinor qui, souvent, trouvait plus de plaisir dans sa compagnie que dans toutes les autres occupations de sa journée, mais voyait, en même temps, avec grand chagrin la persistance de son inclination envers sa sœur. Elle craignait de la voir redoubler. Elle souffrait de constater l'attention qu'il mettait à observer Marianne; son état d'esprit était certainement pire qu'à Barton.

Une semaine environ après leur arrivée, il devint certain que Willoughby était arrivé aussi. Sa carte se trouvait sur la table quand elles revinrent de leur sortie matinale.

— Mon Dieu! s'écria Marianne, il est venu pendant que nous étions dehors.

Elinor, heureuse de savoir qu'il était bien à Londres, se hasarda alors à dire :

— Comptez-y il viendra encore demain.

Mais Marianne semblait à peine l'entendre et, comme Mrs. Jennings entrait, elle s'esquiva avec la précieuse carte.

Cet événement qui avait réconforté Elinor accrut encore l'agitation de Marianne. A partir de ce moment, son esprit ne connut plus de repos; l'attente de le voir à toute heure du jour la rendait incapable de faire quoi que ce soit. Elle insista pour rester à la maison, le matin suivant, quand les autres sortirent.

Elinor ne pensa, durant toute la matinée, qu'à ce qui pourrait se passer à Berkeley street pendant leur absence. Un seul regard jeté sur sa sœur, à leur retour, fut suffisant pour lui faire comprendre que Willoughby n'avait pas réitéré sa visite. Une lettre venait d'être apportée et se trouvait sur la table.

— Pour moi? s'écria Marianne en se précipitant.

— Non, mademoiselle, pour ma maîtresse.

Mais Marianne, peu convaincue, s'en empara.

— C'est bien pour Mrs. Jennings. Que c'est agaçant!

— Vous attendiez donc une lettre? dit Elinor incapable de garder plus longtemps le silence.

— Oui... un peu... pas beaucoup.

Après une courte pause :

— Vous n'avez pas confiance en moi, Marianne?

— Oh! Elinor, ce reproche de vous! De vous qui n'avez confiance en personne!

— Moi? répliqua Elinor confondue. Mais sincèrement, Marianne, je n'ai rien à dire.

— Ni moi, répondit vivement Marianne, nos situations sont donc pareilles. Nous n'avons rien à nous dire; vous, parce que vous ne vous livrez pas, et moi, parce que je ne cache rien.

Elinor, accablée par ce reproche de réserve qu'elle n'avait pas la liberté de réfuter, ne sut comment, dans cette situation, insister pour que Marianne lui ouvrît son cœur.

Mrs. Jennings arriva bientôt et ayant ouvert sa lettre en donna lecture à haute voix. Elle était de lady Middleton, annonçant leur arrivée à Conduct street le soir précédent et demandait à sa mère et à ses cousines de venir lui tenir compagnie le lendemain soir. Des affaires du côté de sir John et un fort rhume du sien les empêchaient de venir à Berkeley street. L'invitation fut acceptée. Mais, quand arriva l'heure du rendez-vous et alors que la plus simple politesse exigeait que toutes deux accompagnassent Mrs. Jennings, Elinor eut de la difficulté à persuader sa sœur de les suivre, car elle n'avait encore rien de Willoughby et, par suite, était aussi peu disposée à prendre du plaisir au dehors qu'à courir le risque de manquer sa visite.

Elinor constata, à l'issue de la visite, que le changement de place n'altère pas le caractère; car, bien qu'il fût à peine arrivé à Londres, sir John s'était efforcé de réunir autour de lui près de vingt jeunes gens et de leur donner l'amusement d'un bal. C'était une chose que lady Middleton, pourtant, n'approuvait pas. A la campagne, on pouvait admettre une sauterie improvisée; mais, à Londres, où la réputation d'élégance avait plus de prix et était moins facile à obtenir; c'était trop risquer, pour le plaisir de quelques jeunes filles, que de laisser répandre le bruit d'un petit bal de neuf couples donné par lady Middleton avec deux violons et une simple collation.

Mr. et Mrs. Palmer étaient de la réunion. Mr. Palmer, qu'elles n'avaient pas encore vu depuis leur arrivée à Londres (car il avait grand soin d'éviter toute apparence de politesse envers sa belle-mère, et en conséquence, ne lui rendait jamais visite) affecta de ne pas remarquer leur entrée. Il leur jeta un coup d'œil rapide comme s'il ne savait pas qui elles étaient et fit un simple signe de tête à Mrs. Jennings sans quitter l'autre extrémité de la pièce. Marianne jeta un coup d'œil circulaire sur l'appartement en entrant. C'en fut assez : il n'était pas là, et elle s'assit, aussi peu disposée à prendre du plaisir qu'à en donner aux autres. Au bout d'une heure, Mr. Palmer s'approcha nonchalamment des demoiselles Dashwood pour leur exprimer sa surprise de les voir en ville. Celles-ci savaient bien qu'il était au courant de leur arrivée puisqu'il en avait informé lui-même le colonel Brandon et avait même dit quelque chose de si drôle à ce sujet.

— Je vous croyais toutes deux dans le Devonshire, dit-il.

— Vraiment? répondit Elinor.

— Et quand y retournez-vous?

— Je ne sais pas.

Et la conversation s'arrêta là.

Jamais de sa vie, Marianne n'avait eu aussi peu envie de danser que ce soir, et jamais cet exercice ne l'avait fatiguée autant. Elle s'en plaignit en revenant à Berkeley street.

— Ah! ah! dit Mrs. Jennings, nous en savons bien la raison. Si certaine personne que je ne veux pas nommer avait été là, vous n'auriez pas été fatiguée du tout; et, à parler franchement, ce n'est guère aimable à lui de ne pas être venu à votre rencontre, alors qu'il était invité.

— Invité? s'écria Marianne.

— C'est ce que m'a dit ma fille, car il paraît que sir John l'a rencontré quelque part dans la rue ce matin.

Marianne ne dit plus rien, mais parut cruellement frappée. Dans cette situation, Elinor, brûlant de faire quelque chose pour venir en aide à sa sœur, décida d'écrire le lendemain matin à sa mère, espérant qu'en éveillant sa sollicitude pour la santé de Marianne, elle obtiendrait qu'elle se livrât à cette enquête qui avait été si longtemps ajournée; et elle fut d'autant plus portée à donner suite à cette idée, qu'elle trouva Marianne le lendemain, aussitôt après le breakfast, occupée à écrire à Willoughby, du moins le supposa-t-elle, car à qui d'autre aurait-elle pu écrire?

Vers le milieu du jour, Mrs. Jennings s'absenta pour affaires, et Elinor commença aussitôt sa lettre, pendant que Marianne, trop agitée pour s'occuper, trop angoissée pour causer, se promenait d'une fenêtre à l'autre ou s'asseyait devant le feu, plongée dans une méditation mélancolique. Elinor fut très pressante dans sa requête à sa mère, racontant tout ce qui s'était passé, ses soupçons sur l'inconstance de Willoughby, la suppliant, par tous les motifs de devoir et d'affection, de demander à Marianne une explication sur leur véritable situation.

Elle avait à peine fermé sa lettre qu'un coup frappé à la porte annonça une visite, et le colonel Brandon fut introduit. Marianne, qui l'avait aperçu de la fenêtre et qu'offusquait toute compagnie, quelle qu'elle fût, avait disparu avant qu'il entrât. Il paraissait encore plus grave que d'habitude et, bien qu'il eut exprimé d'abord sa satisfaction de trouver miss Dashwood seule, comme s'il avait quelque chose de particulier à lui dire, s'assit et demeura quelque temps sans dire un mot. Elinor, persuadée qu'il avait à lui faire quelque communication concernant sa sœur, attendait impatiemment qu'il commençât. Elle n'éprouvait pas cette impression pour la première fois. A plusieurs reprises déjà, il avait commencé par une observation comme : « Votre sœur ne paraît pas bien aujourd'hui », ou : « Votre sœur semble déprimée », et parut sur le point ou de révéler ou de demander quelque chose qui la concernait particulièrement.

Après quelques minutes de silence, il finit par demander, non sans un certain trouble, s'il pouvait lui offrir ses félicitations. Elinor n'était pas préparée à une telle question et, n'ayant aucune réponse prête, dut recourir à l'expédient banal et commode de lui demander ce qu'il voulait dire. Il répondit en essayant de sourire :

— Les fiançailles de votre sœur avec Willoughby sont connues de tout le monde.

— C'est impossible, répliqua Elinor, car sa propre famille les ignore.

Il parut surpris.

— Je vous demande pardon, je crains que ma demande ait été indiscrète; mais je ne supposais pas qu'il y eût secret, puisqu'ils correspondent ouvertement et que leur mariage fait l'objet de toutes les conversations.

— Comment est-ce possible? Qui vous en a parlé?

— Beaucoup de gens, certains que vous ne connaissez pas, d'autres avec lesquels vous êtes intimes, Mrs. Jennings, Mrs. Palmer et les Middleton. Mais encore ne les aurais-je peut-être pas crus, car lorsqu'on ne souhaite pas être convaincu d'une chose, on trouve toujours des raisons d'en douter, si je n'avais pas vu, par hasard, dans les mains du domestique qui vient de m'introduire une lettre adressée à Mr. Willoughby, de l'écriture de votre sœur. Je venais m'informer, mais j'étais convaincu avant d'avoir posé la question. Tout est-il définitivement arrêté? Est-il impossible de... ? Mais je n'ai aucun droit, je n'ai aucune chance de réussir... Excusez-moi, miss Dashwood, je crois que j'ai eu tort d'en dire autant; mais je ne sais guère quel parti prendre et j'ai la plus grande confiance en votre prudence. Dites-moi que c'est une chose absolument décidée, qu'on ne peut essayer... bref, que tout ce qu'on peut faire est de garder le secret, si tant est que ce soit possible.

Ce discours qui équivalait à avouer directement à Elinor son amour pour sa sœur l'affecta vivement. Elle ne trouva rien à répliquer immédiatement et, même, lorsqu'elle eut recouvré ses esprits, elle hésita un moment sur la réponse convenable. Elle était si peu renseignée sur le réel état des choses entre Willoughby et sa sœur, qu'en essayant de donner une explication, elle risquait aussi bien d'en dire trop que pas assez. De toutes façons, elle était convaincue que l'amour de Marianne pour Willoughby ne laissait au colonel Brandon aucune chance de succès, quel que dût être le sort de cet amour; et, en même temps, désirant éviter le moindre blâme, elle trouva plus prudent et plus charitable, tout compte fait, d'en dire plus qu'elle n'en savait et n'en croyait réellement. Elle reconnut, en conséquence, que, bien qu'ils ne lui eussent jamais indiqué exactement dans quels termes ils étaient l'un vis-à-vis de l'autre, elle n'avait aucun doute sur leur mutuel attachement et, qu'en conséquence, leur correspondance ne la surprenait pas.

Il l'écouta en silence et avec attention, et quand elle eut fini de parler, il se leva aussitôt et dit d'une voix émue :

— A votre sœur, je souhaite tout le bonheur imaginable; à Willoughby, qu'il cherche à la mériter.

Il prit congé aussitôt.

Cette conversation n'apporta rien à Elinor qui fut de nature à tempérer son inquiétude sur d'autres points; au contraire, elle resta sous l'impression mélancolique de la tristesse du colonel Brandon sans pouvoir même en souhaiter la fin, car elle était trop anxieuse au sujet de l'événement qui devait la confirmer.

XXVIII

Rien n'arriva dans les trois ou quatre jours suivants pour faire regretter à Elinor ce qu'elle avait fait en recourant à sa mère, car Willoughby ne vint pas et n'écrivit pas. Elles furent invitées ensuite à accompagner lady Middleton à une soirée où Mrs. Jennings ne pouvait se rendre à cause de l'indisposition de sa fille; et Marianne, tout à fait découragée, insoucieuse de sa toilette, paraissant aussi peu désireuse de sortir que de rester, se préparait pour cette soirée, sans une lueur d'espoir ni un signe de plaisir. Elle s'assit, après le thé, devant le feu du salon, jusqu'au moment de l'arrivée de lady Middleton, sans bouger ni changer une seule fois d'attitude, perdue dans ses pensées et insensible à la présence de sa sœur; et quand, enfin, on leur dit que lady Middleton les attendait à la porte, elle tressaillit comme si elle avait oublié la soirée.

Elles arrivèrent en temps voulu à destination et aussitôt que le leur permit la file des voitures, descendirent, montèrent les escaliers, entendirent annoncer leurs noms à haute voix d'un vestibule à un autre et pénétrèrent dans un salon splendidement éclairé, bondé de monde, et où régnait une chaleur intolérable. Quand elles eurent payé leur tribut de politesse en saluant la maîtresse de maison, il leur fut permis de se mêler à la foule et de prendre leur part de la chaleur et de la gêne que leur arrivée devait nécessairement accroître. Après quelque temps passé à parler peu et à agir encore moins, lady Middleton s'assit à une table de jeu, et, comme Marianne n'éprouvait pas l'envie de circuler, elle et Elinor, ayant heureusement trouvé des chaises, se placèrent à peu de distance d'elle.

Elles n'étaient pas installées depuis longtemps qu'Elinor aperçut Willoughby, en conversation très animée avec une jeune femme d'aspect extrêmement élégant. Leurs regards se rencontrèrent bientôt, et il s'inclina immédiatement mais sans chercher à lui adresser la parole, ni à s'approcher de Marianne, bien qu'il ne pût pas ne pas la voir, et il continua à s'entretenir avec la même dame. Elinor se retourna d'un mouvement machinal vers Marianne, pour voir si elle s'en était aperçue. A ce moment, celle-ci vit Willoughby et, soudainement transportée de joie, elle se serait, tout de suite, précipitée vers lui, si sa sœur ne l'avait retenue.

— Dieu du ciel!... s'écria-t-elle, il est ici, il est ici! Oh! pourquoi ne me regarde-t-il pas? Pourquoi ne puis-je pas lui parler?

— Je vous en prie, je vous en prie, contenez-vous, supplia Elinor et ne laissez pas voir à tout le monde vos sentiments. Peut-être ne vous a-t-il pas encore aperçue.

C'était, cependant, plus qu'elle ne pouvait croire elle-même. Marianne, en un pareil moment, non seulement ne pouvait pas se contenir, mais était incapable d'y songer. Elle s'assit et une impatience éperdue se peignait sur tous ses traits.

A la fin, il se retourna de nouveau et les regarda toutes deux. Elle se dressa et, prononçant son nom d'un ton affectueux, lui tendit la main. Il s'approcha, et s'adressant à Elinor plutôt qu'à Marianne, comme s'il désirait éviter son regard, et ignorer son attitude, s'enquit d'une façon hâtive de Mrs. Dashwood et demanda depuis combien de temps elles étaient à Londres. Elinor perdit toute sa présence d'esprit devant un tel discours et ne fut pas capable d'articuler un mot. Mais sa sœur donna immédiatement libre cours à ses sentiments. Sa figure s'empourpra et elle s'écria, d'une voix qui trahissait la plus vive émotion :

— Dieu du ciel! Willoughby, qu'est-ce que cela signifie? N'avez-vous pas reçu mes lettres? Ne me tendrez-vous pas la main?

Il ne put alors s'en dispenser, mais il sembla que ce contact lui fut pénible, et il ne tint sa main qu'un instant. Pendant tout ce temps, il s'efforçait manifestement de se composer une attitude. Elinor, qui l'observait, vit sa physionomie prendre une expression plus tranquille. Après une pause, en effet, il parla avec calme :

— J'ai eu l'honneur de passer à Berkeley street, mardi dernier, et j'ai beaucoup regretté de n'avoir pas eu la chance de vous rencontrer ainsi que Mrs. Jennings. Ma carte n'a pas été perdue, j'espère?

— Mais n'avez-vous pas reçu mes lettres? s'écria Marianne, au comble de l'angoisse. Il y a quelque erreur, j'en suis sûre, quelque affreuse erreur. Qu'est-ce que cela signifie? Dites-moi, Willoughby, pour l'amour de Dieu, dites-moi ce qu'il y a?

Il ne répondit pas, sa figure changea et tout son embarras revint; mais comme si, en rencontrant les yeux de la jeune dame avec laquelle il s'entretenait tout à l'heure, il sentît la nécessité pressante de réagir, il se domina encore, et après avoir dit :

— Oui, j'ai eu le plaisir de recevoir l'annonce de votre arrivée en ville dont vous avez eu l'obligeance de me prévenir, et il se retira en hâte pour rejoindre son amie.

Marianne, affreusement pâle, et ne pouvant plus se tenir, se laissa tomber sur une chaise, et Elinor, s'attendant à la voir défaillir à tout moment, s'efforça de la dissimuler à l'attention des autres, pendant qu'elle lui faisait respirer des sels.

— Allez le trouver, Elinor, dit-elle aussitôt qu'elle put parler. Forcez-le à venir à moi. Dites-lui que je veux le voir encore — qu'il faut que je lui parle à l'instant. Je n'aurai pas de repos, je ne puis avoir un moment de paix jusqu'à ce que tout cela soit expliqué... quelque affreuse méprise... Oh! allez le trouver tout de suite.

— Comment pourrais-je faire? Non, ma bien-aimée Marianne, il faut attendre... Il n'y a pas place ici pour une explication. Attendez seulement demain.

Ce ne fut pourtant qu'avec peine qu'elle l'empêcha de se mettre elle-même à sa poursuite; quant à lui persuader de dompter son trouble, d'attendre au moins, avec une apparence de calme qu'elle puisse lui parler avec plus d'intimité et plus utilement, c'était chose impossible, car Marianne continuait à donner carrière à sa douleur à voix basse, par des exclamations de désespoir. Bientôt, Elinor vit Willoughby quitter la salle par la porte donnant sur l'escalier et, en prévenant Marianne de son départ, invoqua l'impossibilité de lui parler encore ce soir comme un nouvel argument pour l'engager au calme. Marianne demanda aussitôt à sa sœur de prier lady Middleton de la ramener à la maison car elle se sentait trop malheureuse pour demeurer une minute de plus.

Lady Middleton, bien qu'au milieu d'un robre, informée que Marianne était indisposée, était trop polie pour s'opposer un seul instant à son désir de rentrer; elle passa ses cartes à quelqu'un et elles partirent aussitôt qu'elles eurent trouvé leur voiture. Durant leur retour à Berkeley street, Marianne était plongée dans un désespoir silencieux, trop accablée même pour pleurer; mais, comme par bonheur, Mrs. Jennings n'était pas à la maison, elles purent se rendre, tout de suite, dans leur chambre où un cordial la rendit un peu à elle-même. Elle fut bientôt déshabillée et au lit, mais, comme elle paraissait désireuse d'être seule, sa sœur la laissa et, tout en attendant le retour de Mrs. Jennings, eut le loisir de réfléchir à ce qui venait de se passer.

Que quelque chose comme une promesse ait existé entre

Willoughby et Marianne, elle n'en pouvait douter, et il paraissait également clair que Willoughby n'était plus disposé à la tenir; car, même pour permettre que Marianne pût encore nourrir un espoir, il était impossible de croire à une méprise ou un malentendu quelconque. Seul, un complet renversement de sentiments pouvait être invoqué. Son indignation aurait été encore plus forte, si elle n'avait pas remarqué cet embarras qui semblait indiquer une espèce de remords et empêchait Elinor de croire qu'il eût été assez pervers pour s'être joué dès le début et sans aucun dessein sérieux des sentiments de sa sœur. L'absence pouvait avoir affaibli son inclination et son intérêt pouvait l'avoir écartée, mais que cette inclination eût existé d'abord, elle ne pouvait arriver à en douter.

Et, en ce qui concernait sa sœur, elle ne pouvait réfléchir, sans le plus profond chagrin, sur les angoisses dans lesquelles l'avait jetée une rencontre aussi malheureuse et sur celles encore plus cruelles qui en seraient probablement la conséquence. Sa propre situation gagnait à la comparaison, car tant qu'elle pourrait estimer Edward, au fond de son cœur, même si l'avenir devait les séparer, elle en goûterait toujours une grande consolation. Mais tout ce qui pouvait envenimer le chagrin de Marianne semblait s'être réuni exprès pour le porter au suprême degré et pour terminer leurs rapports par une séparation finale et par une rupture immédiate avec lui sans réconciliation possible.

XXIX

Le jour suivant, avant que la femme de chambre ait allumé le feu ou que le soleil ait réussi à briller dans une froide et brumeuse matinée de janvier, Marianne, déjà à moitié habillée, était prostrée dans l'embrasure d'une fenêtre, profitant du peu de lumière qui filtrait au travers pour écrire aussi vite que le lui permettait un continuel flot de larmes. C'est dans cette situation qu'Elinor, réveillée par son agitation et ses sanglots, la trouva d'abord, et après l'avoir observée anxieusement quelques instants, elle lui dit, du ton le plus compatissant :

— Marianne, puis-je vous interroger?

— Non, Elinor, répondit-elle, ne me demandez rien. Vous saurez tout, bientôt.

L'espèce de calme désespéré avec lequel elle prononça cette phrase ne dura pas plus longtemps qu'il n'en fallut pour la dire, elle retomba immédiatement dans l'excès de son affliction. Il fallut quelques minutes avant qu'elle pût revenir à sa lettre et les fréquentes explosions de douleur qui l'obligeaient encore, par intervalle, à poser sa plume, prouvaient assez qu'elle se sentait presque certaine d'écrire pour la dernière fois à Willoughby.

Elinor l'observait de la façon la plus discrète possible; elle aurait essayé de la consoler et de la tranquilliser davantage si Marianne ne lui avait demandé avec toute la violence d'une personne à bout de nerfs de ne lui parler pour rien au monde. Dans cet état, il valait mieux, pour elles deux, ne pas prolonger leur tête à tête. L'état d'esprit de Marianne ne lui permettait pas de rester un moment de plus dans sa chambre après qu'elle se fut habillée et comme elle avait besoin, à la fois, d'être seule et de changer perpétuelleme de place, elle erra dans la maison jusqu'à l'heure du breakfast, évitant la vue de tout le monde.

A table, elle ne mangea pas et n'essaya pas de manger; et tous les efforts d'Elinor tendirent, non à la presser, ni à la plaindre, ni même à paraître s'occuper d'elle, mais à concentrer sur elle-même toute l'attention de Mrs. Jennings.

Comme c'était le repas favori de cette dernière, elle s'y attarda longtemps, et elles venaient juste de le finir et de s'asseoir au bout de leur table de travail, quand on apporta à Marianne une lettre. Elle s'en empara précipitamment et, pâle comme la mort, sortit immédiatement. Elinor qui comprit à son attitude, aussi clairement que si elle avait vu l'adresse, que la lettre venait de Willoughby, sentit son cœur défaillir au point qu'elle avait peine à tenir la tête droite et qu'elle mourait de peur d'attirer l'attention de Mrs. Jennings. Mais cette bonne dame, cependant, ne vit que ceci : Marianne avait reçu une lettre de Willoughby, ce qui lui fit l'effet d'une chose fort plaisante et qu'elle traita, en conséquence, en exprimant joyeusement le vœu que la destinataire la trouvât à son goût. Quant à la détresse d'Elinor, elle était trop affairée à mesurer la longueur des laines destinées à son ouvrage pour s'en apercevoir le moins du monde et, continuant tranquillement la conversation aussitôt que Marianne eut disparu, elle dit :

— Ma parole, je n'ai jamais vu de ma vie une jeune fille aussi furieusement éprise. Mes filles n'étaient rien auprès d'elle et, pourtant, elles étaient passablement folles; mais Marianne est une créature tout à fait hors d'elle-même. J'espère, du fond du cœur, qu'il ne va pas la laisser languir plus longtemps; c'est tout à fait pénible de lui voir cet air si souffrant et abandonné. Dites-moi, à quand le mariage?

Elinor, quoique moins disposée que jamais à parler, devant une attaque aussi directe, se força à répondre et dit, en s'efforçant de sourire :

— Mais, réellement, Madame, êtes-vous persuadée des fiançailles de ma sœur avec Mr. Willoughby? Je croyais que c'était un jeu de votre part, mais une question aussi nette semble impliquer davantage et, en conséquence, je dois vous prier de ne pas vous illusionner plus longtemps. Je vous assure que rien ne me surprendrait plus que d'entendre dire qu'ils vont se marier.

— Fi donc! Fi donc! miss Dashwood! Comment pouvez-vous dire cela? Ne savons-nous pas tous que c'était une chose décidée, qu'ils étaient amoureux fous l'un de l'autre du premier moment où ils se sont rencontrés? Ne les ai-je pas vus tous les jours ensemble dans le Devonshire et tout le long du jour? Est-ce que je ne sais pas que votre sœur est venue à Londres avec moi pour acheter ses habits de noce? Allons, allons, cela ne prend pas. Ce n'est pas parce que vous êtes si discrète à ce sujet qu'il faut croire que personne d'autre n'y voit clair. Il n'en est rien, je puis vous l'assurer, car toute la ville le sait depuis longtemps; j'en parle à tout le monde et Charlotte aussi.

— En vérité, Madame, dit très sérieusement Elinor, vous vous trompez. Certainement, vous nous rendez un très mauvais service en répandant ce bruit et vous vous en rendrez compte bien que vous ne vouliez pas me croire en ce moment.

Mrs! Jennings ne fit qu'en rire, mais Elinor n'eut pas le courage d'en dire plus et, brûlant de savoir, en tout cas, ce que Willoughby avait écrit, se hâta vers leur chambre où, en ouvrant la porte, elle trouva Marianne étendue sur son lit, presque anéantie de douleur, une lettre à la main, tandis que deux ou trois autres étaient éparses à côté d'elle.

Elle s'approcha, mais sans prononcer une parole, et s'asseyant sur le lit, prit sa main et la baisa affectueusement plusieurs fois, et laissa enfin éclater ses sanglots à peine moins violents que ceux de Marianne. Cette dernière, quoique incapable de parler, parut sentir toute la tendresse de cette attitude, et, après un moment ainsi passé en communion de sentiment, mit toutes les lettres dans les mains de sa sœur; puis, se couvrant la face de son mouchoir, s'abandonna à l'excès de son désespoir. Elinor, sachant bien qu'il fallait laisser libre cours à une telle douleur, si pénible qu'en fût le spectacle, attendit que l'excès de sa souffrance se soit un peu calmé et, prenant alors la lettre de Willoughby, lut ce qui suit :

« Chère Mademoiselle,

« Je viens d'avoir l'honneur de recevoir votre lettre pour laquelle je vous prie d'agréer mes sincères remerciements. Je suis très fâché d'apprendre qu'il y a eu dans mon attitude, la nuit dernière, quelque chose qui n'a pas eu votre approbation et, quoique tout à fait incapable de découvrir à propos de quoi j'ai été assez malheureux pour vous offenser, je vous en demande pardon en vous adjurant que ce fut tout à fait involontaire de ma part. Je ne puis jamais me rappeler mes précédentes relations avec votre famille dans le Devonshire, sans en éprouver le plus vif plaisir. Je me flatte que celui-ci ne sera jamais entamé par aucun malentendu. J'éprouve une estime très sincère pour toute votre famille. Mais, si j'ai eu le malheur de faire croire que je ressentais quelque chose de plus que ce que je voulais exprimer, je dois me reprocher de n'avoir pas été assez retenu dans l'expression de cette estime. Que je n'ai jamais voulu laisser entendre autre chose, vous l'admettrez aisément, lorsque vous saurez que mon cœur était, depuis longtemps, engagé ailleurs et que, d'ici quelques semaines, je crois, mon mariage sera célébré. C'est avec un grand regret que j'obéis à votre ordre et vous retourne les lettres dont vous m'avez honoré ainsi que la boucle de cheveux que vous m'aviez si obligeamment offerte.

« Je suis, chère Mademoiselle, votre... etc...

« John Willoughby. »

Avec quelle indignation miss Dashwood prit connaissance d'une telle lettre, on peut l'imaginer. Quoique certaine, avant de l'ouvrir, d'y trouver la confession de son inconstance et la confirmation de leur séparation définitive, elle ne s'attendait pas à en endurer l'expression dans de tels termes! Elle n'aurait pas supposé Willoughby capable d'écarter, à ce point, jusqu'à l'apparence de tout sentiment honorable et de toute délicatesse; elle n'aurait jamais cru possible qu'il perdît les manières habituelles d'un gentleman au point d'envoyer une lettre aussi impudente et cruelle, une lettre qui, au lieu d'envelopper son désir de rupture d'expressions de regret, refusait de reconnaître son manque de foi, niait avoir jamais ressenti un sentiment d'affection — une lettre dont chaque ligne était une insulte et qui affichait cyniquement, chez son auteur, la plus profonde bassesse.

Elle réfléchit, quelque temps, sur cette lecture avec un étonnement indigné ; puis elle relut la lettre plusieurs fois mais chaque examen ne servait qu'à augmenter son horreur pour celui qui l'avait écrite; elle ressentait si amèrement sa conduite qu'elle n'osait prendre sur elle de parler : elle craignait de blesser, encore davantage, Marianne en traitant cette rupture non comme la perte d'un bonheur possible, mais comme la préservation du pire et du plus irréparable des malheurs : celui d'être liée, pour la vie, à un homme sans principes, comme la délivrance la plus réelle, la bénédiction la plus grande.

Elinor était profondément enfoncée dans sa méditation sur le contenu de la lettre et sur la dépravation de sentiment qui l'avait dictée. Elle n'était pas sans y pressentir l'influence qui émanait sans doute d'une personne particulièrement intéressée à voir les choses à sa manière.

Elle en oubliait la détresse présente de sa sœur, elle oubliait les trois lettres qu'elle tenait sur ses genoux sans les avoir lues et elle avait même complètement perdu la notion du temps, lorsque, entendant une voiture devant la porte, elle regarda par la fenêtre pour voir qui venait à une heure aussi matinale, elle fut tout étonnée de voir la voiture de Mrs. Jennings, qui, elle le savait, avait été commandée pour une heure.

Résolue à ne pas quitter Marianne, quoique sans espoir de lui être utile pour le moment, elle s'empressa d'aller s'excuser auprès de Mrs. Jennings, de ne pouvoir l'accompagner à cause de l'indisposition de sa sœur. Mrs. Jennings, tout en montrant le plus joyeux scepticisme quant à la cause de cette indisposition, admit l'excuse sans difficulté, et Elinor, après s'être assurée de son départ, retourna à Marianne. Elle la trouva essayant de se lever de son lit et arriva juste à temps pour l'empêcher de tomber sur le plancher, en proie au vertige et aux tournements de tête qui étaient les conséquences naturelles du régime qu'elle avait suivi ces derniers temps. Depuis nombre de jours, en effet, elle n'avait aucun appétit et elle passait à peu près ses nuits sans sommeil; et, maintenant que la fièvre de l'attente ne la soutenait plus, les résultats se faisaient sentir : une tête endolorie, un estomac affaibli, une dépression nerveuse générale. Un verre de vin qu'Elinor lui administra tout de suite la réconforta assez pour qu'elle fût en état de répondre, un peu, à la tendresse de sa sœur, en lui disant :

— Ma pauvre Elinor, que je vous rends malheureuse!

— Je voudrais seulement, répondit sa sœur, pouvoir faire quelque chose pour vous venir en aide.

Ce mot, comme l'aurait fait tout autre parole, fut trop pour Marianne, qui put seulement s'écrier, dans l'angoisse de son cœur, et avant de fondre en larmes :

— O Elinor, je suis vraiment malheureuse.

Elinor ne put garder plus longtemps le silence devant cet irrésistible torrent de douleur.

— Contenez-vous, ma chère Marianne, s'écria-t-elle, si vous ne voulez pas vous tuer vous-même et tous ceux qui vous aiment. Pensez à notre mère, pensez à sa souffrance en vous voyant malheureuse. A cause d'elle, il vous faut faire un effort.

— Je ne peux pas, je ne peux pas, cria Marianne; laissez-moi, laissez-moi, si je vous afflige; mais ne me torturez pas ainsi. Oh! comme il est facile aux gens qui ne souffrent pas, de parler de se dominer. Heureuse, heureuse Elinor, vous ne pouvez avoir une idée de ce que je souffre.

— Vous m'appelez heureuse, Marianne! Ah! si vous saviez! Et pouvez-vous me croire heureuse quand je vous vois si cruellement frappée!

— Pardon, pardon, dit Marianne, en jetant les bras autour du cou de sa sœur. Je sais ce que vous éprouvez pour moi, je sais quel cœur vous avez; mais, enfin, vous êtes, vous pouvez être heureuse; Edward vous aime et qu'est-ce qui peut, oui, qu'est-ce qui peut vous enlever un bonheur pareil?

— Beaucoup, beaucoup de circonstances, dit gravement Elinor.

— Non, non, non, s'écria sauvagement Marianne : il vous aime et vous seule, vous ne pouvez pas avoir de peine.

— Je ne puis avoir de plaisir quand je vous vois en cet état.

— Et vous ne me verrez jamais autrement. Rien ne peut m'arracher à ma misère.

— Vous ne pouvez pas parler ainsi, Marianne. N'avez-vous pas de consolations? pas d'amis? La perte que vous avez faite ne vous laisse-t-elle aucune consolation possible? Pour tant que vous souffriez maintenant, pensez à ce que vous auriez enduré si son caractère ne s'était découvert que plus tard, si votre engagement eût traîné des mois et des mois, comme il aurait pu arriver, avant qu'il ne se décide à le rompre. Chaque nouveau jour de confiance de votre part aurait rendu le coup plus cruel.

— Engagement! s'écria Marianne. Mais il n'y a jamais eu d'engagement!

— Pas d'engagement!

— Non, il n'est pas aussi indigne que vous le pensez. Il n'a pas manqué à sa parole envers moi. C'était sous-entendu chaque jour, mais jamais nettement déclaré. Quelquefois, il me semblait que si, mais, jamais, il n'y avait rien de positif.

— Et vous lui écriviez?

— Oui. Cela pouvait-il être mal, après tout ce qui s'était passé? Mais je ne peux pas parler.

Elinor n'en dit pas davantage et revenant aux trois lettres qui maintenant excitaient bien plus sa curiosité, s'empressa de les lire. La première, celle que sa sœur avait envoyée à son arrivée à Londres, était ainsi conçue :

« Berkeley street, janvier.

« Comme vous serez surpris, Willoughby, en recevant ce mot! Et je pense que vous éprouverez un autre sentiment que la surprise quand vous saurez que je suis à Londres. Une occasion d'y venir, offerte par Mrs. Jennings, était une tentation à laquelle nous ne pouvions pas résister. Je souhaite que ce mot vous arrive à temps pour que vous puissiez venir ce soir, mais je n'y compte pas. De toute façon, je vous attends demain. Pour le moment, adieu.

« M. D. »

La seconde, qui avait été écrite le lendemain de la soirée dansante chez les Middleton, contenait ce qui suit :

« Je ne puis vous exprimer ma déception de vous avoir manqué avant-hier, ni aussi l'étonnement où je suis de n'avoir pas reçu de réponse à un mot que je vous ai envoyé, il y a une huitaine. J'ai attendu d'avoir de vos nouvelles, et bien plus, de vous voir à toutes les heures du jour. Venez, je vous en prie, aussitôt que possible, m'expliquer la raison pour laquelle je vous ai attendu en vain. Il vaut mieux que vous veniez de bonne heure, car nous sortons généralement vers une heure. Hier soir, nous étions chez lady Middleton où l'on dansait. On m'a dit que vous aviez été invité. Mais est-ce possible ? Il faudrait que vous ayez bien changé depuis votre départ, si cela est vrai, et si vous n'êtes pas venu. Mais je ne veux pas croire cela possible et j'espère en recevoir bientôt l'assurance de vous-même.

« M. D. »

Voici ce que contenait la dernière lettre :

« Que faut-il que je croie, Willoughby, après votre attitude d'hier soir ? Je vous demande encore une explication. Je m'étais préparée à vous rencontrer avec une impatience que notre longue séparation rendait plus vive encore, toute au plaisir de retrouver notre intimité de Barton. J'ai pourtant été repoussée ! J'ai passé une nuit d'agonie à essayer de trouver des excuses à une conduite que je ne puis guère qualifier autrement qu'insultante, mais, bien que je n'aie pas pu arriver à vous en trouver, je suis toute prête à accueillir votre justification. On vous a peut-être mal informé ou trompé de propos délibéré, à mon sujet, ce qui m'aura perdue dans votre opinion. Dites-moi de quoi il s'agit, expliquez-moi vos motifs et je serai satisfaite si je puis vous donner des explications. Certes, je souffrirais d'être obligée de penser du mal de vous ; mais, s'il le faut, si je dois apprendre que vous n'êtes pas ce que nous avions cru, que votre amitié était feinte, que votre attitude à mon égard ne tendait qu'à me tromper, que cela soit dit aussitôt que possible. Je suis, en ce moment, dans un état d'indécision mortelle. Je souhaite vous voir lavé de tout reproche, mais la certitude contraire sera un repos à côté de ce que je souffre actuellement. Si vos sentiments ne sont plus ce qu'ils ont été, retournez-moi mes lettres et la boucle de cheveux qui est en votre possession.

« M. D. »

Que de telles lettres, si pleines d'affection et de confiance aient pu recevoir une pareille réponse, Elinor, pour l'honneur de Willoughby, eut voulu ne pas le croire. Mais la condamnation qu'elle portait contre lui ne l'aveuglait pas sur l'inconvenance qu'il y avait, après tout, à les avoir écrites. Et elle déplorait silencieusement l'imprudence qui avait hasardé, sans nécessité, de telles preuves de tendresse, qu'aucun précédent n'autorisait et que l'événement avait si sévèrement condamné.

A ce moment, Marianne, voyant qu'elle avait fini de lire les lettres, lui fit observer qu'elles ne contenaient rien que n'importe qui n'eût écrit en pareille situation.

— Je me sentais, ajouta-t-elle, aussi solennellement engagée avec lui que si le lien légal le plus étroit nous avait unis l'un à l'autre.

— Je le crois, dit Elinor, mais, malheureusement, il ne sentait pas de même.

— Il l'aurait dû, Elinor. Semaines après semaines, il l'avait éprouvé un peu plus. Je le sais. Quelles que soient les raisons qui l'ont changé, et seules les plus affreuses calomnies ont pu le faire, je lui étais alors aussi chère que mon cœur pouvait le désirer. Cette boucle de cheveux, dont il fait maintenant si peu de cas, il la mendia avec les supplications les plus ardentes. Si vous aviez vu son regard, son attitude, si vous aviez entendu sa voix à ce moment! Avez-vous oublié le dernier soir que nous avons passé à Barton? Et le matin de notre séparation aussi! Quand il me dit qu'il pourrait se passer plusieurs semaines avant que nous puissions nous revoir — son désespoir — pourrai-je jamais oublier son désespoir?

Pendant un ou deux instants, elle n'en put dire davantage, mais, quand son émotion fut passée, elle ajouta, d'un ton plus ferme :

— Elinor, j'ai été cruellement traitée, mais pas par Willoughby.

— Ma bien-aimée, par qui donc alors? Par qui peut-il avoir été poussé?

— Par le monde entier, plutôt que par son propre cœur.

Je croirais plutôt que toutes les créatures de ma connaissance se sont liguées ensemble pour me ruiner dans son opinion que d'admettre une telle cruauté. La femme dont il parle — quelle qu'elle soit — ou n'importe qui, en somme, excepté vous, ma chérie, maman et Edward — peut avoir été assez barbare pour me calomnier. Vous trois à part, y a-t-il une créature au monde que je ne puisse suspecter plutôt que Willoughby dont je connais si bien le cœur ?

Elinor ne voulut pas discuter et répondit seulement :

— Quel que puisse avoir été ce détestable ennemi, ma chère sœur, frustrez-le de son triomphe pervers, en lui montrant combien vous êtes noblement soutenue par la conscience de votre innocence et de la droiture de vos intentions. C'est un orgueil raisonnable et louable que de faire face à pareille méchanceté.

— Non, non, s'écria Marianne, une douleur comme la mienne ne connaît pas l'orgueil. Peu m'importe qu'on sache que je suis malheureuse ! Que l'on triomphe de m'avoir réduite à cette extrémité, que ce soit évident à tout le monde ! Elinor, Elinor, ceux qui ne souffrent pas beaucoup peuvent être fiers et indépendants tant qu'ils voudront — ils peuvent résister à l'injure ou rendre coup pour coup, mais moi, je ne puis pas. Il faut que je m'abandonne à ma douleur, que je la subisse et tous ceux qui en voudront être témoins seront les bienvenus.

— Mais pour ma mère et pour moi...

— Je ferai plus que pour moi-même. Mais paraître heureuse quand je suis si misérable ! Oh ! qui peut demander une pareille chose ?

De nouveau, le silence retomba entre elles deux. Elinor allait pensivement du feu à la fenêtre et de la fenêtre à la cheminée, sans prendre garde qu'elle ne recevait pas de chaleur de l'un et ne voyait rien à travers l'autre ; et Marianne assise au pied du lit, la tête appuyée sur l'un des montants, tournait encore entre ses mains la lettre de Willoughby et, après avoir frissonné de nouveau à chaque mot, s'exclama :

— C'est trop ! Oh ! Willoughby, cela peut-il venir de vous ? Cruel, cruel, rien ne peut vous excuser, Elinor, rien ne le peut. Quoi qu'il eût pu entendre dire contre moi, est-ce qu'il n'aurait pas dû suspendre son jugement ? N'aurait-il pas dû m'en parler, me permettre de me justifier ? « Cette boucle de cheveux que vous m'aviez si obligeamment offerte... » (elle répétait les termes de la lettre) voilà qui est impardonnable. Willoughby, où aviez-vous le cœur, quand vous avez écrit ces mots? Oh! l'insolente cruauté! Elinor, peut-on l'excuser?

— Non, Marianne, en aucune façon.

— Et, maintenant, cette femme — qui sait ce que sa ruse a pu faire, depuis combien de temps elle l'a préméditée et combien elle l'a profondément calculée? — qui est-elle? Qui peut-elle être? Quand lui ai-je jamais entendu parler d'une jeune femme à laquelle il s'intéressait. Il n'en prononça pas le nom d'une seule devant moi, il ne m'entretenait que de moi-même.

Il y eut encore une pause. Marianne était en proie à une grande agitation. Elle en sortit en disant :

— Elinor, il faut rentrer à la maison. Il faut que j'y aille tranquilliser maman. Pouvons-nous partir demain?

— Demain, Marianne!

— Oui, pourquoi rester ici? Je n'étais venue qu'à cause de Willoughby. Et maintenant, qui se soucie de moi? Qui s'en occupe?

— Il serait impossible de partir demain. Nous devons à Mrs. Jennings plus que de la politesse. Et la simple politesse s'opposerait à un aussi brusque départ.

— Bien! alors, à la rigueur, attendons un jour ou deux. Mais je ne peux pas m'attarder ici, je ne peux pas rester à endurer les questions et les remarques des autres gens. Les Middleton et les Palmer, comment pourrais-je supporter leur pitié? La pitié d'une femme comme lady Middleton? Oh! qu'est-ce qu'*il* aurait dit de cela?

Elinor lui conseilla de se coucher de nouveau, et, pour cette fois, elle obéit. Mais aucune attitude ne pouvait la mettre à l'aise et, ne pouvant trouver le repos ni du corps ni de l'esprit, elle changeait de position à chaque instant, jusqu'au moment où, devenant de plus en plus excitée, sa sœur ne put qu'avec difficulté la tenir dans son lit, au point que, pendant quelque temps, elle craignit d'être obligée d'appeler du secours. A la fin, cependant, elle consentit à prendre quelques gouttes d'un calmant qui produisirent leur effet. Et, jusqu'au retour de Mrs. Jennings, elle resta tranquille et immobile dans son lit.

XXX

Mrs. Jennings vint frapper immédiatement à la porte de leur chambre dès qu'elle fut rentrée, et sans attendre qu'on lui répondît, ouvrit et s'avança l'air réellement inquiet.

— Comment vous trouvez-vous, ma chère enfant? dit-elle du ton le plus compatissant à Marianne qui détourna le visage sans essayer de répondre.

— Comment va-t-elle, miss Dashwood? Pauvre petite elle a l'air bien mal. Ce n'est pas étonnant. Hélas! ce n'est que trop vrai. Il doit se marier bientôt — un propre à rien! Je ne puis le supporter! Mrs.. Taylor m'a appris cela, il y a une demi-heure; elle le tenait d'une amie intime de miss Grey elle-même, autrement je ne l'aurais certainement pas cru et j'ai failli tomber de mon haut. « Eh bien! lui ai-je dit, « tout ce que je puis dire, c'est que, si c'est vrai, il s'est abo-« minablement conduit envers une jeune fille de ma connais-« sance et je lui souhaite de tout mon cœur que sa femme « lui rende la vie dure. » Et je le dirai toujours, vous pouvez compter là-dessus, ma chère. On n'a pas idée de voir un homme se conduire de cette façon, et, si jamais je le retrouve, il entendra ses vérités comme cela ne lui est pas arrivé souvent. Mais vous avez une ressource, ma chère miss Marianne, il n'est pas le seul jeune homme distingué au monde et, avec votre joli visage, vous ne manquerez jamais d'admirateurs. La pauvre petite! Je ne veux pas la troubler plus longtemps, il vaut mieux qu'elle pleure maintenant tout son saoul et que ce soit fini. Heureusement, les Parrys et les Sandersons doivent venir ce soir, comme vous le savez, cela la distraira.

Là-dessus, elle sortit sur la pointe des pieds, comme si elle supposait que le bruit pût augmenter l'affliction de sa jeune amie.

Marianne, à l'étonnement de sa sœur, décida de dîner

avec eux. Elinor, elle-même, l'en dissuada. Mais non, elle
voulait descendre, elle supporterait cela très bien, et l'on
ferait moins de commentaires sur elle.

Elinor, heureuse de la voir, pour un moment, touchée
par une telle raison, ne s'y opposa pas davantage, bien
qu'elle eût peine à croire qu'elle pourrait se tenir à table;
et, préparant sa toilette aussi bien qu'elle pût, tandis que
Marianne était au lit, se tint prête à l'accompagner à la salle
à manger dès qu'on les appellerait.

Une fois là, bien qu'ayant très mauvaise mine, Marianne
mangea et fut plus calme que sa sœur ne l'espérait. Si elle
avait essayé de parler, ou si elle avait seulement remarqué
la moitié des attentions aussi bienveillantes que maladroites
de Mrs. Jennings à son égard, ce calme n'aurait pu se maintenir, mais pas une syllabe ne s'échappa de ses lèvres et,
perdue dans ses pensées, elle ignora complètement ce qui
se passait autour d'elle.

Elinor, qui rendait justice à la bonté de Mrs. Jennings,
bien que l'expression en fût souvent bien gênante et frisât
parfois le ridicule, se chargea, à la place de sa sœur, de la
remercier et de lui retourner ses politesses. Cette bonne âme
voyait Marianne malheureuse et estimait qu'il fallait tout
faire pour adoucir sa peine. En conséquence, elle la traitait
avec toute l'indulgente bonté d'une mère pour un enfant
chéri, le dernier jour de ses vacances. Marianne devait avoir
la meilleure place près du feu, il fallait la tenter par tout
ce qu'on pouvait trouver dans la maison de friandises délicates et l'amuser en lui racontant toutes les nouvelles du jour.

Si Elinor n'avait pas trouvé, dans la sombre contenance
de sa sœur, une barrière à toute gaieté, elle aurait fini par se
laisser entraîner à suivre Mrs. Jennings dans son entreprise
de guérir un chagrin d'amour par une abondance de gâteaux,
d'olives et un bon feu. Cependant, dès que Marianne finit
par prendre conscience de ses continuelles attentions, elle
ne put demeurer plus longtemps. Avec une exclamation
précipitée de douleur, et, après avoir fait signe à sa sœur
de ne pas la suivre, elle se leva et sortit précipitamment.

— Pauvre âme! s'écria Mrs. Jennings dès qu'elle eut
disparu, quelle peine elle me fait! Et elle est partie sans avoir
fini son vin! Ni les cerises sèches! Seigneur! il semble que
rien ne lui fasse du bien. Certainement, si je savais qu'il y
fût quelque chose qu'elle aime, je l'enverrais chercher à

l'autre bout de la ville. Oh! c'est bien ce qu'il y a de plus inconcevable pour moi qu'un homme puisse traiter ainsi une enfant si charmante! Mais quand il y a abondance d'argent d'un côté et pas grand'chose de l'autre, Dieu vous bénisse! les hommes font peu de cas du reste.

— Cette personne — miss Grey — c'est bien ainsi que vous l'appelez, est très riche?

— Cinquante mille livres, ma chère. L'avez-vous jamais vue? Une personne élégante, distinguée, dit-on, mais pas belle. Je me rappelle très bien sa tante, Biddy Henshawe, elle avait épousé un homme très fortuné. Mais ils sont tous riches dans la famille. Cinquante mille livres! Et, d'après tout ce qu'on dit, cela vient juste à point, car on affirme qu'il est à bout de ressources. Pas étonnant! Il jetait assez de poudre aux yeux avec sa voiture et sa meute! Et je sais bien que cela ne sert à rien de parler, mais quand un jeune homme, quel qu'il soit, arrive et courtise une jolie fille et lui promet mariage, qu'a-t-il à faire de rendre sa parole seulement parce que ses affaires ne vont pas et qu'une plus riche est prête à l'épouser? Pourquoi, en pareil cas, ne pas vendre ses chiens, louer sa maison, congédier son personnel et réformer, tout de suite, son train de vie? Je suis bien sûre que notre Marianne était disposée à attendre jusqu'à ce que tout ait été réglé. Mais voilà comment va le monde aujourd'hui: Les jeunes gens ne veulent rien sacrifier en matière de plaisir.

— Savez-vous quel genre de personne est miss Grey? Passe-t-elle pour aimable?

— Je n'en ai jamais entendu dire de mal, mais, à vrai dire, je n'en ai presque jamais entendu parler; sauf ce que m'a dit Mrs. Taylor ce matin, qu'un jour miss Walker lui avait confié qu'elle pensait que Mr. et Mrs. Ellison ne seraient pas fâchés de la voir mariée parce qu'elle et Mrs. Ellison ne s'entendaient pas.

— Et qui sont les Ellison?

— Ses tuteurs, ma chère. Mais, maintenant, elle est émancipée et peut choisir elle-même; et elle a fait un joli choix!

Et après une pause:

« Et maintenant? Votre pauvre sœur est allée dans sa chambre, je suppose, pour se livrer à sa douleur. Est-ce qu'on ne pourrait pas faire quelque chose pour la réconforter? Pauvre chérie, il semble vraiment cruel de la laisser toute

seule. Tout à l'heure, nous allons avoir quelques amis et
cela la distraira un peu. A quoi pourrons-nous jouer? Elle
n'aime pas les cartes, je sais. Mais n'y a-t-il pas un jeu de
société qui l'intéresserait?

— Chère Madame, il est inutile que vous vous donniez
de la peine à ce sujet. Marianne, j'en suis sûre, ne descendra
pas de sa chambre ce soir. Je la persuaderai, si je peux, de
se coucher de bonne heure, car je suis certaine qu'elle a
besoin de repos.

— Eh bien! je crois que c'est ce qu'il y aura de mieux
pour elle. Qu'elle commande son souper et qu'elle aille
au lit. Seigneur! Ce n'est pas étonnant qu'elle ait paru si
triste et si mal en train depuis une semaine ou deux, car je
suppose que cela couvait depuis ce temps-là. Et cette lettre
arrivée aujourd'hui a été le coup de grâce. Pauvre créature!
Bien sûr, si j'en avais eu l'idée, je ne l'aurais pas plaisantée
là-dessus pour tout l'or du monde. Mais vous comprenez
bien que je ne pouvais pas me douter de pareille chose. J'étais
convaincue qu'il s'agissait d'une lettre d'amoureux, et vous
savez que les jeunes gens aiment bien qu'on les taquine à
ce sujet. Seigneur! ce que sir John et mes filles vont être
navrés de cette nouvelle! Si je n'avais pas été aussi troublée,
je serais passée à Conduit street en rentrant et je leur aurais
raconté la chose. Mais je les verrai demain.

— Il sera inutile, j'en suis sûre, que vous avertissiez
Mrs. Palmer et sir John de ne jamais nommer Mr. Willoughby ou de faire la moindre allusion à ce qui s'est passé
devant ma sœur. Leur délicatesse naturelle leur dira assez
combien il serait cruel d'avoir l'air, devant elle, de savoir
quoi que ce soit; quant à moi, vous comprendrez facilement,
chère madame, qu'il me sera agréable que l'on m'en parle
le moins possible.

— Seigneur, oui, je le cromprends. Ce doit être terrible
pour vous d'en entendre parler; et, pour votre sœur, certainement pour rien au monde, je n'en dirai mot devant elle.
Vous avez vu que je ne lui en ai rien dit à dîner. Et sir John
et mes filles n'en feront rien non plus, car ils sont très atten-
tifs à ces choses-là — spécialement si je leur donne un aver-
tissement, ce que je ferai certainement. Pour ma part, je
pense que le moins qu'on puisse dire sur ce sujet-là est le
mieux, c'est d'autant plus vite enterré et oublié. Et quel
bien cela peut-il faire d'y revenir toujours?

— Dans le cas présent, cela ne peut faire que du mal, plus peut-être que dans d'autres cas du même genre, car ici les circonstances sont telles que, dans l'intérêt de tous ceux qui ont été mêlés à cette affaire, il n'est pas souhaitable qu'elle fasse l'objet des commentaires du public. Je dois, cependant, rendre cette justice à Mr. Willoughby : il n'a pas manqué à un engagement positif envers ma sœur.

— Oh! mon Dieu! ma chère, n'allez pas le défendre! Pas d'engagement positif vraiment! Après l'avoir emmenée à Allenham House, et avoir fait le plan des appartements qu'ils devaient occuper!

Elinor, en ce qui concernait sa sœur, ne pouvait pas insister davantage et elle ne se croyait pas obligée de le faire en ce qui concernait Willoughby. Si Marianne, en effet, avait beaucoup à perdre à une explication totale de la vérité, Willoughby y gagnerait certainement peu. Après un court silence, Mrs. Jennings, avec la gaieté naturelle de son tempérament, partit sur un autre aspect de la question.

— Eh bien! ma chère, le proverbe est vrai qui dit qu'un mauvais vent ne souffle pas pour tout le monde, car ce sera tant mieux pour le colonel Brandon. C'est lui qui l'aura, à la fin, mais oui : rappelez-vous bien ce que je vous dis : je prédis qu'ils seront mariés à l'été. Seigneur! ce qu'il va jubiler en apprenant ces nouvelles! J'espère qu'il viendra ce soir. A tous points de vue, c'est un bien meilleur parti pour votre sœur. Deux mille livres par an, sans aucune dette ni embarras — excepté la petite fille, tout de même. Oui, je l'avais oubliée, mais on peut la mettre en apprentissage à bon compte et alors qu'est-ce que cela signifie? Delaford est une belle résidence, je puis vous l'affirmer, exactement ce que j'appelle une belle vieille demeure, avec tout le confort et l'agrément possible; il y a un jardin entièrement clos de murs qui porte en espaliers les meilleurs arbres fruitiers du pays. Et tout un bois de mûriers dans un coin! Comme nous nous sommes régalées de fruits, Charlotte et moi, la dernière fois que nous y sommes allées. Et puis, il y a un pigeonnier, des viviers délicieux et un bien joli canal, et, en somme, tout ce qu'on peut désirer; bien plus, c'est tout près de l'église et à un quart de mille de la barrière de la route, de sorte qu'on ne s'ennuie jamais. Vous n'avez qu'à aller vous installer dans un bouquet d'ifs qui est derrière la maison, vous pouvez voir toutes les voitures qui passent. Oh! c'est un

joli endroit! Un boucher tout près dans le village et le presbytère à un jet de pierre. Pour mon goût, c'est mille fois
mieux que Barton Park, où ils sont obligés de faire trois
milles pour les provisions et n'ont pas de voisin plus proche
que votre mère. Bon, je vais mettre le colonel en éveil aussitôt que je pourrai. Un clou chasse l'autre, n'est-ce pas? Si
nous pouvions seulement lui ôter Willoughby de la tête?

— Oui, pourvu que nous puissions y arriver, madame,
dit Elinor, ce sera bien, avec ou sans le colonel Brandon.

Elle se leva là-dessus et alla rejoindre Marianne, qu'elle
trouva, comme elle s'y attendait, dans sa chambre, penchée,
dans une silencieuse détresse, sur les maigres débris d'un feu,
qui éclairait seul la pièce jusqu'à l'arrivée d'Elinor.

« Vous feriez mieux de me laisser » fut tout ce que sa
sœur reçut en guise d'accueil.

— Je vous laisserai, dit Elinor, si vous consentez à vous
mettre au lit.

Elle refusa d'abord, par un caprice de malade impatientée.
Sur les instances aussi pressantes qu'amicales de sa sœur,
elle finit cependant par se laisser persuader. Elinor la vit
poser sa tête endolorie sur l'oreiller et eut la satisfaction,
en la quittant, de constater qu'elle était sur le point de glisser
dans le sommeil.

Dans le salon, où elle était retournée, elle fut bientôt
rejointe par Mrs. Jennings, tenant à la main un verre plein.

— Ma chère, dit-elle en entrant, je viens de me rappeler
que j'avais, dans la maison, un certain vieux vin de Constance
auquel on ne goûte jamais — et j'en ai apporté un verre
pour votre sœur. Mon pauvre mari! Comme il y tenait!
Chaque fois qu'il avait une attaque de goutte, il disait que
rien au monde n'était capable de lui faire plus de bien. Portez-
le à votre sœur.

— Chère Madame, répondit Elinor, souriant à la pensée
de la différence des maux auxquels s'appliquait le même
remède, comme vous êtes bonne! Mais je viens à l'instant
de quitter Marianne au lit et je l'espère sur le point de s'en-
dormir. Et, comme je pense que rien ne peut lui être plus
profitable que le repos, si vous le permettez, c'est moi qui
vais boire le vin.

Mrs. Jennings, tout en regrettant de n'être pas arrivée
cinq minutes plus tôt, fut satisfaite de cette solution; et
Elinor, en buvant le vin, réfléchit que, encore que son

efficacité contre la goutte fût pour l'instant de peu d'importance pour elle, ses pouvoirs calmants sur un cœur endolori pouvaient être aussi essayés avec autant de raisons sur elle-même que sur sa sœur.

Le colonel Brandon arriva au moment du thé, et à la façon dont son regard chercha Marianne, Elinor pensa qu'il n'espérait ni ne désirait la trouver là, et, en un mot, qu'il était déjà au courant de la raison de son absence. La même pensée ne vint pas à Mrs. Jennings, car, aussitôt après son entrée, elle alla à la table que présidait Elinor et lui murmura :

— Le colonel semble aussi grave que jamais. Il ne sait rien, dites-le-lui ma chère.

Un instant après, il approcha sa chaise près d'elle et avec un regard indiquant qu'il était parfaitement au courant, demanda des nouvelles de sa sœur.

— Marianne n'est pas bien, dit-elle. Elle a été indisposée tout le jour, et nous l'avons persuadée de rester au lit.

— Peut-être alors, demanda-t-il en hésitant, ce que j'ai appris ce matin pourrait être exact; il pourrait y avoir plus de vrai que je ne l'ai cru d'abord.

— Qu'avez-vous entendu dire?

— Qu'un gentleman dont j'ai toute raison de penser... bref, un homme que je croyais engagé, mais comment vous dire?... Si vous le savez déjà comme c'est certain, il vaut mieux le taire.

— Vous voulez parler, répondit Elinor en se forçant au calme, du mariage de Mr. Willoughby avec miss Grey. Oui, nous savons tout. Il semble que c'est le jour des révélations pour tout le monde, car c'est ce matin que nous en avons été informées. Mr. Willoughby est incompréhensible! Où l'avez-vous appris?

— Dans une boutique de libraire à Pall Mall où j'avais à faire. Deux dames attendaient leur voiture, et l'une d'elles racontait à l'autre le prochain mariage, d'une voix qui cherchait si peu à se dissimuler, qu'il m'était impossible de ne pas l'entendre. Le nom de Willoughby, John Willoughby, fréquemment répété, me frappa d'abord et la suite fut une affirmation positive que tout était maintenant arrangé pour son mariage avec miss Grey. Ce n'était plus un secret : il devait avoir lieu dans quelques semaines; et l'on donnait de nombreux détails sur les préparatifs et d'autres choses de

ce genre. Je me rappelle surtout ceci qui me permettait
d'identifier encore mieux la personne : aussitôt après la
cérémonie, ils devaient se rendre à Combe Magna, sa propriété dans le Somersetshire. Je n'en revenais pas! Je ne
puis vous décrire ce que j'éprouvais. Cette dame si communicative, je demandai ensuite qui elle était, car j'étais resté
dans la boutique après son départ; je sus que c'était une
Mrs. Ellison. J'ai appris, ensuite, que c'était le nom du tuteur
de miss Grey.

— C'est exact. Mais avez-vous su aussi que miss Grey
a cinquante mille livres. Voilà une explication, ou bien il n'y
en a pas.

— Cela se peut; mais Willoughby est capable... au moins
je pense...

Il s'arrêta un moment, puis d'un ton mal assuré :

— Et votre sœur, comment a-t-elle...?

— Le coup a été très dur. Tout ce que je puis espérer,
c'est que sa douleur sera aussi brève qu'elle est violente. Ça a
été et c'est encore une cruelle affliction. Jusqu'à hier, elle
n'avait jamais douté de lui; et maintenant même, peut-être;
mais je suis à peu près convaincue qu'il ne l'a jamais réellement aimée. Il a été vraiment perfide, et, à quelques égards,
il semble qu'il y a chez lui une véritable dureté de cœur.

— Ah! oui, c'est vrai! dit le colonel Brandon. Mais — il
me semble que vous venez de le dire — votre sœur n'envisage pas tout à fait les choses comme vous.

— Vous connaissez ses dispositions, et vous pouvez
croire à quel point elle souhaiterait ardemment de le justifier
si c'était possible.

Il ne fit pas de réponse, et, bientôt après, on enleva les
plateaux du thé, on prit place pour le jeu, et le sujet fut
nécessairement abandonné. Mrs. Jennings avait observé
avec plaisir leur conversation et s'attendait à voir la communication de miss Dashwood produire sur le colonel Brandon
un effet si heureux qu'il l'aurait instantanément transformé
en un homme dans la fleur de la jeunesse, comblé d'espoir
et de bonheur. Elle constata avec étonnement qu'il demeurait,
tout le reste de la soirée, plus sérieux et préoccupé que jamais.

XXXI

Après une nuit où elle dormit mieux qu'elle ne s'y était attendue, Marianne se réveilla le lendemain matin avec le sentiment de la même détresse que lorsqu'elle avait fermé les yeux.

Elinor l'encouragea, autant que possible, à parler de ce qu'elle ressentait. Et, avant que le breakfast fût prêt, elles étaient revenues sur le sujet dans tous les détails, avec la même ferme conviction et les mêmes affectueux conseils du côté d'Elinor, et, de la part de Marianne, avec la même impétuosité de sentiments et la même versatilité d'opinion. Parfois, elle se persuadait que Willoughby était aussi infortuné et innocent qu'elle-même et, à d'autres moments, perdait toute consolation devant l'impossibilité de l'excuser. Tantôt, elle était absolument indifférente à l'opinion du monde entier, tantôt, elle voulait s'en isoler pour toujours quand elle ne décidait pas de lutter contre avec énergie. Sur un seul point, cependant, elle ne variait pas, quand il en était question. Elle voulait éviter, autant que possible, la présence de Mrs. Jennings et était déterminée à garder le silence toutes les fois qu'il lui faudrait la supporter. Son cœur se soulevait à l'idée que Mrs. Jennings pourrait compatir à ses maux.

— Non, non, non, c'est impossible! criait-elle. Elle ne peut pas me comprendre. Sa gentillesse n'est pas de la sympathie. Son bon caractère n'est pas de la tendresse. Tout ce qu'elle désire, c'est d'avoir matière à bavarder et elle s'intéresse à moi uniquement pour cela.

Elinor n'avait pas besoin de cette preuve pour être certaine de l'injustice que sa sœur apportait souvent dans son appréciation de la conduite des autres par suite du raffinement de son esprit, et de la trop grande importance qu'elle attachait aux délicatesses de sa vive sensibilité et aux grâces d'une exquise politesse. Comme une bonne moitié du monde — à supposer que cette moitié fût aussi intelligente et bonne — Marianne, avec de grands talents et d'excellentes dispositions, n'était ni raisonnable ni tolérante. Elle attendait des autres qu'ils eussent les mêmes opinions et les mêmes sentiments qu'elle-même et jugeait de leurs façons d'agir par l'effet immédiat produit sur elle.

Là-dessus, pendant que les deux sœurs étaient dans leur chambre après le breakfast, un incident se produisit qui vint mettre Mrs. Jennings plus bas encore dans l'estime de Marianne. A cause de son état de faiblesse, en effet, il se trouva que ce fut une nouvelle source de chagrin pour elle, bien que la conduite de Mrs. Jennings eût été guidée par les meilleures intentions.

Tenant une lettre au bout de sa main tendue, et d'un air gai et souriant à l'idée qu'elle annonçait une bonne nouvelle, elle entra dans la chambre en disant :

— Maintenant, ma chérie, je vous apporte quelque chose qui certainement va vous faire plaisir.

C'en était assez pour Marianne. En un instant, son esprit imagina une lettre de Willoughby, pleine de tendresse et de contrition, expliquant tout ce qui s'était passé, satisfaisante, convaincante, suivie immédiatement de Willoughby lui-même, faisant précipitamment irruption dans sa chambre, prosterné à ses pieds et renforçant, par l'éloquence de ses yeux, les assurances de sa lettre. Cette œuvre d'un instant fut détruite par l'instant suivant. L'écriture de sa mère, jusque-là toujours la bienvenue, était sous ses yeux : et, dans la déception atroce qui remplaça l'extase d'un espoir presque réalisé, elle souffrit plus qu'elle n'avait souffert jusqu'à ce moment.

Aucun langage à sa portée dans ses moments de plus grande éloquence ne pouvait flétrir assez la cruauté de Mrs. Jennings et elle ne put formuler ses reproches autrement que par ses larmes qui coulèrent avec une violence passionnée. Sous cette forme, ces reproches furent entièrement perdus pour celle qui en était l'objet et qui, après de nombreuses manifestations de sympathie, se retira, l'invitant encore à puiser du réconfort dans la lettre de sa mère.

Mais la lettre, lorsqu'elle eut recouvré assez de calme pour la lire, ne lui apporta guère de satisfaction. Toutes les pages étaient remplies de Willoughby. Sa mère, toujours confiante dans l'engagement de ce dernier, et se fiant aussi chaleureusement que jamais à sa constance, s'était seulement déterminée, sur les instances d'Elinor, à demander à Marianne de s'ouvrir davantage à elle sur leur situation exacte à tous deux et cela avec une si grande tendresse pour elle, tant d'affection pour Willoughby et une telle foi dans leur futur bonheur mutuel qu'elle sanglota désespérément pendant toute la lecture.

Toute son impatience de se retrouver de nouveau chez elle lui revint. Sa mère lui était plus chère que jamais; plus chère à cause de l'excès de confiance qu'elle plaçait, à tort, en Willoughby, et la pauvre petite ne voyait pas le moment d'être partie. Elinor, ne se sentant pas capable de décider s'il valait mieux pour Marianne être à Londres ou à Barton, ne lui conseilla rien, si ce n'est de patienter jusqu'à ce qu'elles aient reçu l'avis de leur mère, et elle finit par obtenir de sa sœur qu'elle attendît jusque-là.

Mrs. Jennings les laissa plus tôt que de coutume, car elle ne pouvait pas être tranquille, tant que les Middleton et les Palmer ne seraient pas en état de déplorer l'événement autant qu'elle-même, et, refusant positivement l'offre d'Elinor de l'accompagner, elle partit seule tout le reste de la matinée. Elinor, le cœur bien lourd, consciente de la peine qu'elle allait causer et se rendant compte, par la lettre de sa mère à Marianne, combien elle avait eu tort de faire fond sur cet appui, se mit à écrire à Mrs. Dashwood un récit de ce qui s'était passé, en lui demandant ses directions pour l'avenir; pendant que Marianne, revenue au salon après le départ de Mrs. Jennings, suivait le travail de sa sœur, la plaignait d'être attelée à une tâche aussi ingrate, et se désolait avec encore plus de tendresse en pensant à l'effet qu'elle produirait sur sa mère.

Un quart d'heure environ s'était passé de cette façon, lorsque Marianne, dont les nerfs ne pouvaient en ce moment supporter un bruit imprévu, fut secouée par un coup frappé à la porte.

— Qui cela peut-il être? s'écria Elinor. Si tôt! Je pensais que nous étions sûres de n'être pas dérangées.

Marianne alla voir à la fenêtre.

— C'est le colonel Brandon! dit-elle, avec dépit. Avec lui, on n'est jamais sûr d'être tranquille.

— Il n'entrera pas, puisque Mrs. Jennings est sortie.

— Je ne m'y fierai pas, reprit Marianne, en se dirigeant

vers sa chambre. Un homme qui ne sait que faire de son temps ne se fait pas scrupule de le faire perdre aux autres.

L'événement prouva que sa conjecture était exacte, quoique basée sur une injustice et une erreur, car le colonel Brandon entra; et, Elinor, convaincue que le seul motif de sa venue était son inquiétude au sujet de Marianne, inquiétude que révélaient le trouble et l'angoisse répandus sur sa physionomie et la façon brève mais angoissée dont il s'enquit de ses nouvelles, ne put excuser la légèreté du jugement porté sur lui par sa sœur.

— J'ai rencontré Mrs. Jennings dans Bond street, dit-il après les premiers compliments échangés, et elle m'a engagé à venir. Je me suis d'autant plus aisément laissé convaincre que je pensais vous trouver seule, ce que je souhaitais vivement. Mon but — mon vœu — mon seul vœu en formant ce souhait — était offrir un réconfort — non, je ne veux pas dire un réconfort, un réconfort actuel, mais un apaisement pour votre sœur. L'intérêt que je lui porte, ainsi qu'à vous-même et à votre mère, voulez-vous m'autoriser à vous le prouver en vous mettant au courant de certaines choses que seul un intérêt vraiment sincère, un vif désir d'être utile... Je crois que je suis fondé à agir ainsi, j'y ai si longuement réfléchi que je ne puis me persuader qu'il y ait du mal à cela. Il fit une pause.

— Je vous comprends, dit Elinor. Vous avez à me dire, sur le compte de Mr. Willoughby, quelque chose de nature à nous éclairer sur son vrai caractère. Une telle confidence est la plus grande marque d'amitié que vous puissiez donner à Marianne. Ma gratitude vous est acquise pour toute information tendant à ce but, et elle, elle vous en sera également reconnaissante avec le temps. Je vous en prie, je vous en prie, dites-moi ce dont il s'agit.

— Vous allez le savoir, et, pour être bref, quand je quittai Barton en octobre dernier... mais non, vous ne comprendriez pas, il faut prendre les choses de plus haut. Vous allez me trouver un bien mauvais narrateur, miss Dashwood. Je ne sais vraiment pas où commencer. Je crois qu'il sera nécessaire que je vous parle d'abord de moi-même, le plus brièvement possible. Sur un pareil sujet (il soupira profondément) je ne suis guère tenté de m'étendre....

Il s'arrêta un moment pour se recueillir, puis, non sans avoir encore soupiré, continua.

— Vous avez probablement tout à fait oublié une conversation (je ne puis supposer qu'elle vous ait frappée) que nous avons eue, un soir, à Barton Park — c'était le soir où l'on dansait — dans laquelle je fis allusion à une personne que j'avais connue autrefois et qui ressemblait, jusqu'à un certain point, à votre sœur Marianne.

— Je puis vous assurer, répliqua Elinor, que je ne l'ai pas oubliée.

Cela parut lui faire plaisir. Il continua :

— Si je ne me laisse pas entraîner par l'incertitude, la partialité d'un tendre souvenir, il y a, entre elles, une très grande ressemblance, aussi bien au moral qu'au physique ; c'est la même chaleur de cœur, la même fantaisie et vivacité d'esprit. Cette personne était une de mes proches parentes, orpheline dès l'enfance et sous la tutelle de mon père. Nous étions à peu près du même âge et, dès l'enfance, nous avions été camarades de jeu. Je ne puis me rappeler une époque où je n'aimais pas Eliza ; et l'affection que je lui portais, à mesure que nous avancions en âge, était si ardente que, peut-être, en me voyant tel que je suis maintenant, grave, solitaire et triste, vous me jugeriez incapable de l'avoir jamais ressentie. Ses sentiments pour moi étaient, je crois, aussi fervents que ceux de votre sœur pour Willoughby, et furent aussi malheureusement déçus quoique pour une cause différente. A seize ans, je la perdis pour toujours. On la maria — contre son inclination — à mon frère. Elle avait une grande fortune et les affaires de ma famille étaient très embarrassées. Et c'est là, j'en ai bien peur, tout ce qu'on peut dire pour expliquer la conduite de celui qui était à la fois son oncle et son tuteur. Mon frère ne la méritait pas ; il ne l'aima même jamais. J'avais espéré que son affection pour moi la soutiendrait contre toutes les difficultés, et il en fut, en effet, ainsi pendant quelque temps ; mais, à la fin, la misère de sa situation — car elle subissait une dure contrainte — vint à bout de sa résolution, et bien qu'elle m'eût promis que rien... mais comme je raconte mal ! Je ne vous ai pas dit comment les choses s'étaient passées. Nous étions sur le point de nous enfuir ensemble en Écosse. La trahison ou l'étourderie d'une servante de ma cousine dévoila nos projets. On m'exila chez un parent éloigné, et on ne lui laissa, à elle, ni société, ni amusement, ni liberté, jusqu'à ce que mon père eût gagné la partie. Je m'étais trop fié à mon courage et le coup fut sévère. Mais, si son mariage eût été heureux, j'étais alors si jeune que quelques mois auraient suffi à me faire accepter la chose, ou, tout au moins, maintenant je n'aurais pas à la déplorer.

« Mais ce ne fut pas le cas. Mon frère n'avait aucun égard pour elle; il ne comprenait rien à son genre de vie et, de prime abord, il la traita avec mépris. Le résultat sur un esprit aussi jeune, aussi ardent et inexpérimenté que celui de Mrs. Brandon ne fut que trop naturel. Elle se résigna d'abord à toute la misère de sa situation; elle eût pu persévérer, si elle n'avait pas eu à surmonter encore les regrets que je lui avais laissés. Mais comment s'étonner qu'avec un tel mari, sans un ami pour la conseiller ou l'arrêter, elle ait pu faillir ? (car mon père ne survécut que peu de mois à leur mariage, et je me trouvais avec mon régiment dans l'est de l'Inde). Si j'étais resté en Angleterre, peut-être... mais j'avais pensé que, pour notre bonheur à tous deux, il valait mieux que je m'éloigne d'elle pendant quelques années et j'avais permuté dans ce but. Le choc que son mariage m'avait donné, continua-t-il, et sa voix trahissait la plus grande agitation, n'était qu'une bagatelle, un rien, à côté de ce que je ressentis, environ deux ans après, en apprenant leur séparation. C'est cela qui a mis ce voile de tristesse sur ma vie — et, maintenant même, le souvenir de ce que j'ai souffert... »

Il ne put pas en dire plus et, se levant précipitamment, marcha pendant quelques minutes à travers la pièce. Elinor, émue par son récit et plus encore par sa détresse, ne trouvait rien à dire. Il vit sa sollicitude et, venant à elle, lui prit la main, la pressa, et la baisa avec un respect plein de gratitude. Après quelques instants passés silencieusement à se maîtriser, il fut en état de poursuivre avec sang-froid.

— Quand je retournai en Angleterre, il s'était écoulé près de trois ans depuis cette malheureuse période. Mon premier soin, à peine débarqué, fut naturellement de la rechercher. Mais cette recherche fut aussi infructueuse que mélancolique. Je ne pus faire plus que de découvrir la trace de son premier séducteur, et j'avais toute raison de craindre qu'elle ne l'eût quitté que pour s'enfoncer plus profondément dans une vie déréglée. La pension légale que lui servait mon frère ne correspondait pas à sa fortune et j'appris de ce dernier que, depuis quelques mois, elle avait délégué ses droits à un tiers. Il conjecturait — et il pouvait le faire avec le plus grand calme — que son extravagance et la détresse qui en était la conséquence, l'avait obligée à sacrifier cette pension pour subvenir à quelque nécessité pressante.

« A la fin, cependant, et six mois après mon retour en Angleterre, je la découvris. J'étais allé, par hasard, dans une prison pour dettes, voir un de mes anciens serviteurs tombé dans l'infortune; et là, dans cette même prison, et pour les mêmes motifs, je trouvai mon infortunée belle-sœur, si changée, si flétrie, rongée par toutes sortes de cruelles épreuves! A peine pouvais-je me figurer que cette figure douloureuse, maladive, était bien celle de la gracieuse jeune fille, florissante et respirant la santé que j'avais adorée jadis. Ce que j'endurai en la revoyant ainsi... mais je n'ai aucun droit de blesser votre sensibilité en essayant de vous la décrire, je vous ai déjà fait assez de peine. Elle était, selon toute apparence, au dernier degré de la consomption; dans une telle situation, je considérais cela comme un grand réconfort. Elle ne pouvait plus rien attendre de la vie, sinon qu'elle lui donnât le loisir de se préparer convenablement à la mort. Et cette grâce lui fut accordée. Je pus la voir transportée dans un appartement convenable et entourée des soins nécessaires. Je la vis chaque jour tout le reste de sa brève existence. Je fus près d'elle à ses derniers moments. »

Il s'arrêta encore pour reprendre courage; et Elinor exprima ses sentiments dans une exclamation de tendre intérêt sur le sort de sa malheureuse amie.

— J'espère, reprit-il, que votre sœur ne pourra pas s'offenser de la ressemblance que j'ai cru trouver entre elle et ma pauvre parente malchanceuse. Leurs destins, leurs fortunes ne peuvent être les mêmes. Et, si le bon naturel de l'une avait été secondé par un esprit plus ferme, ou par un mariage plus heureux, elle aurait pu être tout ce que vous verrez que l'autre sera.

« Mais où tend ceci? J'ai l'air de vous avoir attristée pour rien. Ah! miss Dashwood, un sujet comme celui-là — sur lequel je garde le silence depuis quatorze ans — qu'il est dangereux de l'aborder! Je vais tâcher de me résumer, d'être plus concis.

« Ma belle-sœur me laissa le soin de son unique enfant, une petite fille, alors âgée de trois ans. Elle l'aimait et l'avait toujours gardée auprès d'elle. C'était, pour moi, un cher, un précieux dépôt; et j'en aurais volontiers accepté la charge

dans le sens le plus strict, en veillant moi-même à son éducation, si nos situations respectives l'eussent permis. Mais je
n'avais ni famille, ni maison; en conséquence, ma petite
Eliza fut placée à l'école. J'allais l'y voir toutes les fois que
je le pouvais, et, après la mort de mon frère (survenue environ cinq ans après et qui me rendit maître des propriétés
de la famille), elle vint souvent me voir à Delaford.

« Je la présentais comme une parente éloignée. Mais je
sais bien qu'en général on me soupçonnait de lui tenir de
plus près. Il y a trois ans (elle venait d'atteindre ses quatorze ans), je l'avais retirée de l'école pour la placer sous la
garde d'une dame très respectable habitant dans le Dorsetshire, qui avait en pension quatre ou cinq jeunes filles
à peu près du même âge, et, pendant deux ans, je n'avais eu
qu'à me louer de cette situation. Mais, à la fin de février,
il y a environ douze mois, elle disparut subitement; sur son
vif désir, je lui avais, imprudemment, ainsi que la suite l'a
démontré, donné la permission d'aller à Bath avec une de
ses jeunes compagnes qui allait tenir compagnie à son père
obligé de séjourner dans cette ville pour raison de santé.
Je tenais ce dernier pour un homme sérieux et j'avais bonne
opinion de sa fille, meilleure qu'elle ne le méritait car, avec
une discrétion aussi obstinée que mal placée, elle ne voulut
rien dire, refusa toute indication quoique certainement au
courant de tout. Son père, homme bien intentionné, mais
peu avisé, ne savait, je crois, réellement rien; car il restait
généralement confiné chez lui pendant que les jeunes filles
allaient librement en ville et liaient connaissance avec qui
elles voulaient; et il s'efforça de me faire partager la conviction où il était que sa fille était entièrement étrangère à
l'affaire. Bref, tout ce que je pus savoir, c'est qu'elle était
partie; pendant huit longs mois, je ne pus faire sur tout le
reste que des conjectures. Vous pouvez imaginer ce que je
pensai, ce que je craignis et aussi combien je souffris.

— Seigneur! s'écria Elinor, est-il possible que Willoughby...

— Les premières nouvelles que je reçus, continua-t-il,
me furent apportées par une lettre d'elle que je reçus fin
octobre. On me la fit suivre de Delaford, et je la reçus le
matin de notre excursion projetée à Whitwell. Et c'est la
raison pour laquelle j'ai quitté Barton si subitement d'une
façon qui a dû paraître étrange à tout le monde, et qui a dû,

je crois, choquer quelques personnes. Mr. Willoughby laissa clairement voir, à ce moment, combien il blâmait l'impolitesse avec laquelle je privais brusquement toute la société du plaisir qu'elle s'était promis. Il ne se doutait pas alors que j'étais appelé au secours de celle qu'il avait rendue pauvre et misérable.

« Mais l'eût-il su, cela aurait-il empêché quelque chose ? Aurait-il été moins gai ? Aurait-il pris moins de plaisir aux sourires de votre sœur ? Non, il avait déjà fait tout ce qu'un homme d'honneur ne doit pas faire. Il avait laissé la jeune fille qu'il avait détournée de son devoir dans la plus grande détresse, sans un logis acceptable, sans espoir, sans amis, ignorant son adresse. Il l'avait quittée, lui promettant de revenir. Il ne revint pas, n'écrivit pas, ne fit rien pour l'aider.

— Voilà qui passe tout ! s'exclama Elinor.

— Vous connaissez, maintenant, son caractère — prodigue, dissipé, et bien pire. Sachant tout cela, comme je le sais depuis plusieurs semaines, vous devinez ce que j'ai pu éprouver en voyant votre sœur aussi éprise de lui que jamais, et déterminée à l'épouser. Oui, vous devinez quels étaient mes sentiments envers vous tous. Lorsqu'à ma visite, la semaine dernière, je vous trouvai seule, je pris la résolution de savoir la vérité, incertain sur la conduite à tenir quand je la connaîtrai. Mon attitude, à ce moment, a dû vous paraître étrange, mais vous devez maintenant la comprendre. Vous laisser tous courir vers une telle déception, voir votre sœur... mais que pouvais-je faire ? Je n'avais pas l'espoir d'intervenir avec succès. Et, quelquefois, il m'arrivait de penser que l'influence de votre sœur pourrait encore réformer Willoughby. Mais, maintenant, après une conduite si déshonorante, qui peut dire quels étaient ses desseins sur elle ? Quoiqu'il en soit, cependant, elle peut, à présent, et, sans doute, elle le fera, se féliciter de ce qui lui est arrivé en comparant sa position avec celle de ma pauvre Eliza. Elle n'a qu'à se représenter la situation malheureuse et sans espoir de cette pauvre enfant, avec un amour pour lui aussi fort que le sien et le tourment d'un remords qui ne cessera qu'avec sa vie. La comparaison lui sera sûrement profitable. Elle verra que sa propre souffrance n'est rien, puisqu'elle n'a rien à se reprocher et que sa réputation est intacte. Au contraire, la sympathie de ses amis ne peut que s'accroître par la part prise à son infortune et le respect pour son courage à la supporter.

« Je laisse cependant à votre discrétion le soin de voir ce que vous devez lui dire à ce sujet. Vous êtes mieux placée que personne pour savoir quel en sera l'effet; mais, certainement, si je n'avais pas cru, du fond du cœur, que cela pouvait lui servir et adoucir ses regrets, je ne me serais jamais permis de vous importuner du récit de mes chagrins intimes, au risque de paraître avoir voulu faire mon apologie aux dépens des autres. »

Elinor répondit à ce discours par les plus chaleureux remerciements et l'assura qu'elle partageait son espoir que Marianne retirerait un profit certain de cette communication.

— Rien ne m'a fait plus de peine, dit-elle, que ses efforts pour l'excuser, car son esprit serait bien moins troublé si elle avait la parfaite conviction de son indignité. Maintenant, bien qu'elle doive en avoir d'abord un surcroît de douleur, je suis sûre que bientôt elle se trouvera mieux.

Après un court silence, elle demanda :

— Avez-vous revu Mr. Willoughby depuis que vous l'aviez quitté à Barton?

— Oui, répliqua-t-il gravement. Une fois. Une rencontre était inévitable.

Elinor, saisie par son attitude, lui jeta un regard anxieux :

— Comment! Voulez-vous dire que...?

— Je ne pouvais pas le rencontrer d'une autre manière. Eliza, avec beaucoup de peine, avait fini par m'avouer le nom de son séducteur; et, quand il rentra en ville, une quinzaine après moi, nous nous rencontrâmes à un endroit désigné, lui pour défendre, moi pour punir sa conduite. Aucun de nous deux ne fut blessé, de sorte que l'affaire ne s'ébruita pas.

Elinor répugnait à cette prétendue nécessité, mais vis-à-vis d'un homme et d'un soldat, elle ne jugea pas convenable d'exprimer un blâme.

Après une pause, le colonel Brandon reprit :

— Telle a été la malheureuse ressemblance entre le sort de la mère et celui de la fille! Et, dans les deux cas, j'ai bien mal réussi dans mon rôle de gardien.

Se rappelant bientôt qu'Elinor devait avoir envie de rejoindre sa sœur, il prit congé, non sans avoir reçu l'expression de sa reconnaissance et la laissant remplie de pitié et d'estime pour lui.

XXXII

Quand bien des détails de cette conversation eurent été répétés par miss Dashwood à sa sœur, comme ils le furent bientôt, leur effet ne fut pas entièrement celui qu'elle en attendait. Non que Marianne parut douter de leur entière vérité. Elle écouta tout avec l'attention la plus grande, ne fit ni d'objections, ni de remarques, n'essaya aucunement d'excuser Willoughby et sembla même montrer par ses pleurs qu'elle jugeait pareille tâche impossible. Mais, bien que cette attitude persuadait Elinor que la conviction de sa culpabilité avait pénétré son esprit, bien qu'elle constatait avec satisfaction que sa sœur n'évitait plus le colonel Brandon lors de ses visites, et lui adressait même, spontanément, la parole avec une nuance de respect et de pitié, bien que son esprit fut moins surexcité qu'au début, elle ne paraissait pas moins profondément atteinte. La violence de sa passion s'était calmée, mais elle restait plongée dans un sombre abattement. Elle souffrait de la perte de ses illusions sur le caractère de Willoughby plus qu'elle n'avait souffert de la perte de son amour; la séduction et l'abandon de miss Williams, la détresse de cette pauvre fille, et le doute planant sur ce que ses desseins avaient pu être jadis vis-à-vis d'elle-même pesaient si lourdement sur son cœur qu'elle ne pouvait prendre sur elle de communiquer ses sentiments même à Elinor, et en s'abandonnant à son chagrin en silence, elle affligeait plus sa sœur qu'elle ne l'aurait fait en les lui confiant le plus ouvertement et le plus souvent possible.

Dire ce qu'éprouva et ce que dit Mrs. Dashwood en recevant la lettre d'Elinor et en lui répondant serait seulement donner une répétition de ce qu'avaient déjà ressenti ses filles, sa déception étant à peine moins grande que celle de Marianne et son indignation peut-être plus forte que celle d'Elinor. De longues lettres d'elle se succédaient rapidement pour dire tout ce qu'elle souffrait et ce qu'elle pensait, pour exprimer à Marianne sa tendre sollicitude, et essayer de lui faire supporter courageusement cette infortune. Il fallait que l'affliction de Marianne fût bien profonde pour que sa mère pût parler de courage! et il fallait que les regrets auxquels elle lui demandait de ne pas s'abandonner eussent une origine aussi mortifiante qu'humiliante!

Contre l'intérêt de sa propre tranquillité, Mrs. Dashwood avait décidé qu'il valait mieux pour Marianne, dans ces conjonctures, être partout ailleurs qu'à Barton, où tout ce qui l'entourerait lui rappellerait le passé de la façon la plus pénible et placerait, tout le temps, sous ses yeux, le souvenir de Willoughby. Elle recommanda à ses filles en conséquence de n'écourter à aucun prix leur séjour chez miss Jennings dont la durée, sans avoir été jamais exactement précisée, devait, dans l'esprit de tout le monde, être de cinq à six semaines. Une diversité de société, qu'on ne pourrait trouver à Barton, s'y rencontrerait inévitablement, et pourrait peut-être, elle l'espérait, arracher parfois Marianne à ses pensées. Si peu qu'elle fût disposée à en profiter, pour le moment, elle pourrait peut-être y prendre cependant quelque intérêt et un peu de distraction.

Quant au risque de rencontrer encore Willoughby, sa mère considérait qu'elle en était aussi bien garantie à Londres qu'à la campagne, puisque tous ceux qui pouvaient se dire leurs amis avaient dû rompre avec lui. Ils ne pourraient jamais se rencontrer de propos délibéré; la négligence ne pouvait les exposer à cette surprise : et un hasard était même moins à craindre dans la foule de Londres que dans la solitude de Barton où ils risquaient de se trouver face à face pour peu que Willoughby ait l'idée d'aller à Allenham à l'occasion de son mariage; visite, du reste, que Mrs. Dashwood, la prévoyant d'abord comme probable, s'était promptement accoutumée à considérer comme certaine.

Elle avait encore une autre raison pour désirer que ses filles restassent où elles étaient. Une lettre de son beau-fils lui avait annoncé que lui et sa femme seraient à Londres avant le milieu de février, et elle jugeait convenable qu'elles voient quelquefois leur frère.

Marianne avait promis de suivre les avis de sa mère et elle s'y soumit, en conséquence, sans opposition, bien qu'ils fussent entièrement différents de ce qu'elle avait souhaité,

qu'elle les jugeât entièrement mal fondés, et qu'en lui pres-
crivant de continuer de rester à Londres, elle la privât du
seul soulagement possible à sa détresse, la sympathie person-
nelle et agissante de sa mère. Sans compter qu'elle se trouvait condamnée à vivre au milieu d'une société qui ne lui
laisserait pas un moment de tranquillité.

Mais elle tirait un grand motif de consolation du fait que
ce qui était un mal pour elle deviendrait un bien pour sa
sœur. De son côté, Elinor prévoyant qu'elle ne pourrait pas
éviter de rencontrer Edward, se consolait en pensant que,
bien que la prolongation de leur séjour allât contre sa propre
tranquillité, cette solution était préférable pour Marianne
à un retour immédiat dans le Devonshire.

Elle ne se départit pas de sa vigilance à éviter que le nom
même de Willoughby fût mentionné devant Marianne.
Celle-ci, sans en rien savoir, en recueillit tous les avantages;
car ni miss Jennings, ni sir John, ni même Mrs. Palmer, n'y
firent jamais allusion devant elle. Elinor aurait bien voulu
que cette exclusion s'étendît jusqu'à elle-même, mais c'était
impossible et elle devait, tous les jours, écouter l'expression
de leur indignation à tous.

Sir John n'aurait pas cru cela possible : un homme dont
il avait toujours eu tant de raisons de penser du bien! Un
garçon d'un si bon naturel! Il n'y avait pas, croyait-il, un
meilleur cavalier en Angleterre! C'était une chose incroyable! Il l'envoyait au diable de tout son cœur! Il n'échange-
rait plus un mot avec lui, pour rien au monde, où qu'il le
rencontrât! Non, même pas s'ils se trouvaient côte à côte à
l'affût, dans les bois de Barton, deux heures durant! Quel
misérable! quel trompeur! La dernière fois qu'ils s'étaient
rencontrés, il venait de lui offrir un petit chien de sa chienne
Folley. Et finir ainsi!

Mrs. Palmer, à sa façon, était également irritée.

Elle était résolue à rompre toutes relations avec lui et
remerciait le ciel de ce qu'elle ne l'avait jamais connu. Elle
aurait voulu, de tout son cœur, que Combe Magna ne fût pas
si près de Cleveland; mais cela ne signifiait rien car c'était
beaucoup trop loin pour voisiner; elle le détestait tellement
qu'elle était décidée à ne jamais plus prononcer son nom,
et elle se promettait de dire à tout le monde quel propre à
rien il était.

Le surplus de la sympathie de Mrs. Palmer se dépensa

à se renseigner sur tous les détails du prochain mariage et à les communiquer à Elinor. Elle fut bientôt en état de dire quel carrossier avait fourni la nouvelle voiture, quel peintre faisait le portrait de sir Willoughby et dans quelle boutique on pouvait admirer la robe de noces de miss Grey.

Le calme et le détachement poli de lady Middleton dans la circonstance fut un soulagement pour Elinor trop souvent accablée par la tapageuse sympathie des autres. C'était un grand repos d'esprit pour elle de sentir qu'elle n'excitait aucun intérêt chez une personne de son entourage; de savoir qu'elle pouvait se trouver avec elle sans faire naître aucune curiosité, et aucune anxiété pour la santé de sa sœur.

Des circonstances momentanées peuvent parfois faire prêter à une qualité, une valeur excessive : Elinor, à certaines heures, était si accablée par les condoléances qu'on lui prodiguait qu'elle finissait par croire que la bonne éducation était plus indispensable à l'agrément de la vie que la bonne volonté.

Lady Middleton exprimait son opinion sur l'affaire, environ une fois par jour, ou deux, si le sujet revenait sur le tapis, en disant : « Oh! c'est affreux! », et, grâce à cette formule, se trouva en état non seulement de voir, dès le début, les demoiselles Dashwood sans le moindre trouble mais bientôt d'éviter toute allusion à la chose; et, ayant ainsi défendu la dignité de son sexe, et censuré nettement la perversion de l'autre, elle jugea qu'elle avait toute liberté de songer aux intérêts de ses propres réunions. En conséquence, elle décida (quoique cependant contre l'opinion de sir John) que puisque Mrs. Willoughby était une femme élégante et fortunée, il conviendrait d'échanger avec elle des cartes dès qu'elle serait mariée.

Les questions délicates et discrètes du colonel Brandon n'étaient jamais désagréables à miss Dashwood. Il avait largement gagné le privilège de s'entretenir avec elle de la déception de sa sœur, par le zèle amical qu'il avait déployé pour essayer de l'adoucir, et tous deux causaient toujours avec confiance. Sa grande récompense, pour le pénible aveu qu'il avait dû faire de ses chagrins passés et de sa présente humiliation, résidait dans le regard de pitié que Marianne jetait parfois sur lui et dans la douceur de sa voix toutes les fois (ce qui d'ailleurs n'arrivait pas souvent) qu'elle était obligée de lui parler ou qu'elle prenait sur elle de le faire spontanément. Il voyait par là que son dévouement lui avait valu un regain de bonne volonté à son égard, et Elinor en concevait l'espoir que les sentiments de sa sœur pourraient se développer par la suite.

Mais Mrs. Jennings, qui ne savait rien de tout cela, voyait seulement le colonel aussi grave que jamais, et ne pouvait l'amener à se déclarer, ni à la charger de se déclarer pour lui, commença, au bout de deux jours, à se dire que ce ne serait pas pour le milieu de l'été, mais pour la Saint-Michel et, une semaine après, elle décida que rien ne se ferait. La bonne entente entre le colonel et miss Dashwood semblait plutôt indiquer que les mûriers, le canal et le berceau d'ifs seraient le lot de cette dernière; et Mrs. Jennings avait, pour quelque temps, entièrement banni Ferrars de sa pensée.

Vers le commencement de février, quelques jours environ après la lettre de Willoughby, Elinor eut la pénible mission d'annoncer à sa sœur le mariage de ce dernier. Elle s'était arrangée pour être prévenue dès que la cérémonie aurait eu lieu, désirant ne pas en voir Marianne informée par les journaux qu'elle la voyait dévorer chaque matin.

Elle reçut la nouvelle avec fermeté; ne fit aucune observation et, sur le moment, ne versa pas de larmes; mais, au bout d'un moment, sa douleur éclata, et elle passa tout le reste du jour dans un état guère moins pitoyable que le jour où elle avait appris le projet de ce mariage.

Les Willoughby quittèrent la ville aussitôt après la cérémonie; puisqu'il n'y avait plus de danger de les rencontrer, Elinor espéra alors pouvoir obtenir de sa sœur, qui n'avait pas encore quitté la maison depuis que le premier coup lui avait été porté, qu'elle s'accoutumât par degrés à sortir comme auparavant.

Vers cette époque, les deux miss Steeles, récemment arrivées chez leurs cousins Bartlett's à Buildings Holborn, firent à nouveau leur apparition dans le monde plus distingué de leurs amis. A Barkeley street, chacun leur fit l'accueil le plus empressé.

Elinor fut seule fâchée de les voir. Leur présence lui était toujours pénible et elle eut grand'peine à répondre gracieusement à l'expression de joie délirante que manifesta Lucy en la trouvant encore en ville.

— J'aurais été tout à fait déçue si je ne vous avais pas trouvée encore, répéta-t-elle à plusieurs reprises, en appuyant emphatiquement sur le dernier mot. Mais j'en étais sûre. J'étais quasi sûre que vous n'auriez pas encore quitté Londres, bien que, vous vous le rappelez, vous m'ayez dit, à Barton, que vous ne resteriez pas plus d'un mois. Je pensais bien alors que vous changeriez facilement d'avis au dernier moment. Ç'aurait été grand dommage de vous en aller avant l'arrivée de votre frère et de votre belle-sœur. Et, maintenant, j'en suis sûre, vous n'êtes plus pressée de partir. Je suis très heureuse que vous n'ayez pas tenu parole.

Elinor la comprit parfaitement et dut faire appel à tout son sang-froid pour faire comme si elle ne la comprenait pas.

— Et dites-moi, ma chère, dit Mrs. Jennings, comment avez-vous voyagé ?

— Pas en diligence, je vous assure ! s'écria miss Steeles, d'un ton de vive allégresse ; nous sommes allées en poste tout le temps et nous avons eu un galant très élégant pour nous accompagner. Le Dr. Davis venait à Londres et nous avons pensé que nous pourrions prendre une chaise de poste avec lui ; il y a consenti bien aimablement et a payé dix ou douze shillings de plus que nous.

— Oh ! oh ! s'écria Mrs. Jennings, tout à fait bien vraiment ! et le docteur est célibataire, je parie ?

— Maintenant, dit miss Steeles, souriant avec affectation, tout le monde me plaisante à propos du docteur et je ne puis pas comprendre pourquoi. Mes cousins disent que j'ai fait une conquête ; mais, pour moi, j'affirme que je ne pense pas une minute à lui de toute la journée. « Tiens ! voilà votre amoureux !... » me dit mon cousin, l'autre jour, en le voyant traverser la rue pour venir à la maison. « Mon amoureux, vraiment ? », lui dis-je, « je ne sais ce que vous voulez dire, le docteur n'est pas mon amoureux ! »

— Allons, allons ! voilà qui est bon, mais cela ne prend pas, le docteur est votre bête noire, je le vois.

— Non, certes, répondit sa cousine, avec un empressement affecté, et je vous prie de dire le contraire, si jamais vous en entendez parler.

— Je suppose que vous allez vous installer chez votre frère et sa femme quand ils seront à Londres, dit Lucy, revenant à la charge, après une interruption momentanée des hostilités.

— Non, je ne le crois pas.

— Oh! si, je suis sûre que vous le ferez.

Elinor n'était pas d'humeur à prolonger la discussion

— Comme c'est charmant à Mrs. Dashwood de consentir à se passer de vous si longtemps.

— Comment, longtemps? dit Mrs. Jennings, s'interposant, mais leur visite est à peine commencée!

Lucy fut réduite au silence.

— Je regrette de ne pas voir votre sœur, miss Dashwood, je regrette qu'elle ne soit pas bien, car Marianne avait quitté le salon à leur arrivée.

— Vous êtes bien bonne, ma sœur regrettera également de ne pas avoir eu le plaisir de vous voir; mais elle a beaucoup souffert, ces derniers temps, de maux de tête qui lui rendent la compagnie et la conversation impossibles.

— Oh! ma chère, que c'est malheureux! Mais d'aussi vieux amis que Lucy et moi... Je pense qu'elle pourrait nous voir; nous ne dirions pas un mot.

Elinor avec une grande politesse déclina la proposition : sa sœur était peut-être sur son lit ou dans son cabinet de toilette et, par conséquent, pas en état de se présenter.

— Oh! si ce n'est que cela! s'écria miss Steeles, nous pouvons bien aller la voir.

Elinor commençait à trouver que l'impertinence dépassait les bornes; mais elle n'eut pas à la souligner, car Lucy releva vertement le propos de sa sœur, ce qui, comme en maintes occasions semblables, sans ajouter grand'chose au charme des manières de l'une, avait l'avantage de corriger celles de l'autre.

XXXIII

Après quelque opposition, Marianne céda aux instances de sa sœur et consentit à sortir, un matin, avec elle et Mrs. Jennings pour une demi-heure. Elle mit, cependant, pour condition expresse qu'elle ne ferait pas de visites et les accompagnerait seulement chez Gray à Sackville street, où Elinor s'occupait de négocier l'échange de bijoux démodés de sa mère.

Quand elles descendirent de voiture devant la porte, Mrs. Jennings se rappela qu'il y avait, à l'autre bout de la rue, une dame à qui elle devait une visite; et, comme elle n'avait rien à faire chez Gray, il fut décidé que, pendant que les jeunes filles feraient leurs affaires, Mrs. Jennings ferait sa visite et retournerait ensuite les prendre.

En montant les escaliers, les demoiselles Dashwood trouvèrent tant de monde devant elles dans le magasin qu'il n'y avait personne pour prendre leurs ordres; elles furent donc obligées d'attendre. Tout ce qu'elles purent faire fut de s'asseoir près du premier comptoir qui paraissait devoir être bientôt libre; il n'y avait qu'un gentleman devant le comptoir et Elinor n'était pas sans avoir calculé que, par politesse, il se hâterait de céder la place. Mais tous les soins que lui imposait la délicatesse de son goût l'emportaient de beaucoup sur les convenances de politesse.

Il était en train de donner des ordres pour une boîte à cure-dents à son usage et, jusqu'à ce que la dimension, la forme et les ornements en eussent été arrêtés, il se fit montrer toutes les boîtes de la boutique, passant un quart d'heure à examiner et à critiquer chacune d'elles et, finalement, se décidant pour un modèle de sa propre invention. Jusque-là, il n'avait pris que le temps de jeter, aux deux dames qui attendaient, deux ou trois regards. Elinor en garda l'impression d'une personne et d'une figure d'une rare et parfaite insignifiance, quoiqu'il fût habillé à la dernière mode.

Marianne fit l'économie de la méprisante irritation et de l'agacement qu'aurait dû exciter sa façon impertinente de les regarder. Elle ne s'attacha pas, non plus, au ridicule de ses manières lorsqu'il dépréciait, tour à tour, les différents coffrets qu'on lui présentait, car elle demeura parfaitement inconsciente de tout cela. Elle se trouvait, en effet, aussi à son aise dans la boutique de Gray que dans sa propre chambre pour concentrer ses pensées en elle-même et rester ignorante du monde extérieur.

A la fin, l'affaire fut décidée. L'ivoire, l'or et les perles, tout avait reçu sa place et le gentleman ayant fixé la date ultime jusqu'à laquelle il pouvait consentir à vivre sans la possession de sa boîte à cure-dents, mit ses gants avec une calme lenteur, et, jetant sur les demoiselles Dashwood un nouveau regard, mais qui semblait plutôt demander qu'exprimer l'admiration, s'en alla avec un air d'heureuse suffisance et d'indifférence affectée.

Elinor ne perdit pas de temps à régler son affaire et était sur le point d'en terminer quand un autre gentleman surgit à côté d'elle. Elle tourna les yeux vers lui, et, non sans quelque surprise, reconnut son frère. Le degré de leur affection et du plaisir qu'ils avaient à se rencontrer était juste ce qui pouvait convenir au cadre où ils se trouvaient. Mr. John Dashwood était réellement loin d'être fâché de revoir ses sœurs; il en était même plutôt satisfait, et il demanda respectueusement et avec intérêt des nouvelles de leur mère.

Elinor apprit que Fanny et lui étaient à Londres depuis deux jours.

— J'aurais bien voulu venir vous voir hier, dit-il, mais c'était impossible, car il nous a fallu mener Harry voir les bêtes sauvages à Exeter Exchange, et nous avons passé le reste du jour avec Mrs. Ferrars. Harry s'est bien amusé. Ce matin, j'étais tout à fait décidé à venir chez vous, si j'avais pu trouver une demi-heure, mais on a toujours tant à faire quand on arrive! Je suis venu commander un cachet pour Fanny. Mais, demain matin, j'espère bien pouvoir venir à Berkeley street et me faire présenter à votre amie Mrs. Jennings. Je sais qu'elle a une grosse fortune. Et les Middleton aussi, il faudra que vous me présentiez à eux. Ce sont des parents de ma belle-mère et je serai heureux de leur présenter mes hommages. Ce sont d'excellents voisins de campagne pour vous, je sais.

— Excellents, vraiment. Leurs attentions pour nous, l'amitié qu'ils nous témoignent dépassent tout ce que l'on peut dire.

— J'en suis extrêmement heureux, vraiment, extrêmement heureux. Mais c'est une chose tout à fait normale. Ces gens sont très à leur aise; ils vous sont apparentés, et il est naturel qu'ils se montrent aimables avec vous et vous rendent ces menus services qui peuvent contribuer à l'agrément de votre vie. Et, ainsi, vous êtes bien installées dans votre petit cottage et vous ne manquez de rien? Edward nous en a fait une description charmante; la chose la plus parfaite en son genre qu'on puisse voir, dit-il, et il paraît

que vous vous y plaisez énormément. Nous avons éprouvé
une grande satisfaction à l'entendre, croyez-le bien.

Elinor se sentit un peu honteuse pour son frère; et ne fut
pas fâchée de pouvoir éviter de lui répondre, grâce à l'arrivée
du cocher de Mrs. Jennings, venu pour leur dire que sa
maîtresse attendait à la porte.

Sir Dashwood les reconduisit jusqu'à l'entrée, fut présenté à Mrs. Jennings à la porte de sa voiture et, après avoir
exprimé encore l'espoir de les voir le jour suivant, prit
congé.

Il tint exactement parole. Il émit la prétention d'excuser
l'absence de leur belle-sœur; elle était si fort occupée avec
sa mère que réellement elle n'avait le temps d'aller nulle
part. Cela n'empêcha pas Mrs. Jennings de l'assurer qu'elle
n'était pas femme à se formaliser : n'étaient-ils pas cousins
ou quelque chose comme cela? Elle promit qu'elle irait
bientôt voir Mrs. Dashwood et lui amènerait Marianne et
Elinor. Quant à lui, ses façons à leur égard, quoique parfaitement calmes, furent aimables; envers Mrs. Jennings,
il fit preuve d'une politesse attentive; et le colonel Brandon
étant arrivé peu après, il l'examina avec une curiosité qui
semblait signifier qu'il attendait seulement de savoir s'il
était riche pour lui consacrer les mêmes égards.

Après être resté une demi-heure, il demanda à Elinor
d'aller avec lui jusqu'à Conduit street et de le présenter à
sir John et lady Middleton. Il faisait bien beau et elle y
consentit volontiers. Dès qu'ils furent sortis, les questions
commencèrent.

— Qui est le colonel Brandon? Est-il fortuné?

— Oui, il a de très belles propriétés dans le Dorsetshire.

— J'en suis heureux. Il paraît un homme vraiment bien
élevé, et je pense, Elinor, que je puis vous féliciter de la
perspective d'un brillant établissement.

— Mon frère, qu'entendez-vous par là?

— Il vous aime. Je l'ai observé de près, et j'en suis convaincu. Quel est le montant de sa fortune?

— Deux mille livres de rente, je crois.

— Deux mille livres!

Et prenant sur lui de s'élever au plus haut sommet de la
générosité, il ajouta :

— Elinor, je voudrais de tout mon cœur, pour vous,
qu'il en eût le double.

— Je vous crois certainement, répondit Elinor, mais je suis tout à fait sûre que le colonel Brandon n'a pas la moindre envie de m'épouser.

— Vous vous trompez, Elinor; vous vous trompez beaucoup. Avec très peu de peine, vous pouvez vous le gagner. Peut-être, à présent, n'est-il pas tout à fait décidé; votre peu de fortune peut le faire hésiter; ses amis doivent tous le mettre en garde à cet égard. Mais quelques petites attentions, quelques encouragements, que les femmes peuvent si aisément pratiquer, le fixeront en dépit de lui-même. Et il n'y a pas de raison pour que vous n'essayiez pas. Il n'y a pas lieu d'objecter d'attachement antérieur de votre côté; vous savez que l'attachement dont il pourrait s'agir est tout à fait hors de question, les objections sont absolument insurmontables et vous avez trop de bon sens pour ne pas le voir. Le colonel Brandon, voilà l'homme qu'il vous faut; et, de mon côté, je ne lui épargnerai aucune amabilité pour qu'il n'ait qu'à se louer de vous et de notre famille. C'est une union qui donnera satisfaction à tout le monde. C'est une chose (il baissa la voix comme pour une confidence de la plus haute importance) qui sera extrêmement heureuse pour tous.

Et, se recueillant, il ajouta :

— Je veux dire que vos amis désirent vivement vous voir bien établie. Fanny particulièrement, car elle prend vos intérêts très à cœur, je vous assure. Et sa mère aussi, Mrs. Ferrars, une excellente personne; je suis sûr qu'elle en éprouverait un grand plaisir, elle me le disait encore l'autre jour.

Elinor ne daigna pas répondre.

— Ce serait bien remarquable, ajouta-t-il, véritablement curieux si Fanny mariait son frère, et moi ma sœur en même temps. Et ce n'est pas du tout impossible.

— Est-ce que Mr. Edward Ferrars, dit résolument Elinor, est sur le point de se marier ?

— Ce n'est pas encore décidé, mais c'est une chose en train. Il a une mère excellente; Mrs. Ferrars, avec la plus grande générosité, lui assure mille livres par an si le mariage a lieu. Il s'agit de l'honorable miss Morton, la fille unique du défunt lord Morton, qui a trente mille livres; une union vraiment souhaitable des deux côtés, et je ne doute pas qu'elle ne se réalise en temps voulu. Mille livres par an données une fois pour toutes, c'est un grand sacrifice pour une mère, mais Mrs. Ferrars a une conception si élevée des choses... Pour vous donner un autre exemple de sa générosité, l'autre jour, dès que nous sommes arrivés, s'avisant que nous n'avions pas beaucoup d'argent sur nous, pour le moment, elle a mis dans la main de Fanny deux cents livres en banknotes. Et ce n'est pas à mépriser car nous dépensons beaucoup ici.

Il s'arrêta pour lui laisser exprimer son assentiment et sa sympathie; elle se força à lui dire :

— Vos dépenses à tous deux en ville et à la campagne doivent être certainement grandes, mais votre revenu est considérable.

— Pas autant, j'ose le dire, que beaucoup de gens le supposent. Je ne veux pas me plaindre, cependant; certainement, nous avons une belle fortune, et qui s'accroîtra avec le temps, je l'espère. La clôture de Norland Common, par exemple, qui est en cours, pour le moment, constituera une source sérieuse de profits. Et je viens de faire, il y a six mois, une petite acquisition : East Kingham farm, vous voyez l'endroit, où vivait le vieux Gibson. Cette terre, je désirais l'avoir à tous les points de vue; elle était si proche de ma propriété, que j'ai pensé qu'il était de mon devoir de l'acheter. Je n'aurais pas eu la conscience tranquille si je l'avais laissée en d'autres mains. Mais ce sont des choses qui se payent et cela m'a coûté pas mal d'argent.

— Plus que la propriété ne valait réellement, pensez-vous ?

— Oh! j'espère que non. J'aurais pu la revendre le même jour pour plus que je ne l'ai payée. Mais, en ce qui concerne le prix d'achat, j'aurais pu être très défavorisé, car les fonds publics étaient si bas, à ce moment, que si je n'avais pas eu la somme chez mon banquier, il m'aurait fallu vendre des valeurs avec une grosse perte.

Elinor ne put que sourire.

— Nous avons eu d'autres importantes et inévitables dépenses aussi en arrivant à Norland. Notre respectable père, comme vous le savez bien, avait légué à votre mère tous les objets de Stanhill qui se trouvaient à Norland (et ils avaient une grande valeur). Loin de moi l'idée de le critiquer d'avoir agi ainsi; il avait le droit incontestable de disposer de son bien comme il l'entendait. Mais, en conséquence, nous avons été obligés de faire de nombreux achats de linge et de vaisselle, etc., pour remplacer ce qui avait été emporté. Vous pouvez juger, d'après toutes ces dépenses, combien nous sommes loin d'être riches, et combien les largesses de Mrs. Ferrars sont les bienvenues.

— Certainement, dit Elinor; et, avec son appui, je pense que vous pourrez vivre jusqu'à ce que les circonstances soient tout à fait favorables.

— Un an ou deux nous mettront sur la bonne voie, répliqua-t-il gravement, mais, cependant, il reste beaucoup à faire. Il n'y a pas encore une pierre de posée pour la serre de Fanny, et le plan seul du jardin existe.

— Où doit être la serre?

— Sur le tertre, derrière la maison. Les vieux noyers ont tous été abattus pour lui faire place. Ce sera un beau coup d'œil que l'on apercevra de beaucoup d'endroits du parc et le jardin qui s'étendra juste devant sera extrêmement joli. Nous avons nettoyé le sol de tous les vieux buissons qui encombraient le sommet d'un fouillis de verdure.

Elinor garda pour elle son chagrin et son blâme et rendit grâce intérieurement de ce que Marianne n'était pas là pour ressentir cette véritable provocation.

En ayant dit assez pour mettre en évidence sa pauvreté et rendre tout à fait invraisemblable l'idée qu'il pourrait, lors de sa prochaine visite chez Gray, acheter une paire de boucles d'oreilles pour chacune de ses sœurs, ses pensées prirent un tour plus riant et il se mit à congratuler Elinor d'avoir une amie telle que Mrs. Jennings.

— Elle a l'air, vraiment, d'une personne d'importance. Sa maison, son train de vie, tout annonce un revenu considérable, et c'est une connaissance qui, non seulement, vous a été très utile jusqu'à présent, mais qui, finalement, pourra être pour vous la source d'avantages substantiels. C'est certainement une grande faveur qu'elle vous a faite en vous invitant à Londres; et, vraiment, il y a là l'indication d'un tel intérêt à votre égard qu'en toute probabilité, à sa mort, elle ne vous oubliera pas. Elle laissera certainement une grosse fortune.

— Rien du tout, à ce que je suppose, car elle n'a que son douaire, qui reviendra à ses enfants.

— Mais il n'est pas possible qu'elle dépense tout son revenu. Bien peu de gens, à moins que d'être tout à fait imprudents, agissent ainsi; et tout ce qu'elle économise elle peut en disposer.

— Et ne trouveriez-vous pas plus naturel qu'elle en disposât en faveur de ses filles plutôt que de nous le donner?

— Ses filles sont toutes deux extrêmement bien mariées, et je ne vois donc pas la nécessité qu'elle y pense davantage. Tandis que, à mon sens, en s'occupant, à ce point, de vous, et vous traitant de cette façon, elle vous a donné une sorte de droit à sa future générosité. Et c'est là une chose qu'une personne consciencieuse ne peut pas négliger. On ne peut rien voir de plus bienveillant que son attitude; et elle ne peut guère se comporter ainsi, sans se rendre compte des espoirs qu'elle encourage.

— Mais elle n'en a fait naître aucun chez les intéressées. En vérité, mon frère, votre souci de notre bien-être et de notre prospérité vous entraîne trop loin.

— Au fait, dit-il, semblant se ressaisir, certainement, les gens ne peuvent pas grand'chose les uns pour les autres, presque rien. Mais, ma chère Elinor, qu'arrive-t-il à Marianne? Elle paraît bien mal en train, elle a perdu ses couleurs, elle a maigri. Est-elle malade?

— Elle n'est pas bien, elle a souffert nerveusement, ces dernières semaines.

— J'en suis fâché. A l'âge qu'elle a, il n'y a rien comme une maladie, pour détruire à jamais la fleur de la jeunesse. La dernière fois que je l'ai vue, en septembre dernier, c'était la plus jolie personne que j'aie jamais contemplée, et la plus attirante. Elle avait ce genre de beauté qui plaît particulièrement aux hommes. Je me rappelle que Fanny disait qu'elle se marierait plus tôt et mieux que vous; non pas qu'elle vous aime moins, mais c'est une impression qu'elle avait. Elle se sera trompée; pourtant, je me demande si Marianne, maintenant, en mettant les choses au mieux, pourra épouser un homme de plus de cinq à six cents livres par an, et je serais bien étonné si vous ne faisiez pas beaucoup mieux! Je ne connais pas grand'chose du colonel Brandon, mais, ma chère Elinor, je serais extrêmement heureux d'en connaître davantage; comptez-nous, Fanny et moi, parmi les premiers et les plus heureux de vos invités.

Elinor essaya très sérieusement de le convaincre qu'il n'y avait pas d'apparence qu'elle épousât le colonel Brandon; mais il prenait trop de plaisir à cette idée pour l'abandonner, et était vraiment résolu à rechercher l'intimité de ce gentle-man et à travailler à la réalisation de leur union par toutes les attentions possibles. Il avait juste assez de regret de n'avoir rien fait pour ses sœurs, pour être extraordinairement soucieux de voir les autres faire le plus possible ; et une offre de mariage par le colonel Brandon, ou un legs par Mrs. Jennings étaient les moyens les plus simples de réparer sa propre carence.

Ils furent assez heureux pour trouver lady Middleton chez elle, et sir John arriva avant la fin de la visite. Il y eut force politesses échangées de part et d'autre. Sir John était toujours prêt à accueillir le premier venu, et bien que sir Dashwood ne parût pas beaucoup se connaître en chevaux, il le classa immédiatement comme un personnage très sympathique ; tandis que lady Middleton trouva qu'il avait assez d'élégance pour qu'il soit agréable de le fréquenter. Et sir Dashwood les quitta enchanté de tous les deux.

— Je vais avoir un charmant rapport à faire à Fanny, dit-il, comme il s'en retournait avec sa sœur.

« Lady Middleton est vraiment une femme très élégante ! Précisément le genre de femme que Fanny sera heureuse de connaître, et Mrs. Jennings aussi, une femme extrêmement bien, quoique pas aussi élégante que sa fille ; votre belle-sœur ne doit même avoir aucun scrupule à la voir, ce qui, je dois le dire, avait été un peu le cas ; car nous savions seulement que Mrs. Jennings était la veuve d'un homme qui avait acquis toute sa fortune en partant de très bas ; et Fanny et Mrs. Ferrars s'étaient mis dans l'idée que ni elle ni ses filles n'étaient des personnes à fréquenter. Mais je suis, maintenant, en état de les rassurer complètement. »

XXXIV

Mrs. John Dashwood avait tant de confiance dans le jugement de son époux, qu'elle alla voir le lendemain même Mrs. Jennings et sa fille, et cette confiance fut récompensée, car elle trouva digne de son attention la personne qui héber-geait ses belles-sœurs et quant à lady Middleton, elle lui parut l'une des femmes du monde les plus accomplies.

Mrs. Dashwood plut également à lady Middleton. Il y avait chez toutes les deux un égoïsme et une sécheresse de cœur qui les attiraient mutuellement; et elles communiaient, l'une, l'autre, dans une insipide correction et un manque complet d'intelligence.

Ces mêmes qualités qui recommandaient Mrs. John Dashwood à la bonne opinion de lady Middleton ne produi-sirent pas le même effet sur Mrs. Jennings; à ses yeux, elle fit l'effet d'une petite femme prétentieuse, sans cœur, qui ne montrait aucune affection à ses belles-sœurs et ne trouvait presque rien à leur dire; car, au cours d'une visite d'un quart d'heure à Berkeley street, elle resta bien sept minutes et demie sans ouvrir la bouche.

Elinor, bien qu'elle ne voulût pas poser de questions à ce sujet, aurait beaucoup voulu savoir si Edward était à Lon-dres; mais, pour rien au monde, Fanny n'aurait consenti à prononcer son nom devant elle, avant de pouvoir lui annon-cer, en même temps, la conclusion de son mariage avec miss Morton. A moins que, d'autre part, les espoirs de son mari en ce qui concernait le colonel Brandon aient pris corps, elle les croyait encore si attachés l'un à l'autre qu'on ne pouvait prendre trop de précautions pour les séparer en paroles et en actes.

Le renseignement qu'elle ne voulait pas donner ne tarda pas à venir d'un autre côté. Lucy fit bientôt son apparition pour faire part à Elinor de sa douleur d'être séparée d'Edward bien qu'il fût arrivé à Londres avec Mr. et Mrs. Dashwood. Il n'osait venir à Barlett's Buildings par crainte d'être surpris, et, malgré leur grande impatience de se voir, ils ne pou-vaient que s'écrire.

Peu de temps se passa, avant qu'Edward ne confirmât lui-même cette nouvelle, en allant, deux fois, leur rendre visite à Berkeley street. Par deux fois, elles trouvèrent sa carte sur la table en revenant de leurs courses matinales. Elinor fut heureuse d'apprendre qu'il était venu et encore plus heureuse de ne pas s'être trouvée là.

Les Dashwood étaient si enchantés des Middleton que, bien que n'ayant guère l'habitude d'offrir quoi que ce soit, ils décidèrent de les prier à dîner, et, peu après qu'ils eurent

fait connaissance, les invitèrent à Harley street où ils avaient
loué, pour trois mois, un fort bel appartement. Leurs sœurs
et Mrs. Jennings étaient invitées également. Sir John Dashwood avait eu soin de s'assurer le colonel Brandon qui,
toujours heureux de se trouver avec les demoiselles Dashwood, reçut ses avances empressées avec quelque surprise,
mais encore plus de plaisir. Ils devaient rencontrer Mrs.
Ferrars. Mais Elinor ne put savoir si ses fils seraient de la
partie. La perspective de la voir, cependant, était suffisante
pour donner de l'intérêt à l'invitation; elle pouvait maintenant affronter la mère d'Edward sans cette grande angoisse
qui s'attachait, autrefois, pour elle à cette rencontre, et
garder, croyait-elle, à son égard un parfait détachement. Mais
son désir d'être en sa compagnie, sa curiosité de la connaître
étaient aussi vifs que jamais.

L'intérêt qu'elle prenait, d'avance, à cette invitation ne
tarda pas à augmenter beaucoup, quoique d'une façon peu
agréable, quand elle apprit que les demoiselles Steeles étaient
également invitées.

Elles s'étaient si bien fait voir de lady Middleton, leurs
assiduités les lui avaient rendues si agréables, que, bien que
Lucy ne fût certainement pas élégante, et que sa sœur ne
fût même pas bien élevée, elle se montra aussi empressée
que sir John à les inviter pour une semaine ou deux à Conduit
street, et, par une chance dont les demoiselles Steeles s'applau-
dirent particulièrement, leur séjour était commencé depuis
quelques jours quand arriva l'invitation des Dashwood.

Le fait, pour elles, d'être les nièces du gentleman qui
avait eu la charge d'Edward Ferrars pendant de nombreuses
années ne leur aurait certainement pas valu l'honneur de
s'asseoir à la table de sa sœur; mais elles y étaient cependant
les bienvenues en qualité d'hôtes de lady Middleton; Lucy
brûlait depuis longtemps d'être personnellement connue
de cette famille, de l'approcher pour s'en faire une idée plus
exacte et se rendre mieux compte des difficultés qu'elle
rencontrerait pour y entrer. Et elle n'était pas fâchée non
plus de saisir cette occasion pour essayer de lui plaire. Aussi,
avait-elle été rarement aussi heureuse qu'en recevant la
carte de Mrs. John Dashwood!

Sur Elinor, l'effet fut très différent. Elle se dit immédiatement qu'Edward, qui vivait avec sa mère, ne pouvait manquer d'être invité avec celle-ci à une réunion donnée par sa

sœur; et le revoir pour la première fois, après tout ce qui s'était passé en compagnie de Lucy... aurait-elle la force de l'endurer?

Ces craintes n'étaient peut-être pas entièrement fondées en raison, et elles ne le furent pas en fait. Elle en fut délivrée, non par ses propres réflexions, mais par les soins officieux de Lucy, qui crut lui infliger un sévère désappointement en lui disant qu'Edward ne serait certainement pas à Harley street mardi, et crut même augmenter son chagrin en lui persuadant qu'il se tenait à l'écart à cause de son extrême affection pour elle qu'ils étaient incapables de dissimuler quand ils se trouvaient ensemble.

Ce fameux mardi arriva qui devait mettre les deux jeunes filles en présence de cette formidable belle-mère.

— Plaignez-moi, chère miss Dashwood! dit Lucy pendant qu'elles montaient l'escalier côte à côte, car les Middleton étaient arrivés presque en même temps que Mrs. Jennings et on les annonça ensemble. Il n'y a personne ici que vous qui puisse me comprendre. Je peux à peine me tenir. Oh! mon Dieu! Dans un moment, je vais voir la personne dont tout mon bonheur dépend. La personne qui sera peut-être ma mère.

Elinor aurait pu la rassurer immédiatement en lui laissant entendre que la personne qu'elles allaient aborder pourrait devenir la mère de miss Morton plutôt que la sienne; mais elle n'en fit rien et l'assura, avec une grande sincérité, qu'elle la plaignait, ce qui étonna fort Lucy qui, quoique réellement mal à l'aise, comptait au moins être pour Elinor un objet d'irrésistible envie.

Mrs. Ferrars était une petite femme mince, se tenant droite jusqu'à l'exagération et d'un sérieux qui touchait à l'aigreur. Elle avait le teint jaune, la figure petite, sans beauté et naturellement dépourvue d'expression, mais une heureuse contraction de ses sourcils la sauvait de la banalité en lui donnant un air d'orgueil et de méchanceté. Elle ne parlait pas beaucoup, car, à l'inverse de beaucoup de gens, elle mesurait le nombre de ses paroles à celui de ses idées. Et des quelques syllabes qu'elle laissa tomber, aucune ne s'adressa à miss Dashwood, qu'elle regardait avec la résolution bien arrêtée de lui témoigner, en toute occasion, le plus d'antipathie possible.

Maintenant, cette attitude était indifférente à Elinor,

Quelques mois avant elle en eût été péniblement affectée; mais il n'était plus au pouvoir de Mrs. Ferrars de la troubler; et l'accueil tout différent qu'elle faisait aux demoiselles Steeles, et qui semblait bien calculé pour l'humilier davantage, n'avait pour résultat que de l'amuser. Elle ne pouvait que sourire en voyant les particulières gracieusetés de la mère et de la fille envers Lucy, qui était bien la personne entre toutes que, si elles avaient été au courant de son rôle, elles auraient eu le plus de désir de mortifier; et c'était elle, au contraire, dont elles ne pouvaient rien craindre, qui était l'objet de leur surveillance pointilleuse. Mais, tout en se riant intérieurement de les voir se mettre en frais si mal à propos, elle ne pouvait s'empêcher de réfléchir sur la folle étroitesse d'esprit dont procédait leur conduite et, en observant, en outre, les attentions étudiées avec lesquelles les demoiselles Steeles mendiaient leurs bonnes grâces, elle ne pouvait s'empêcher de les mépriser profondément toutes quatre.

Lucy était toute transportée d'être si honorablement distinguée; et miss Steeles désirait seulement, pour être au comble du bonheur, qu'on l'entreprît sur le Dr. Davies.

Le dîner fut de grande classe, les serviteurs nombreux et tout témoignait, chez la maîtresse de maison, du désir de briller et révélait chez le maître les moyens de la satisfaire. En dépit de toutes les améliorations et embellissements qu'il avait entrepris à Norland, en dépit des millions de livres qu'il avait failli vendre à perte, on ne découvrait aucun signe de cette indigence à laquelle il avait essayé de faire croire, aucune pauvreté n'apparaissait si ce n'est dans la conversation; mais là, le déficit était considérable. John Dashwood ne trouvait pas grand'chose à dire et sa femme encore moins. Mais cela ne tirait pas à grande conséquence, car c'était tout à fait le même cas pour la plupart de leurs invités, qui cumulaient à l'envi tous les défauts qui peuvent rendre les gens désagréables, manquant à la fois de bon sens naturel ou acquis, d'élégance, d'esprit et de modération.

Quand les dames passèrent au salon après dîner, cette déficience parut plus évidente encore car les hommes avaient quelque peu alimenté la conversation en parlant politique et en s'entretenant de leurs affaires et de leurs chevaux, mais de pareils sujets manquaient aux conversations féminines et un seul sujet occupa la société jusqu'au café :

la comparaison entre la taille d'Harry Dashwood et de William, le second fils de lady Middleton, qui étaient à peu près du même âge.

Si les deux enfants avaient été là, rien n'aurait été plus facile que de les mesurer; mais comme il n'y avait qu'Harry, ce n'étaient, des deux côtés, que des assertions conjecturales et chacun pouvait également rester sur ses positions et affirmer et réaffirmer, tant qu'il voulait, son opinion.

Les intéressés se divisaient ainsi qu'il suit :

Chacune des deux mères, quoique réellement convaincue, en son particulier, que son fils était le plus grand, se décida poliment en faveur de l'autre.

Les deux grand-mères, avec non moins de partialité, mais plus de sincérité, furent également empressées à soutenir la cause de leur propre descendant.

Lucy, qui désirait autant plaire aux parents de l'un que de l'autre, exprima cette idée que les deux enfants étaient remarquablement grands pour leur âge et qu'elle ne pouvait concevoir qu'il y eût entre eux la plus petite différence. Et miss Steeles, avec encore plus d'adresse, donna son suffrage, aussi énergiquement que possible, successivement en faveur de l'un et de l'autre.

Elinor, ayant une fois exprimé son opinion en faveur de William en quoi elle choqua Mrs. Ferrars et encore plus Fanny, ne vit pas la nécessité de la renforcer en la répétant; et Marianne, lorsqu'on lui demanda la sienne, les choqua tous en déclarant qu'elle n'avait pas d'avis à donner, parce qu'elle ne s'était jamais avisée d'y penser.

Avant son départ de Norland, Elinor avait peint une bien jolie paire d'écrans pour sa belle-sœur. On venait précisément de les faire monter et on les avait apportés dans l'appartement qu'ils occupaient. John Dashwood, quand il rentra avec les autres gentlemen dans le salon, y jeta les yeux et, s'en emparant, les tendit obligeamment au colonel Brandon.

— C'est l'œuvre de ma sœur aînée, dit-il, et vous qui êtes un homme de goût, vous l'apprécierez, j'en suis sûr; je ne sais si vous avez déjà vu de ses œuvres, mais on lui reconnaît, en général, un véritable talent pour la peinture.

Le colonel, tout en déclinant toute prétention à être un connaisseur, admira chaleureusement les écrans, comme il l'aurait fait de n'importe quelle peinture de miss Dashwood.

Et la curiosité étant excitée, on fit le rond tout autour d'eux. Mrs. Ferrars, ne sachant pas que c'était l'œuvre d'Elinor, demanda spécialement à les voir; et après qu'ils eurent reçu l'approbation flatteuse de Mrs. Middleton, Fanny les présenta à sa mère, ne manquant pas en même temps de l'informer qu'ils étaient l'œuvre de miss Dashwood.

— Hum! dit Mrs. Ferrars, c'est très joli, et sans y jeter un regard, les rendit à sa fille.

Peut-être Fanny pensa-t-elle un moment que sa mère avait dépassé les bornes, car rougissant un peu elle dit aussitôt:

— Ils sont très bien, Maman, n'est-ce pas?

Mais alors la peur la prit d'avoir été elle-même trop polie, trop encourageante, car elle ajouta tout de suite :

— Ne trouvez-vous pas qu'ils rappellent un peu le style de miss Morton. Elle peint délicieusement. Que son dernier paysage était beau!

— Oui, très beau, mais elle peint extrêmement bien.

Marianne n'en put supporter davantage; Mrs. Ferrars lui avait déjà grandement déplu; et cet éloge aussi intempestif d'une autre aux dépens d'Elinor, encore qu'elle n'eût aucune idée de sa vraie signification, provoqua instantanément de sa part une vive réplique.

— Voilà une admiration d'un genre bien spécial! Que vient faire cette miss Morton? Qui de nous la connaît ou s'en occupe? c'est d'Elinor qu'il s'agit, et dont nous parlons.

Ayant ainsi parlé, elle prit les écrans des mains de sa belle-sœur pour les admirer elle-même comme ils méritaient de l'être.

Mrs. Ferrars parut aussi courroucée que possible et, devenant plus rogue que jamais, risposta par cette amère philippique:

— Miss Morton est la fille de lord Morton!

Fanny se montrait aussi très fâchée et son mari était glacé de crainte devant l'audace de sa sœur. Elinor était bien plus peinée de la sortie de Marianne que de l'incident qui en avait été l'occasion. Mais les yeux du colonel Brandon fixés sur Marianne montraient qu'il ne voulait voir que le beau côté de la chose; la chaleureuse affection dont elle faisait preuve et qui ne pouvait supporter de voir une sœur offensée même à propos d'une question insignifiante.

L'émotion de Marianne n'était pas calmée. La froide insolence affectée par Mrs. Ferrars dans son attitude envers sa sœur lui semblait devoir apporter à Elinor toute la peine et la détresse que sa propre sensibilité blessée lui faisait envisager avec horreur; et, poussée par un violent élan d'affection, elle alla, après un moment, à côté de la chaise d'Elinor, lui passa le bras autour du cou et, appuyant sa joue contre sa joue, dit d'une voix basse mais passionnée :

— Chère, chère Elinor, ne faites pas attention à eux. Ne vous rendez pas malheureuse à cause d'eux!

Elle ne put en dire davantage; elle avait perdu tout empire sur elle-même et, cachant sa figure contre l'épaule de sa sœur, elle fondit en larmes. Toute l'attention se tourna vers elle et la consternation fut presque générale. Le colonel Brandon se leva et vint à elle sans savoir ce qu'il faisait. Mrs. Jennings, avec un très intelligent : « Ah! pauvre chérie! », lui passa immédiatement son flacon de sels; et sir John se sentit une rage si désespérée contre l'auteur de cette catastrophe nerveuse, qu'il quitta immédiatement son siège pour s'asseoir à côté de miss Steeles et lui donner, en confidence, un bref aperçu de toute cette pénible affaire.

En quelques minutes pourtant, Marianne recouvra suffisamment ses esprits pour mettre fin à l'incident et reprendre sa place; bien qu'elle restât tout le reste de la soirée sous l'impression de ce qui venait de se passer.

— Pauvre Marianne ! dit à voix basse son frère au colonel Brandon aussitôt qu'il put accaparer son attention. Elle est loin d'avoir une aussi bonne santé que sa sœur, elle est très nerveuse. Elle n'a pas la constitution d'Elinor, et vraiment il faut avouer qu'il y a quelque chose de pénible pour une jeune fille qui a été une beauté à voir s'enfuir toutes ses séductions. Vous ne le croiriez peut-être pas, mais Marianne était merveilleusement jolie, il y a quelques mois; aussi belle qu'Elinor. Vous voyez maintenant qu'elle a tout perdu...

XXXV

Elinor avait satisfait sa curiosité à l'égard de Mrs. Ferrars. Elle avait trouvé, en elle, tout ce qui pouvait rendre indésirable une union entre les deux familles. Elle avait pu suffisamment apprécier son orgueil, son étroitesse d'esprit, sa prévention à son égard, pour se rendre compte des complications et du retard qu'elle aurait apporté au mariage même si Edward eût été libre par ailleurs. Et, pour son propre compte, elle se félicitait presque qu'un obstacle majeur la préservât d'avoir à souffrir de quelque autre projet de Mrs. Ferrars. Elle se sentait heureuse de ne pas avoir à endurer ses caprices et de ne pas être obligée de gagner ses bonnes grâces. Et, si elle ne pouvait se résigner à savoir Edward rivé à Lucy, du moins décida-t-elle que si Lucy avait été plus intéressante, il y aurait eu de quoi se réjouir de leur engagement.

Mais elle s'étonnait que Lucy pût être à ce point séduite par les politesses de Mrs. Ferrars; elle ne pouvait croire que son intérêt et sa vanité l'aveuglassent au point que les attentions qui semblaient ne s'adresser à elle que parce qu'elle n'était pas Elinor, lui parussent un compliment à son adresse. Mieux encore, comment pouvait-elle tirer un encouragement d'une préférence qui ne lui était donnée que parce qu'on ignorait sa vraie position? C'était pourtant ainsi : non seulement cette conviction se lisait, ce soir-là, dans ses yeux, mais encore elle la proclama elle-même ouvertement le lendemain; car, sur sa demande expresse, lady Middleton la déposa le matin à Berkeley street où elle espérait avoir la chance de trouver Elinor seule, pour lui dire son bonheur.

Elle eut, en effet, cette chance, car un message de Mrs. Palmer, arrivé bientôt après, obligea Mrs. Jennings à sortir.

— Ma chère amie, s'écria Lucy aussitôt qu'elles furent ensemble, je viens vous entretenir de mon bonheur. Peut-on rien imaginer de plus flatteur que l'accueil de Mrs. Ferrars hier soir? Comme elle a été merveilleusement aimable! vous savez combien je tremblais à la pensée de la voir; mais, dès que je lui ai été présentée, elle a montré tant d'affabilité qu'on dirait réellement qu'elle a un caprice pour moi. Etait-ce bien cela? Vous avez tout vu, n'avez-vous pas eu tout à fait la même impression?

— Elle a été certainement très polie avec vous.

— Polie! N'avez-vous pas vu quelque chose de plus que de la politesse? J'ai trouvé qu'il y avait beaucoup plus que cela; une préférence marquée, par rapport à toutes les personnes présentes! Ni orgueil, ni hauteur et votre belle-sœur aussi dans des dispositions toutes semblables. Toute bonne grâce et affabilité.

Elinor aurait voulu parler d'autre chose, mais Lucy la pressa encore de lui dire si elle trouvait sa satisfaction fondée et Elinor fut obligée de s'expliquer.

— Sans aucun doute, si elles avaient connu votre engagement, rien n'aurait pu être plus flatteur que la façon dont on vous a reçue mais comme ce n'était pas le cas...

— J'étais sûre que vous alliez me dire cela, répondit tout de suite Lucy; mais il n'y avait aucune raison pour que je paraisse plaire à Mrs. Ferrars, si je ne lui plaisais pas, et lui plaire, tout est là. Vous ne me ferez pas changer d'idée. Je suis sûre que tout finira bien, et qu'il n'y aura pas du tout les difficultés que je craignais. Mrs. Ferrars est une femme charmante, et votre belle-sœur aussi. Oui, vraiment, ce sont des femmes exquises. Je suis étonnée de ne vous avoir jamais entendu dire combien Mrs. Dashwood était agréable.

A cela, Elinor n'avait aucune réponse à faire et n'en essaya aucune.

— Etes-vous malade, miss Dashwood? Vous semblez déprimée, vous n'êtes pas bien?

— Je ne me suis jamais mieux portée.

— Je m'en réjouis de tout mon cœur, mais, réellement, vous n'en avez pas l'air. Je serais navrée de vous voir malade, vous qui avez été mon plus grand soutien en ce monde. Dieu sait ce que je serais devenue sans votre amitié.

Elinor, sans grande conviction, essaya de faire une réponse polie. Mais Lucy s'en montra satisfaite car elle répliqua aussitôt :

— En vérité, je suis parfaitement convaincue de l'intérêt que vous me portez, et, avec l'amour d'Edward, c'est mon plus grand soutien. Pauvre Edward! mais, maintenant, les choses s'arrangent car nous allons pouvoir nous rencontrer et assez souvent, car lady Middleton s'est éprise de Mrs. Dashwood, aussi je compte bien que nous serons souvent à Harley street. Edward y passe la moitié de son temps avec sa sœur; et, de plus, lady Middleton et Mrs. Ferrars vont être en relations. Mrs. Ferrars et votre belle-sœur ont eu la bonté de me dire, l'une et l'autre, plus d'une fois, qu'elles seraient heureuses de me voir. Elles sont tout à fait charmantes. Certainement, si jamais vous avez l'occasion de parler de moi à votre belle-sœur, vous ne pourrez trop insister sur le bien que je pense d'elle.

Mais Elinor n'était pas disposée à lui donner cet espoir. Lucy continua :

— Je suis sûre que si j'avais déplu à Mrs. Ferrars, je l'aurais vu tout de suite. Par exemple, si elle ne m'avait fait qu'un salut de politesse, sans dire un mot, si, ensuite, elle ne m'avait jamais adressé un regard aimable. Vous voyez ce que je veux dire. Si elle avait ainsi affecté de m'ignorer, j'aurais abandonné la partie comme désespérée. Je n'aurais pas pu le supporter. Car, lorsqu'elle déteste quelqu'un, c'est pour de bon.

Elinor fut dispensée de répondre à cette expression courtoise de triomphe, car la porte s'ouvrit, tout d'un coup. On annonça sir Ferrars et Edward parut.

Ce fut un moment vraiment difficile et leur contenance à tous trois en témoigna. Ils parurent affolés; Edward parut plus disposé à se retirer qu'à entrer. La conjoncture la plus désagréable, sous sa forme la plus fâcheuse et que chacun d'eux était le plus disposé à éviter, s'était produite. Non seulement ils se trouvaient réunis mais encore sans la ressource d'une quatrième personne. Les dames se remirent les premières. Ce n'était pas le rôle de Lucy de se mettre en avant; en conséquence, après avoir fait un léger salut, elle garda le silence.

Mais la tâche d'Elinor était plus compliquée, et elle avait tellement à cœur, tant pour eux que pour elle, de faire pour le mieux qu'elle se contraignit, après un moment de recueillement, à recevoir Edward de façon aisée et ouverte; et, par un nouvel effort, elle tâcha de se monter plus accueillante encore. Elle ne voulut pas admettre que la présence de Lucy ou la conscience de quelque tort à son égard l'empêchassent de dire à Edward qu'elle était heureuse de le voir et qu'elle avait beaucoup regretté de ne pas être à la maison, lorsqu'il était venu auparavant. Elle ne craignit pas d'avoir pour lui les égards qui lui étaient dûs, comme ami et presque comme parent, malgré le regard inquisiteur de Lucy, qu'elle voyait attentivement fixé sur eux.

Cet accueil redonna quelque assurance à Edward et il prit le temps de s'asseoir; mais son embarras dépassait celui des deux jeunes filles. Sa situation, du reste, s'expliquait en partie quoique son sexe aurait dû lui permettre de le sur-

monter; son cœur n'avait pas le calme indifférent de Lucy
et il n'avait pas la conscience aussi à l'aise qu'Elinor.

Lucy, avec un air résolument effacé, semblait déterminée
à ne rien faire pour faciliter les choses et ne prenait pas part
à la conversation; et presque tout ce qui fut dit venait d'Elinor,
qui fut obligée de donner spontanément toutes sortes de
détails sur la santé de sa mère, leur arrivée en ville, etc.,
dont Edward aurait dû s'enquérir, ce qu'il ne songeait pas
à faire.

Ses efforts ne s'arrêtèrent pas là; car, bientôt, elle décida,
sous prétexte d'aller chercher Marianne, de les laisser ensemble; ce qu'elle fit réellement, et de la façon la plus obligeante,
car elle s'attarda exprès plusieurs minutes dans le vestibule
avant d'aller trouver sa sœur. Quand celle-ci fut prévenue,
la joie du tête-à-tête cessa pour Edward. Car Marianne fit
immédiatement irruption dans le salon. Son plaisir de le
voir fut comme tous ses sentiments, vif en lui-même et dans
sa façon de se manifester. Elle l'aborda la main tendue et
sa voix exprimait une affection fraternelle.

— Cher Edward! s'écria-t-elle. Voilà un vrai bonheur,
et qui console de bien des choses!

Edward tenta de répondre à cet accueil comme il convenait, mais devant de tels témoins il n'osait dire la moitié de
ce qu'il pensait. On s'assit de nouveau, et le silence régna
encore quelques instants, tandis que Marianne promenait
de tendres et éloquents regards d'Edward à Elinor, regrettant
seulement que leur bonheur mutuel fût troublé par la présence importune de Lucy. Edward prit la parole le premier
et ce fut pour remarquer l'altération des traits de Marianne
et exprimer la crainte que le séjour de Londres ne lui fût
pas favorable.

— Oh! ne vous inquiétez pas de moi, répliqua-t-elle
avec chaleur, bien qu'elle eut les larmes aux yeux; ne vous
occupez pas de ma santé. Elinor va bien, vous voyez. Ce
doit être assez pour vous deux.

Cette remarque n'était pas de nature à mettre Edward
et Elinor plus à l'aise, ni à lui concilier les bonnes grâces
de Lucy, qui lança à Marianne un regard dépourvu de bienveillance.

— Aimez-vous Londres? dit Edward, désirant passer
à un autre sujet.

— Pas du tout. J'en attendais grand plaisir mais je n'en

ai retiré aucun. Le seul, c'est de vous voir, Edward. Et,
Dieu merci, vous êtes toujours le même.

Elle s'arrêta, personne ne prit la parole.

— J'y pense, Elinor, dit-elle soudain. Nous devrions
charger Edward de nous reconduire à Barton. Dans une
semaine ou deux, je suppose que nous serons sur le point
du départ; et je suis convaincue qu'Edward ne refusera pas
de se charger de nous.

Le pauvre Edward balbutia quelque chose; mais personne
ne sut ce qu'il avait dit et il ne le savait pas lui-même. Toutefois, Marianne, qui vit son embarras et pouvait aisément
y trouver en elle-même une raison, fut parfaitement satisfaite
et parla bientôt d'autre chose.

— Quelle soirée nous avons passée, Edward, à Harley
street, hier. Si ennuyeuse, si mortellement ennuyeuse! Mais
j'en ai plus à vous dire là-dessus que je ne puis le faire maintenant.

Et, avec cette admirable discrétion, elle différa, jusqu'au
moment où ils pourraient se voir plus intimement, l'assurance qu'elle trouvait leur mutuelle parenté plus désagréable
que jamais et qu'elle éprouvait pour sa mère une particulière
aversion.

— Mais pourquoi n'étiez-vous pas là, Edward? Pourquoi
n'êtes-vous pas venu?

— J'étais retenu ailleurs.

— Ailleurs! Mais qu'importait quand il s'agissait de
revoir de tels amis.

— Peut-être, miss Marianne, s'écria Lucy, prompte à
prendre sa revanche, pensez-vous que les jeunes gens ne
tiennent jamais leurs engagements quand ils n'en ont pas
envie, qu'il s'agisse des grands ou des petits.

Elinor fut très irritée, mais Marianne parut totalement
insensible à l'allusion, car elle répliqua tranquillement :

— Mais non, certainement, car, à parler sérieusement,
je suis sûre que c'est par conscience qu'Edward n'est pas
venu à Harley street. Et je crois réellement qu'il a la conscience
la plus délicate du monde; la plus délicate à remplir tous ses
engagements, si minimes soient-ils, et si opposés qu'ils
puissent être à ses intérêts et à son plaisir. Personne ne craint
plus que lui de faire de la peine, de décevoir une attente.
C'est l'être le plus incapable d'égoïsme que j'ai jamais vu.
C'est ainsi, Edward, et je le dirai. Quoi! vous ne voulez

pas entendre votre apologie? Alors, vous ne pourrez jamais
être de mes amis; car ceux qui veulent avoir mon amitié
et mon estime doivent subir ouvertement mes éloges.

La nature de cet éloge, dans le cas présent, se trouvait
particulièrement mal adaptée aux sentiments des deux tiers
de ses auditeurs, et était si peu amusante pour Edward qu'il
se leva bientôt pour prendre congé.

— Partir si vite! dit Marianne; mais, Edward, cela ne se
peut pas.

Et, le tirant un peu à part, elle lui souffla sa conviction
que Lucy ne s'attarderait pas longtemps. Mais même cette
assurance ne suffit pas, car il s'en alla. Et Lucy, qui n'aurait
pas quitté la place, même si sa visite avait duré deux heures,
partit bientôt après.

— Qu'est-ce qui peut nous l'amener si souvent? dit
Marianne après son départ. N'a-t-elle pas vu que nous dési-
rions la voir partir? Comme c'était ennuyeux pour Edward!

— Pourquoi donc? Nous sommes tous ses amis et Lucy
est celle qu'il connaît depuis le plus longtemps. Il est bien
naturel qu'il ait autant de plaisir à la voir qu'à nous voir.

Marianne la regarda fermement et dit:

— Vous savez, Elinor, que c'est une façon de parler
que je ne puis supporter. Si vous voulez seulement que je
vous contredise, et je suppose que c'est le cas, il faut vous
rappeler que je serai la dernière personne au monde à le
faire. Je ne puis me prêter à cette plaisanterie qui consiste à
me faire démontrer ce que vous savez aussi bien que moi.

Là-dessus, elle quitta la pièce, et Elinor n'osa la suivre
pour lui en dire davantage; car, liée comme elle l'était par
sa promesse de secret envers Lucy, elle ne pouvait lui donner
l'explication qui l'aurait convaincue. Tout ce qu'elle put
espérer fut qu'Edward ne les exposât pas souvent, l'un et
l'autre, au chagrin d'avoir à entendre les allusions intempes-
tives de Marianne, ainsi qu'à une répétition plus ou moins
complète des divers embarras où les avait mises leur entrevue. Et elle avait toute raison d'y compter.

XXXVI

Peu de jours après cette rencontre, les journaux firent savoir au monde entier que la femme de Thomas Palmer avait heureusement mis au monde un fils et héritier.

Cet événement, qui importait tant au bonheur de Mrs. Jennings, changea temporairement l'emploi de son temps et influença, dans la même mesure, les engagements de ses jeunes amies; en effet, comme elle souhaitait être, le plus possible, avec Charlotte, elle se rendait chez elle tous les matins dès qu'elle était habillée et ne rentrait que tard dans la soirée. Et les demoiselles Dashwood, à la demande expresse des Middleton, passaient toute la journée à Conduit street. Pour leur propre agrément, elles seraient volontiers restées, au moins le matin, chez Mrs. Jennings; mais c'était une chose qu'on ne pouvait faire contre le vœu général. Leurs journées se passaient donc avec lady Middleton et les demoiselles Steeles qui, en réalité, et malgré les apparences, n'appréciaient pas du tout leur compagnie.

Pour lady Middleton, elles étaient trop sensées pour être des compagnes désirables; et les deux autres les considéraient d'un œil jaloux comme marchant sur leurs brisées, et prenant part aux travaux qu'elles entendaient monopoliser. Bien que rien ne pût être plus poli que l'attitude de lady Middleton envers Elinor et Marianne, au fond, elle ne les aimait pas du tout, parce qu'elles ne les flattaient, ni elle ni ses enfants. Elle ne pouvait croire, par ailleurs, qu'elles fussent bienveillantes parce qu'elle les croyait portées à la satire sans trop savoir, peut-être, ce que cela signifiait. C'était une formule de blâme en usage et facile à invoquer.

Leur présence était une gêne pour elle et pour Lucy. Leurs manières faisaient contraste avec la paresse de l'une et l'affairement de l'autre. Devant elles, lady Middleton avait honte de ne rien faire et Lucy, qui était fière, en temps ordinaire, des flatteries qu'elle imaginait et prodiguait autour d'elle, craignait, en leur présence, de s'attirer par là leur mépris.

Des trois, miss Steeles était celle que leur présence gênait le moins. Et elles auraient pu la gagner complètement. Auraient-elles, l'une ou l'autre, consenti à lui faire un récit complet de tout ce qui s'était passé entre Marianne et Willoughby, elle se serait crue amplement payée du sacrifice de la meilleure place au coin du feu, que lui avait valu leur arrivée; mais bien qu'elle ne se fit pas faute d'exprimer, devant Elinor, sa compassion pour sa sœur, et que, plus d'une fois, elle eût laissé tomber devant Marianne une réflexion sur l'inconstance des hommes, elle n'en tira rien, et se heurta, chez la première, à l'indifférence et, chez la seconde, au dégoût. Avec un moindre effort, elles auraient pu encore s'en faire une amie. Si elles l'avaient seulement entreprise à propos du docteur. Mais, pas plus que les autres, Elinor et Marianne ne pensaient à l'obliger, si bien que, lorsque sir John dînait au dehors, elle risquait de passer la journée entière sans entendre, à ce sujet, d'autres railleries que celles qu'elle était assez bonne pour s'adresser à elle-même.

Toutes ces jalousies et ces mécontentements, cependant, restaient tellement ignorés de Mrs. Jennings qu'elle se figurait que c'était chose délicieuse pour les jeunes filles que cette compagnie; elle les félicitait généralement, chaque soir, d'avoir évité si longtemps la compagnie d'une stupide vieille femme. Elle les retrouvait, quelquefois, chez sir John, quelquefois chez elle; mais où que ce fût, elle arrivait toujours d'excellente humeur, remplie de satisfaction et d'importance, attribuant le bon état de Charlotte à ses propres soins, et prête à donner un compte exact et si minutieux de son état que miss Steeles avait seule assez de curiosité pour désirer l'entendre. Une seule chose la chagrinait et elle s'en plaignait journellement : Mr. Palmer s'en tenait à l'opinion masculine commune mais peu paternelle, que tous les enfants se ressemblent; et, bien qu'elle-même pût clairement saisir, suivant les moments, la ressemblance la plus frappante entre le baby et chacun des membres de la famille, elle n'arrivait pas à en convaincre son gendre; et pas davantage à le persuader qu'il n'était pas du tout semblable à tous les enfants de son âge; on ne pouvait même pas arriver à lui faire reconnaître cette simple vérité qu'il était le plus bel enfant du monde.

J'en viens maintenant à une infortune qui frappa John Dashwood dans cette période. Il s'était trouvé que, pendant la première visite que Mrs. Jennings et ses sœurs lui firent à Harley street, une autre de ses connaissances était entrée. Circonstance qui, en apparence, ne pouvait lui valoir aucun désagrément. Mais, tant que l'imagination des gens leur permettra de former de faux jugements sur notre conduite et de se décider sur de légers indices, nous serons toujours à la merci du hasard. Dans le cas présent, la dame dernière arrivée se laissa à tel point emporter au delà de la vérité et même la simple vraisemblance, qu'au seul nom des demoiselles Dashwood, et sachant qu'elles étaient les sœurs de sir Dashwood, elle en conclut tout naturellement qu'elles logeaient à Harley street, et cette méprise eut pour conséquence, au bout d'un jour ou deux, l'envoi de cartes d'invitations pour elles, ainsi que pour les John Dashwood, à une petite soirée musicale chez elle.

La conséquence en fut que Mrs. John Dashwood eut non seulement à subir l'inconvénient exorbitant d'envoyer sa voiture chercher les demoiselles Dashwood, mais, ce qui était bien pire, à endurer le crève-cœur d'avoir l'air de les traiter avec égards; et qui sait si elles n'allaient pas s'attendre maintenant à sortir encore avec elle? Sans doute, elle pourrait toujours les décevoir. Mais ce n'était pas assez; car les gens obstinés dans une mauvaise voie prennent pour une injure la seule idée qu'ils pourraient s'en écarter.

On avait fini par habituer si bien Marianne à sortir chaque jour qu'il lui était devenu indifférent de rester ou non et elle se préparait tranquillement et machinalement pour chaque soirée, sans s'en promettre le moindre amusement, ignorant même, la plupart du temps jusqu'au dernier moment, où elle allait.

Elle était devenue si indifférente à son apparence et à sa parure, qu'elle n'y accordait pas, durant tout le temps que durait sa toilette, la moitié de l'attention qu'y portait miss Steeles, dans les dix premières minutes où elles se trouvaient ensemble lorsqu'elle avait terminé. Rien n'échappait à sa minutieuse observation et à sa curiosité; elle n'avait de repos qu'elle n'eût connu le prix de chaque partie de son ajustement; elle aurait pu dire le nombre de ses robes plus exactement que Marianne elle-même. Et elle ne désespérait pas de savoir avant son départ ce que lui coûtait par mois son blanchissage et ce qu'elle dépensait annuellement pour son entretien. Ces questions déplacées se terminaient généralement par un compliment qui, quoique visant à la flatter, était considéré par Marianne comme le comble de l'impertinence. Car, après avoir enduré un examen sur la valeur et la coupe de sa robe, la couleur de ses souliers et l'arrangement de sa coiffure, elle était presque sûre de l'entendre dire qu'elle était vraiment tout à fait élégante et qu'elle ne pourrait manquer de faire des conquêtes.

C'est sur un encouragement de ce genre qu'elle s'embarqua ce soir-là dans la voiture de son frère. Elles furent prêtes cinq minutes après que celle-ci fut rangée devant la porte, ponctualité qui n'était pas faite pour enchanter leur belle-sœur, laquelle les avait précédées chez son amie et comptait sur un retard de leur part qui lui aurait permis de se plaindre pour le tracas que cela lui apportait à elle-même et à son cocher.

La soirée n'offrit rien de particulier. La société, comme dans toutes les soirées musicales, comprenait beaucoup de personnes qui aimaient vraiment la musique et beaucoup d'autres qui n'y entendaient rien. Et les exécutants eux-mêmes étaient, comme d'habitude, à leur avis personnel et à ceux de leurs amis, les meilleurs amateurs d'Angleterre.

Comme Elinor n'était pas musicienne et n'affectait pas de l'être, elle ne se fit aucun scrupule de détourner les yeux du grand piano-forte et, sans se laisser arrêter par la présence d'une harpe et d'un violoncelle, de regarder à son aise tout ce qui se passait dans la salle. Ce faisant, il advint qu'elle découvrit dans un groupe de jeunes gens précisément le monsieur qui leur avait donné une conférence sur les boîtes à cure-dents chez Gray. Elle s'aperçut, bientôt après, qu'il la regardait et parlait familièrement à son frère; elle venait juste de se promettre qu'elle demanderait son nom à ce dernier lorsque tous deux se dirigèrent vers elle et Mrs. Dashwood et qu'on le lui présenta comme étant sir Robert Ferrars.

Il s'adressa à elle avec aisance, et fit un salut de tête qui lui confirma aussi pleinement que les mots auraient pu le faire qu'il était bien le fat accompli que lui avait décrit Lucy. Il aurait été préférable, pour elle, que son inclination pour Edward ait pu être basée moins sur son propre mérite que sur celui de ses parents les plus proches, car alors le salut de son frère aurait donné le dernier coup à ce que le mauvais accueil de sa mère et de sa sœur avait si bien commencé. Mais, bien qu'étonnée de la différence des deux frères, la nullité et la suffisance de l'un ne suffisaient pas à lui faire oublier la modestie et la valeur de l'autre.

La raison de leur différence, Robert la lui développa au cours d'un quart d'heure de conversation, car, parlant de son frère, et déplorant l'extrême gaucherie qui, croyait-il réellement, l'empêchait de fréquenter la bonne société, il l'attribua candidement et généreusement moins à une déficience naturelle qu'à la mauvaise chance qui lui avait valu une éducation privée; tandis que lui-même, sans rien de particulier, sans aucune supériorité positive de nature, simplement parce qu'il avait fréquenté une école publique, était devenu aussi capable qu'un autre de tenir sa place dans le monde.

— Sur mon âme, ajouta-t-il, je crois qu'il n'y a pas d'autres raisons et c'est ce que je dis souvent à ma mère, quand elle se plaint.

« Chère Madame, lui dis-je toujours, c'est chose facile à expliquer. Le mal est maintenant irréparable et c'est entièrement votre œuvre. Pourquoi vous êtes-vous laissé persuader par mon oncle, sir Robert, contre votre propre jugement, de mettre Edward aux mains d'un précepteur, au moment le plus critique de sa vie? Si vous l'aviez seulement envoyé à Westminster comme moi-même, au lieu de le confier à Mr. Pratt, rien de tout cela ne serait arrivé. Voilà exactement comment j'envisage la chose et ma mère est parfaitement convaincue de son erreur. »

Elinor n'était pas disposée à combattre son opinion, parce que, quel que pût être son avis en général sur les avantages d'une école publique, elle ne pouvait songer avec plaisir au séjour d'Edward dans la famille de Mr. Pratt.

— Vous habitez le Devonshire, je crois, dit-il, abordant un nouveau sujet, dans un cottage près de Dawlish.

Elinor rectifia cette dernière assertion, et il parut plutôt surpris qu'on pût vivre dans le Devonshire sans vivre près de Dawlish. Il donna cependant sa plus vive approbation quant au genre de leur maison.

— Pour ma part, dit-il, j'aime excessivement les cottages;

ils offrent toujours tant de confort, tant d'élégance. Et j'affirme que si j'avais quelque argent à dépenser, j'achèterais un petit terrain et j'en construirais un moi-même, à une petite distance de Londres, où je pourrais aller de temps en temps, inviter quelques amis et prendre du bon temps. Je conseille toujours à ceux qui font bâtir, de bâtir un cottage. Mon ami lord Courtland vint me voir l'autre jour pour me demander mon avis et déploya devant moi trois plans différents. Il s'agissait de choisir le meilleur. « Mon cher Courtland, lui dis-je en les jetant immédiatement au feu, n'en adoptez aucun, mais bâtissez tout de suite un cottage. » Et je pense qu'il va finir par là. Il y a des gens qui s'imaginent qu'on n'a pas ses aises, qu'on manque de place dans un cottage, mais c'est une erreur. J'étais, le mois dernier, chez mon ami Eliott, près de Delaford. Lady Eliott voulait donner un bal. « Mais comment faire ? dit-elle. Mon cher Ferrars, dites-moi comment je peux m'arranger. Il n'y a pas une pièce dans le cottage qui puisse contenir dix couples, et où pourra-t-on souper ? » Je vis tout de suite qu'il n'y avait pas de difficulté, aussi je lui dis : « Chère lady Eliott, ne vous inquiétez pas. La salle à manger peut tenir dix-huit couples à l'aise ; on peut placer les tables à jeu dans le salon ; la bibliothèque pourra rester ouverte pour le thé et les autres rafraîchissements. Et servez le souper dans le salon. » Lady Elliott fut ravie de l'idée. Nous mesurâmes la salle à manger et nous trouvâmes qu'elle pouvait contenir exactement dix-huit couples ; de sorte que tout fut arrangé exactement d'après mon plan. Ainsi, voyez-vous, si les gens savaient seulement s'arranger, on pourrait trouver autant de confort dans un cottage que dans les plus grandes bâtisses.

Elinor convint de tout cela, car elle ne jugeait pas qu'il fût digne qu'on lui répondît sérieusement.

Comme John Dashwood ne s'intéressait pas plus que sa sœur à la musique, son esprit était également libre pour se fixer ailleurs. Et au cours de la soirée, il fut frappé d'une idée qu'au retour, il communiqua à sa femme, pour avoir son approbation. La méprise de Mrs. Dennisons, supposant que ses sœurs étaient chez lui, lui suggéra la pensée qu'il serait convenable de les inviter réellement pendant que Mrs. Jennings était retenue à l'extérieur par ses occupations. La dépense ne serait rien, ni l'embarras ; et c'était tout à fait le genre d'attention que sa conscience lui montrait nécessaire pour l'affranchir complètement de sa promesse à son père. Fanny fut saisie à l'énoncé de cette proposition.

— Je ne vois pas comment cela peut se faire, dit-elle, sans offenser lady Middleton, car elles passent toutes leurs journées avec elle. Si ce n'était cela, j'en serais extrêmement heureuse. Vous avez vu, par la façon dont je les ai prises avec moi à cette soirée, que j'étais toujours prête à avoir pour elles toutes les attentions en mon pouvoir. Mais elles sont en visite chez lady Middleton. Comment pourrai-je leur demander de la quitter?

Son mari avec la plus grande déférence se refusa pourtant à voir la force de l'objection.

— Elles ont déjà passé une semaine dans ces conditions à Conduit street, et lady Middleton ne peut se fâcher de leur voir passer le même temps chez leurs proches parents.

Fanny réfléchit un moment, et reprit avec une vigueur toute fraîche.

— Mon amour, je les inviterais de tout mon cœur, si je le pouvais. Mais je venais justement de me décider à demander aux demoiselles Steeles de passer quelques jours avec nous. Ce sont des jeunes filles de bonnes manières, très agréables; et je pense que c'est une attention qui leur est due, leur oncle a été si bon pour Edward. Nous pourrons inviter vos sœurs une autre année, vous comprenez, mais les demoiselles Steeles ne reviendront peut-être pas à Londres. Je suis sûre qu'elles vous plairont; elles vous plaisent déjà ainsi qu'à ma mère, vous le savez; et Harry les aime tant!

Sir Dashwood fut convaincu. Il sentit la nécessité d'inviter les demoiselles Steeles immédiatement et sa conscience fut tranquillisée par la résolution d'inviter ses sœurs une autre année; en même temps, l'arrière-pensée lui vint que, l'autre année, rendrait l'invitation inutile, en amenant à Londres Elinor, devenue la femme du colonel Brandon et que Marianne logerait naturellement avec eux.

Fanny, heureuse de son échappatoire et fière de l'inspiration soudaine qui la lui avait procurée, écrivit le lendemain matin à Lucy pour demander sa compagnie et celle de sa sœur à Harley street, aussitôt que lady Middleton pourrait se passer d'elles. C'en fut assez pour rendre Lucy réellement heureuse et avec quelques raisons. Une telle occasion de voir Edward et sa famille était par-dessus tout ce qu'il y avait de plus utile pour ses intérêts, et une telle invitation ce qu'il y avait de plus flatteur pour elle! C'était un avantage dont elle ne pouvait user assez vite. Le séjour chez lady Middleton, jusque-là, n'avait eu aucune limite précise; on découvrit soudain qu'il devait prendre fin dans deux jours.

Quand l'invitation fut montrée à Elinor, comme elle le fut dix minutes après sa réception, elle eut pour la première fois l'impression que Lucy avait quelque chance de voir réaliser ses espoirs. Car une telle marque aussi exceptionnelle de faveur, accordée après une si courte connaissance, semblait indiquer que la bonne volonté à son égard ne provenait pas seulement de la simple hostilité contre elle-même, et pouvait avec du temps et de l'adresse être conduite au point où Lucy désirait l'amener. Ses flatteries avaient déjà subjugué l'orgueil de lady Middleton et s'étaient fait jour jusque dans le cœur fermé de Mrs. John Dashwood; de tels effets laissaient la porte ouverte pour de plus grands résultats.

Les demoiselles Steeles se transportèrent à Harley street et tout ce qui parvint à Elinor de l'influence qu'elles y exerçaient fortifia ses présomptions. Sir John, qu'elles voyaient plus souvent, rapportait de tels récits de la faveur dans laquelle on les tenait que tout le monde en était stupéfait. Mrs. Dashwood, qui ne s'était jamais plu aussi complètement avec personne, leur avait donné à chacune un porte-aiguilles confectionné par quelque émigrant, appelait Lucy par son petit nom, et ne voyait pas comment elle pourrait se séparer d'elle.

XXXVII

Mrs. Palmer se trouvait si bien, à la fin de la quinzaine, que sa mère ne trouva plus nécessaire de lui consacrer tout son temps, et, se contentant d'aller la voir deux fois par jour, revint à son ancien genre de vie, auquel elle trouva les demoiselles Dashwood prêtes à participer de nouveau.

Le troisième ou quatrième jour après leur réinstallation à Berkeley street, Mrs. Jennings, revenant comme de coutume de chez Mrs. Palmer, pénétra dans le salon où se trouvait Elinor, avec un air important qui annonçait des nouvelles extraordinaires; elle ne lui donna que le temps d'y penser que, déjà, elle justifiait ses pressentiments :

— Seigneur! Chère miss Dashwood! Savez-vous les nouvelles?

— Non, Madame. Qu'y a-t-il?

— Une chose si extraordinaire! Quand je suis arrivée chez Mrs. Palmer, j'ai trouvé Charlotte en grand émoi à cause du petit. Elle était sûre qu'il était vraiment malade. Il criait et se tortillait, et était tout couvert de boutons. Je l'examinais tout de suite et, mon Dieu! ma chère, lui dis-je, ce n'est pas autre chose qu'une poussée de dents, et la nurse dit la même chose. Mais Charlotte n'était pas convaincue, et l'on a envoyé chercher sir Donavan. Heureusement, il rentrait précisément d'Harley street, de sorte qu'il vint directement et aussitôt qu'il eut vu le petit, il dit, comme nous, que le mal venait de ses dents, et Charlotte fut tranquillisée. Mais comme il s'en allait, il me vint à l'esprit, je ne sais pas comment, mais enfin il me vint à l'esprit de lui demander s'il ne savait rien de neuf. Alors, là-dessus, il fit quelques façons, prit un air grave, montra quelques réticences et finit par dire, d'un ton confidentiel :

— De peur que quelque rapport fâcheux n'arrive aux oreilles des jeunes filles dont vous avez la garde, au sujet de l'indisposition de leur belle-sœur, je crois devoir vous dire que je ne crois pas qu'il y ait de grande raison de s'alarmer, j'espère que Mrs. Dashwood se remettra très bien.

— Comment! Fanny est malade?

— C'est exactement ce que j'ai dit, ma chère. Comment! Mrs. Dashwood est malade? et, alors, tout s'est dévoilé, et l'affaire en long et en large, autant que j'ai pu l'apprendre, paraît être ceci. Sir Edward Ferrars, ce même jeune homme au sujet duquel j'avais l'habitude de vous plaisanter (mais, maintenant, à la façon dont les choses ont tourné, je suis terriblement heureuse qu'il n'y ait rien eu de sérieux) à ce qu'il semble, était fiancé, depuis un an, à ma cousine Lucy. Voilà pour vous, ma chère! Et pas une créature au monde n'en savait un mot excepté Nancy! Auriez-vous cru possible pareille chose? Ce n'est pas étonnant qu'ils se soient épris l'un de l'autre; mais qu'ils aient poussé les choses si loin et sans que personne s'en doute, c'est cela qui est extravagant!

Je ne les ai jamais vus ensemble, autrement, je suis sûre que je l'aurais découvert tout de suite. Bon, et si la chose était tenue si secrète, c'était par crainte de Mrs. Ferrars. Et ni elle ni votre frère, ni sa femme, ne suspectaient quoi que ce soit, jusqu'à ce que, ce matin, la pauvre Nancy, qui, vous le savez, est une bonne créature, mais ne brille pas par la finesse, a dévoilé tout cela. Mon Dieu! s'est-elle dit, ils sont tous tellement épris de Lucy que, certainement, ils ne feront aucune difficulté... Là-dessus, elle est allée trouver votre sœur qui était occupée à sa broderie, et ne se doutant pas du tout de ce qui allait lui arriver. Figurez-vous qu'elle venait de dire à votre frère, il n'y avait pas plus de cinq minutes, qu'elle pensait à un mariage entre Edward et la fille d'un lord ou de quelqu'un de ce genre. J'ai oublié le nom. Là-dessus, vous pouvez penser quel coup pour sa vanité, son orgueil! Elle est tombée immédiatement dans une crise nerveuse et a poussé de tels cris que votre frère, qui dans sa chambre à l'étage au-dessous était en train d'écrire une lettre à son intendant à la campagne, l'a entendue.

Là-dessus, il est monté tout de suite et il y a eu une soirée terrible, car Lucy était arrivée sur ces entrefaites, ne s'attendant à rien. Pauvre fille! j'ai pitié d'elle. Et je dois le dire, je crois qu'elle a passé un mauvais moment car votre sœur l'attrapait comme une furie et bientôt elle s'est évanouie. Nancy, elle, était tombée à genoux et pleurait amèrement. Et votre frère, lui, se promenait à travers le salon, disant qu'il ne savait que faire. Mrs. Dashwood déclara qu'elles ne devaient pas rester une minute de plus sous son toit et votre frère fut forcé de se mettre à genoux, lui aussi, pour lui persuader de leur permettre d'attendre d'avoir fait leurs paquets. Alors, elle retomba dans sa crise et son mari eut si peur qu'il envoya chercher Mr. Donavan. Et sir Donavan trouva la maison dans tout ce brouhaha.

La voiture était à la porte pour emmener mes pauvres cousines et, justement, elles y montaient au moment où il sortait, la pauvre Lucy, à ce qu'il m'a dit, était à peine en état de marcher, et Nancy à peu près aussi mal en point. Je vous l'affirme, je n'ai pas d'excuses pour votre belle-sœur, et je souhaite, de tout mon cœur, que ce mariage se fasse malgré elle. Seigneur! dans quel état sera le pauvre sir Edward quand il va apprendre tout cela! Voir traiter son amour si ignominieusement. Car on dit qu'il en est follement amoureux, comme il se peut bien. Si c'est une grande passion, je n'en serais pas étonnée, ni sir Donavan non plus. Lui et moi, nous avons beaucoup causé là-dessus; et, le plus beau, c'est qu'il est encore revenu à Harley street, pour qu'il soit à portée lorsqu'on annoncera la chose à Mrs. Ferrars qu'on a envoyé chercher dès que mes cousines ont eu quitté la maison. Car votre belle-sœur est sûre qu'elle aura aussi une attaque de nerfs. Et c'est bien possible. Je ne les plains ni l'une ni l'autre. On n'a pas idée de gens faisant tant d'embarras à propos d'argent et de titres. Il n'y a pas une seule raison au monde pour que sir Edward et Lucy ne se marient pas; car je suis certaine que Mrs. Ferrars peut fort bien doter son fils; et quoique Lucy n'ait presque rien à elle, elle sait mieux que personne tirer le meilleur parti de tout; et, j'ose dire que, si Mrs. Ferrars voulait seulement lui donner cinq cents livres par an, elle s'arrangerait pour paraître autant avec cela qu'une autre avec huit. Seigneur! comme ce serait gentil s'ils pouvaient vivre dans un cottage comme le vôtre ou un peu plus grand avec deux servantes et deux hommes; je crois même que je pourrais leur avoir une femme de chambre car ma Betty a une sœur à placer qui ferait tout à fait leur affaire.

Ici, Mrs. Jennings reprit haleine et, comme Elinor avait eu tout le temps de réfléchir, elle put faire les réponses et les observations que l'affaire comportait. Elle était heureuse de constater qu'on ne la soupçonnait pas d'y avoir un intérêt particulier et elle se félicitait que Mrs. Jennings (comme elle l'avait longtemps souhaité) ait cessé de l'imaginer entièrement attachée à Edward et que Marianne ne fût pas là. Elle se sentit donc tout à fait en état de parler de l'affaire sans embarras et donner son avis d'une façon, pensait-elle, tout à fait impartiale sur la conduite de chacun des intéressés.

Elle pouvait difficilement décider ce qu'elle attendait réellement de l'événement, bien qu'elle s'efforçât énergiquement de rejeter l'idée que tout pût finir autrement que par le mariage d'Edward et de Lucy. Il lui tardait de savoir ce que Mrs. Ferrars pourrait dire et pourrait faire bien qu'elle n'eut aucun doute sur son genre de réaction; mais elle était bien plus en peine de savoir comment Edward se comporterait. De Lucy, elle s'en souciait fort peu, et, encore, ce peu n'était-il pas sans lui demander quelque effort; quant aux autres, ils lui étaient indifférents.

Comme Mrs. Jennings ne pouvait parler d'autre chose, Elinor vit promptement la nécessité de préparer Marianne à cette conversation. Il ne fallait pas perdre de temps pour la détromper. Elinor résolut de la mettre en état d'en entendre parler par d'autres sans laisser voir aucun chagrin pour sa sœur et aucun ressentiment contre Edward.

C'était une tâche pénible. Elle allait ruiner ce qu'elle savait être la principale consolation de sa sœur et donner des détails sur Edward, qui risquaient de le perdre pour toujours dans sa bonne opinion. La ressemblance entre leurs situations, qui serait vivement ressentie par sa sœur, renouvellerait sa propre douleur. Mais, si ingrate que fut cette tâche, il fallait l'accomplir, et Elinor ne perdit pas de temps pour l'aborder.

Elle était bien loin de vouloir s'appesantir sur ses propres sentiments ou de se montrer plus affectée que Marianne ne pouvait le croire d'après la retenue qu'elle avait montrée depuis qu'elle connaissait l'engagement d'Edward envers Lucy.

Sa narration fut claire et simple et bien qu'elle ne put être exempte d'émotion, elle ne comporta ni violente agitation, ni plainte impétueuse. Elle laissa cela à son interlocutrice, car Marianne écouta avec horreur, et fit entendre d'extrêmes lamentations. Elinor était destinée à consoler les autres de ses propres malheurs, aussi bien que des leurs. Et elle s'en acquitta volontiers en donnant toutes les assurances possibles de sa tranquillité d'esprit, et en défendant énergiquement Edward de tout autre reproche que celui d'imprudence.

Mais, pendant quelque temps, Marianne ne voulait croire ni l'une ni l'autre chose. Edward lui paraissait un second Willoughby; et, comme Elinor reconnaissait l'avoir aimé très sincèrement, il lui semblait impossible qu'elle en souffrît moins qu'elle-même! Quant à Lucy Steeles, elle la considérait comme si totalement indigne d'amour, si absolument incapable de mériter l'attachement d'un honnête homme, qu'elle ne put, d'abord, croire possible qu'Edward l'eût jamais aimée et pût encore plus difficilement l'absoudre de s'être laissé aller à une telle passion. Elle ne put jamais admettre que ce fût naturel. Et Elinor s'en remit, pour la convaincre, au seul remède possible, une meilleure connaissance de l'humanité.

Elle n'avait pu, d'abord, aller plus loin que de lui donner

connaissance du fait même de l'engagement, et de l'époque dont il datait.

La sensibilité de Marianne avait fait explosion l'empêchant d'entrer dans les détails; et, pendant quelque temps, tout ce qu'elle put faire fut d'adoucir sa détresse, calmer ses alarmes et combattre son ressentiment. La première question qui lui permit d'aller plus avant fut :

— Depuis combien de temps le savez-vous, Elinor? Vous a-t-il écrit?

— Je le sais depuis quatre mois. C'est quand Lucy est venue à Barton, en novembre dernier, qu'elle m'a fait cette confidence sous le sceau du secret.

A ces mots, les yeux de Marianne exprimèrent un étonnement, qu'elle ne put traduire en paroles. Après un moment de stupéfaction, elle s'écria :

— Quatre mois! Vous saviez cela depuis quatre mois? Elinor le confirma.

— Comment, pendant que vous veniez à mon secours dans tout mon malheur, vous aviez déjà cela dans le cœur! Et moi qui vous ai reproché votre bonheur!

— Ce n'était pas le moment de vous faire connaître combien c'était le contraire.

— Quatre mois! répéta encore Marianne. Si calme, si joyeuse! Qu'est-ce qui a pu vous soutenir?

— Le sentiment que je faisais mon devoir. Ma promesse à Lucy m'obligeait au secret. Il fallait, par conséquent, éviter tout ce qui aurait pu faire soupçonner la vérité; et je devais à ma famille et à mes amis de ne pas éveiller, à mon sujet, une sollicitude que je n'avais pas le moyen de calmer.

Marianne semblait plus accablée.

— J'ai souvent souhaité vous détromper, vous et ma mère, ajouta Elinor; et, une ou deux fois, j'ai été sur le point de le faire. Mais, sans manquer à ma parole, il m'eût été impossible de vous convaincre.

— Quatre mois! et cependant vous l'aimiez!

— Oui, mais je n'aime pas que lui, et le bonheur des autres m'étant cher, j'étais heureuse de leur épargner le spectacle de mes souffrances. Maintenant, je ne veux pas que vous vous inquiétiez à cause de moi, car je vous assure que je ne souffre plus vraiment moi-même. J'ai, pour me soutenir, beaucoup de choses. J'ai conscience de n'avoir provoqué ma déception par aucune imprudence et je l'ai

supportée de mon mieux sans l'augmenter. Je n'impute à
Edward aucune faute véritable. Je voudrais qu'il fût très
heureux. Et je suis tellement sûre qu'il fera toujours son
devoir, que, bien qu'il puisse ressentir en ce moment quelque
regret, je pense qu'à la fin, cela pourra s'arranger. Lucy ne
manque pas de bon sens et, sur ce fondement, on peut bâtir
beaucoup de bien. Et, après tout, Marianne, quand on réfléchit à ce qu'il y a d'admirable dans l'idée d'un attachement
constant et unique et quand on imagine tout ce qui est inclus
dans cette idée que le bonheur d'une personne dépend
entièrement d'une autre, n'est-il pas concevable, n'est-il
pas possible qu'il en soit ainsi? Edward épousera Lucy et
il épousera une personne supérieure physiquement et mora-
lement à la moitié de son sexe; et le temps et l'habitude
l'amèneront à oublier qu'il ait jamais pensé à une autre qui
valait mieux qu'elle.

— Avec une pareille façon de penser, dit Marianne, si,
perdant ce que vous aimez le plus, vous pouvez si aisément le
céder à une autre, votre résolution, votre pouvoir sur vous-
même seront peut-être moins étonnants. Je commence à
les comprendre.

— Je vous entends, vous ne pensez pas que j'ai beaucoup souffert; mais pendant quatre mois, Marianne, j'ai vécu
avec cette pensée, sans avoir la liberté d'en parler à quiconque, sachant que je vous rendrais très malheureuses, ma
mère et vous, quand je pourrais vous l'apprendre et cependant dans l'impossibilité de vous y préparer. Cela m'avait
été annoncé par la personne même dont l'engagement antérieur ruinait tous mes espoirs, et avec triomphe. Il fallait
donc que je me défende des soupçons de cette femme en
m'efforçant de paraître indifférente à ce qui me touchait le
plus profondément. Et ce n'était pas tout. J'avais à être,
à tous moments, la confidente de ses espoirs et de son enthousiasme. J'ai su que j'étais séparée d'Edward pour toujours
sans avoir rien appris qui me fît moins désirer notre union.
Rien n'avait entaché son honneur, rien ne prouvait qu'il eût
cessé de m'aimer. J'ai eu à lutter contre la mauvaise volonté
de sa sœur et l'insolence de sa mère et j'ai enduré la peine de
mon attachement sans en avoir les avantages. Et tout cela
a fondu sur moi à un moment où, comme vous ne le savez
que trop, ce n'était pas mon seul motif de me plaindre. Si
vous pouvez me croire capable de souffrir jamais, vous devez

admettre que j'ai souffert alors. Le calme avec lequel je suis arrivée à envisager maintenant la chose, la résolution que j'ai prise de m'en consoler, ont été le résultat d'un effort constant et pénible. Cela ne s'est pas fait tout seul; cela ne s'est pas fait tout seul au début, non, Marianne. A ce moment, si je n'avais pas été liée au silence, peut-être rien n'aurait pu me retenir, non pas même ce que je devais aux êtres que j'aimais le plus, et je leur aurais montré ouvertement combien j'étais vraiment malheureuse.

Marianne fut tout à fait subjuguée.

— Oh! Elinor, s'écria-t-elle, vous m'avez rendue odieuse à moi-même pour toujours. Comme j'ai été cruelle à votre égard! Vous qui avez été mon seul soutien, qui avez partagé tous mes maux, qui paraissiez ne souffrir qu'à cause de moi. Est-ce là toute ma gratitude? Est-ce là la seule récompense que je puisse vous offrir? Parce que votre mérite était pour moi un vivant reproche, j'ai tout fait pour le méconnaître.

Cette confession fut suivie des plus tendres caresses. Dans l'état d'esprit où elle se trouvait amenée, Elinor n'eut aucune difficulté à lui faire faire toutes les promesses qu'elle désirait; et, sur sa demande, Marianne s'engagea à ne jamais laisser percer, dans ses paroles, la moindre aigreur au sujet de cette affaire, à aborder Lucy sans manifester la plus légère hostilité, et même, en ce qui concernait Edward personnellement, si le hasard les faisait se rencontrer, à ne rien changer à son ordinaire cordialité. C'étaient de grandes concessions, mais, quand Marianne se sentait dans son tort, rien ne lui coûtait pour arriver à le réparer.

Elle remplit admirablement sa promesse d'être discrète. Elle écouta ce que Mrs. Jennings avait à dire, sur ce sujet, sans changer de visage, ne la contredit sur rien, et on l'entendit dire à trois reprises : « Oui, Madame ». Elle entendit l'éloge de Lucy, sans agitation et, quand Mrs. Jennings fit allusion à l'affection d'Edward, il ne lui en coûta qu'un spasme dans la gorge. Devant de tels progrès de sa sœur, Elinor se sentait devenir capable d'affronter toutes les situations.

Le lendemain matin, une nouvelle occasion d'exercer sa patience lui fut fournie par une visite de son frère qui vint, de l'air le plus grave, les entretenir de cette horrible affaire et leur apporter des nouvelles de sa femme.

— Vous avez sans doute appris, dit-il, d'un ton solennel,

dès qu'il fut assis, la découverte vraiment choquante qui a eu lieu, hier, sous mon toit?

Elles dirent oui d'un signe : le moment semblait trop solennel pour parler.

— Votre belle-sœur, continua-t-il, a affreusement souffert; Mrs. Ferrars aussi; bref, ç'a été une scène de détresse...; mais j'espère que tout se calmera bientôt.

Pauvre Fanny! elle a eu les nerfs malades tout hier. Mais je ne veux pas vous alarmer outre mesure. Donavan dit qu'il n'y a rien à craindre. Sa constitution est bonne et rien n'égale sa volonté. Elle a tout supporté avec un courage angélique! Elle dit qu'elle ne pensera jamais plus de bien de personne; et ce n'est pas étonnant, après une telle déception! Rencontrer tant d'ingratitude, là où l'on avait déployé tant de bienveillance, montré tant de confiance! C'était par pure amabilité qu'elle avait invité ces jeunes filles chez elle; simplement, parce qu'elles étaient bien élevées et seraient des compagnes agréables; car, autrement, nous aurions préféré vous avoir invitées, vous et Marianne, pendant que votre excellente amie soignait sa fille. Se trouver récompensé de la sorte! « Je voudrais de tout mon cœur, disait la pauvre Fanny de sa manière affectueuse, que nous ayons invité vos sœurs à leur place. »

Là il s'arrêta pour attendre des remerciements, les ayant reçus, il continua :

— Ce que la pauvre Mrs. Ferrars a éprouvé, quand Fanny lui a révélé la chose, ne peut se décrire. Pendant qu'avec l'affection la plus sincère, elle préparait à son fils l'union la plus souhaitable, comment supposer qu'il pouvait être, de tout temps, engagé secrètement avec une autre personne! Pareil soupçon ne pouvait l'effleurer! Si elle avait suspecté une autre emprise, ce n'était certainement pas de ce côté. « Avec ces jeunes filles, au moins, protestait-elle, je croyais n'avoir rien à craindre. » Elle endurait une véritable agonie.

Nous nous sommes consultés, cependant, sur ce que nous pourrions faire et, à la fin, elle décida qu'on devait appeler Edward. Il vint. Mais je regrette d'avoir à rapporter ce qui s'en suivit. Tout ce que Mrs. Ferrars put lui dire pour l'engager à rompre son engagement, appuyée également, comme vous pouvez bien le supposer par mes propres arguments et les instances de Fanny, n'eut aucun succès. Le devoir,

l'affection, tout fut inutile. Je n'aurais jamais cru, auparavant, Edward si insensible. Sa mère lui fit part de ses intentions généreuses, au cas où il épouserait miss Morton; elle
lui dit qu'elle donnerait sa propriété de Norfolk, qui rapporte,
impôts payés, mille livres au moins par an : elle lui offrit,
quand le cas lui parut désespéré, de porter le revenu à douze
cents livres, et prit soin, au contraire, de lui décrire, s'il persistait dans cette union dégradante, la grande gêne qui
résulterait pour lui. Elle protestait qu'il n'aurait, en tout et
pour tout, que ses deux mille livres et qu'elle ne le verrait
plus jamais. Et, bien loin de lui prêter la moindre assistance
s'il voulait embrasser une profession pour améliorer ses
moyens d'existence, elle ferait tout ce qu'elle pourrait pour
entraver son avancement.

Ici Marianne dans une crise d'indignation se tordit les
mains en criant : « Seigneur Dieu! Est-ce possible! »

— Vous avez bien raison, Marianne, répondit son frère,
de vous étonner d'une obstination capable de résister à de
tels arguments. Votre exclamation est bien naturelle.

Marianne allait répliquer, mais elle se rappela ses promesses et se retint.

— Tout cela, pourtant, continua-t-il, fut inutile. Edward
ne dit pas grand'chose, mais ce qu'il dit fut tout ce qu'il y
a de plus catégorique. Rien ne put l'amener à abandonner
son engagement. Il s'y tint coûte que coûte.

— Eh! bien, s'écria Mrs. Jennings dans une explosion de
sincérité qu'elle ne pouvait plus contenir, il a agi en honnête
homme. Je vous demande pardon, Mr. Dashwood, mais
s'il s'était comporté autrement, c'eut été un misérable.
L'affaire me concerne un peu, comme vous-même, car Lucy
Steeles est ma cousine, et je crois qu'il n'y a pas une meilleure
fille au monde et qui mérite davantage d'avoir un bon mari.

John Dashwood fut grandement étonné; mais il était
calme de sa nature, peu porté à la provocation, et désirait
n'offenser personne, surtout s'il s'agissait de quelqu'un de
riche. Il répondit, en conséquence, sans aucune aigreur.

— Je ne voudrais en aucune façon parler irrespectueuse-
ment d'une de vos parentes. Miss Lucy Steeles est certainement une jeune personne très estimable, mais, dans le cas
présent, vous comprenez que cette union est impossible.
Et le fait d'avoir contracté un engagement secret avec un
jeune homme sous la garde de son oncle et particulièrement

avec le fils d'une femme aussi fortunée que Mrs. Ferrars, est peut-être en soi bien assez extraordinaire. Bref, je ne veux pas critiquer la conduite d'une personne à laquelle vous vous intéressez, Mrs. Jennings. Nous lui souhaitons tous la plus grande prospérité, et Mrs. Ferrars, dans toute l'affaire, s'est conduite comme devait le faire, en pareille circonstance, toute mère consciencieuse et bonne. Elle a été aussi digne que généreuse. Edward a choisi et j'ai peur que ce ne soit pas la meilleure part.

Marianne soupira, en proie à la même appréhension, et le cœur d'Elinor se fendit à la pensée d'Edward bravant les menaces de sa mère, pour une femme qui ne pouvait lui apporter aucun bonheur en échange.

— Bon, dit Mrs. Jennings. Et comment cela s'est-il terminé ?

— Je regrette d'avoir à le dire, Madame, par la plus fâcheuse rupture. Edward est banni pour toujours de la pensée de sa mère. Il a quitté hier la maison, mais où est-il allé ? Est-il encore à Londres ? je n'en sais rien. Car, certainement, nous ne le chercherons pas.

— Pauvre jeune homme ! Et que va-t-il devenir ?

— Oui, vraiment, Madame, que deviendra-t-il ? C'est une perspective mélancolique. Né avec la promesse d'une si belle fortune, je ne puis concevoir situation plus déplorable. L'intérêt de deux mille livres, comment un homme peut-il vivre là-dessus. Et, lorsqu'on se rappelle qu'il pouvait, n'eût été sa propre folie, d'ici trois mois, recevoir deux mille cinq cents livres. Je ne puis imaginer une condition plus déplorable. Nous devons tous le plaindre ; et, d'autant plus, qu'il est tout à fait hors de notre pouvoir de lui venir en aide.

— Pauvre jeune homme ! s'écria Mrs. Jennings. Il sera toujours le bienvenu chez moi et il y trouvera le vivre et le couvert, et c'est ce que je lui dirai, si je puis le voir. Ce n'est pas juste qu'il vive par ses propres moyens dans des garnis et des auberges.

Le cœur d'Elinor battit de reconnaissance pour une telle bonté envers Edward, quoiqu'elle ne pût retenir un sourire devant la façon dont elle s'exprimait.

— S'il avait seulement voulu avoir autant de complaisance pour lui-même que ses amis en avaient pour lui, il pourrait, maintenant, être dans une situation convenable et ne manquerait de rien. Mais, à la façon dont les choses ont tourné, il n'est au pouvoir de personne de lui venir en aide. Et il y a encore une chose qui se prépare, et qui est pire que tout. Sa mère a décidé, par une inspiration bien naturelle, de mettre, immédiatement, sur la tête de Robert, ce qui aurait été la part d'Edward, s'il avait accepté ses conditions. Je l'ai laissée, hier, en conversation, là-dessus, avec son homme de loi.

— Bon! dit Mrs. Jennings, voilà la vengeance! Chacun à sa manière. Mais je ne crois pas que la mienne consisterait à doubler la part d'un fils parce que l'autre m'aurait déplu.

Marianne se leva et se mit à arpenter la chambre.

— Peut-il y avoir quelque chose de plus mortifiant, continua John, que de voir son plus jeune frère en possession d'une fortune qui aurait dû être la sienne. Pauvre Edward! Je le plains sincèrement.

Il passa encore quelques minutes à se répandre en lamentations de ce genre, avant de prendre congé; et, ayant assuré à plusieurs reprises à ses sœurs qu'il ne voyait pas de danger sérieux dans l'indisposition de Fanny, et qu'elles n'avaient donc pas besoin de s'inquiéter à son sujet, il s'en alla, laissant les trois dames unanimes, cette fois, dans leur opinion, au moins en ce qui regardait la conduite de Mrs. Ferrars, des Dashwood et d'Edward.

L'indignation de Marianne éclata aussitôt qu'il eût quitté la pièce; et, comme sa véhémence rendait toute réserve impossible à Elinor, et que Mrs. Jennings n'avait aucune raison de se modérer, elles ne se gênèrent pas pour critiquer vertement ce qui s'était passé.

XXXVIII

Mrs. Jennings était très chaleureuse dans son éloge de la conduite d'Edward, mais Elinor et Marianne étaient seules à pouvoir apprécier toute l'étendue de son mérite. Elles

seules savaient combien peu d'attrait avait pour lui la fiancée
pour laquelle il luttait, et, à part la conscience de faire son
devoir, quelle faible consolation lui restait, pour compenser
la perte de sa fortune et de ses amis. Elinor était fière de
sa loyauté. Marianne lui pardonnait toutes ses offenses en
considération de son châtiment. Mais, bien que leur confiance
mutuelle fût maintenant, par cette révélation publique,
restaurée dans son intégralité, c'était un sujet qu'elles n'aimaient pas reprendre. Elinor l'évitait par principe, car les
assurances trop chaleureuses et trop précises de Marianne
ne faisaient que l'ancrer dans sa conviction que rien n'était
changé dans les sentiments d'Edward à son égard, conviction qu'elle essayait d'écarter le plus possible de sa pensée.
Et Marianne de son côté sentait bientôt son courage l'abandonner, à traiter un sujet qui la laissait toujours plus
mécontente d'elle-même parce qu'il réveillait dans son
esprit une comparaison inévitable entre la conduite d'Elinor
et la sienne.

Elle sentait toute la force de ce rapprochement; mais
non comme sa sœur l'avait espéré pour en tirer un motif
de se dominer. Elle en retirait les raisons d'un continuel
remords, regrettait, de la plus amère façon, de n'avoir pas
su se rendre maîtresse d'elle-même auparavant; mais elle
n'avait que la torture du repentir, sans espoir d'amendement.
Elle était si déprimée qu'elle se croyait encore incapable
d'efforts et, par suite, elle se démoralisait encore plus.

Pendant un jour ou deux, elles ne surent plus rien de ce
qui se passait à Harley street ou à Barlett'Building. Mais,
bien qu'elles eussent assez de détails pour permettre à Mrs.
Jennings de répandre partout l'affaire, sans en demander
davantage, celle-ci avait décidé, tout de suite, de faire à ses
cousines une visite de condoléances et d'enquête, aussitôt
que possible; et elle l'aurait déjà faite si elle n'en avait été
empêchée par un flux inaccoutumé de visites.

Le troisième jour qui suivit l'annonce de la nouvelle était
un dimanche et il faisait si beau que Kensington Garden
connut une grande affluence, bien qu'on ne fut qu'à la
deuxième semaine de mars. Mrs. Jennings et Elinor étaient
du nombre des promeneuses; mais Marianne qui savait
Willoughby encore à Londres, et tremblait toujours de le
rencontrer, avait préféré rester à la maison, plutôt que de
s'aventurer dans un endroit aussi fréquenté.

Une amie intime de Mrs. Jennings les rejoignit dès leur arrivée et Elinor ne fut pas fâchée de sa compagnie qui, retenant toute l'attention de sa vieille amie, lui permit à elle-même de se laisser aller en paix à ses réflexions. Elle ne vit ni les Willoughby, ni Edward, et, durant un certain temps, ne rencontra personne qui put, de façon quelconque, grave ou plaisante, l'intéresser. Mais, à la fin, non sans quelque surprise, elle se trouva accostée par miss Steeles qui, quoique manifestant un peu d'hésitation, exprima sa grande satisfaction de les rencontrer et, devant l'accueil particulièrement amical de Mrs. Jennings, laissa un moment les amis avec qui elle était pour se joindre à elles.

Mrs. Jennings souffla immédiatement à Elinor :

— Tirez-lui tout ce que vous pourrez, ma chère. Elle vous racontera tout si vous le lui demandez. Vous voyez que je ne peux pas quitter Mrs. Clarke.

Il fut cependant heureux pour la curiosité de Mrs. Jennings et aussi celle d'Elinor, qu'elle fut disposée d'elle-même aux confidences, car, autrement, on n'aurait rien appris.

— Que je suis heureuse de vous voir, dit miss Steeles en la prenant familièrement par le bras, car je souhaitais, par-dessus tout, vous rencontrer — Et baissant la voix :
— Je suppose que Mrs. Jennings a tout appris. Est-elle fâchée ?

— Pas du tout, j'en suis convaincue, en ce qui vous concerne.

— Voilà qui est bien. Et lady Middleton est-elle fâchée ?

— Cela ne me paraît pas possible.

— J'en suis heureuse. Seigneur Dieu ! Je viens de passer de tels moments. De ma vie, je n'ai vu Lucy dans une pareille rage. Elle jura d'abord qu'elle ne ferait jamais plus rien pour moi de sa vie, mais elle est revenue, maintenant, à de meilleurs sentiments et nous sommes aussi bonnes amies qu'avant. Voyez, elle a fait ce nœud à mon chapeau, la nuit dernière, et y a ajouté une plume. Vous allez vous moquer de moi. Mais pourquoi ne parlerais-je pas de rubans roses ? Tant pis si c'est la couleur favorite du docteur. Je suis certaine, moi, que je n'aurais jamais su qu'il l'aimait mieux qu'une autre s'il ne lui était pas arrivé de me le dire ! Mes cousins se sont tant moqués de moi. Vraiment, quelquefois, je ne sais quelle contenance prendre devant eux.

Elle s'était égarée sur un sujet où Elinor n'avait rien à dire, et elle jugea, par la suite, convenable de revenir sur celui du début de leur conversation.

— Oui, mais miss Dashwood, continua-t-elle triomphalement, les gens disent que sir Ferrars a déclaré qu'il ne voulait plus de Lucy, et il n'y a rien de vrai, je puis vous l'assurer; et c'est une honte de voir répandre de pareils propos. Quelle que puisse être l'idée de Lucy là-dessus, ce n'est pas l'affaire des autres d'aller proclamer cela comme certain.

— Je n'ai jamais entendu insinuer rien de semblable, je vous l'assure, dit Elinor.

— Oh! non. Mais on l'a dit, je le sais bien, et plus d'une personne; car miss Godby a dit à miss Spaarks que personne ayant le sens commun ne pouvait s'attendre à voir sir Ferrars renoncer à une femme comme miss Morton avec trente mille livres de fortune, pour Lucy Steeles qui n'a rien du tout, je le tiens de miss Spaarks en personne. Et, de plus, mon cousin Richard lui-même a dit qu'au dernier moment il craignait bien que Mr. Ferrars ne fît faux bond; et, comme Edward n'était pas venu chez nous depuis trois jours, je ne savais moi-même que penser. J'avais dans l'idée que Lucy croyait tout perdu car nous avons été renvoyées par votre frère mercredi et nous sommes restés jeudi, vendredi et samedi sans savoir ce que Edward était devenu. Un moment, Lucy songea à lui écrire, mais elle changea d'avis. Cependant, il est venu ce matin, comme nous rentrions de l'église; et, alors, tout s'est révélé : comment on l'avait appelé mercredi à Harley street, comment sa mère et les autres l'avaient entrepris et comment il avait déclaré, devant eux, qu'il n'aimait que Lucy et ne voulait épouser personne d'autre qu'elle. Il avait été si malheureux de ce qui s'était passé qu'aussitôt sorti de chez sa mère, il était monté à cheval et avait galopé, de côté et d'autre, dans la campagne, et avait passé toute la journée de jeudi et de vendredi, dans une auberge, à réfléchir sur le meilleur parti à prendre. Et, après y avoir bien pensé, il dit qu'il lui semblait que maintenant qu'il n'avait plus de fortune il ne croyait pas pouvoir exiger de Lucy l'accomplissement de ses promesses, qui serait tout à son détriment, car il ne lui restait que deux mille livres sans aucun espoir de rien d'autre; et s'il entrait dans les ordres, comme il en avait quelque idée, tout ce qu'il pourrait obtenir, c'était un poste de suppléant et comment vivre avec cela ?

Il était impossible qu'elle ne trouvât pas à mieux s'établir et, en conséquence, il la pria, si elle en avait la moindre envie, de tout rompre immédiatement et de le laisser se débrouiller tout seul. Je lui ai entendu dire tout cela de la façon la plus nette possible. Et c'était entièrement à cause d'elle et dans son intérêt qu'il parlait de se retirer et non pour lui-même. Je pourrais jurer qu'il n'a pas dit une syllabe indiquant qu'il fût fatigué d'elle, ou qu'il souhaitât épouser miss Morton, ou rien de semblable.

Mais Lucy ne prêta pas l'oreille à ce langage. Et elle lui dit, tout de suite (avec beaucoup de phrases sur l'amour, la tendresse, vous savez, et tout le reste. Oh! la, la ces choses-là, ça ne se répète pas, vous comprenez), elle lui dit donc, tout de suite, qu'elle n'avait pas le moins du monde envie de rompre, car elle pourrait vivre avec lui de rien et que si peu qu'il puisse avoir, elle en serait toujours contente, et un tas de choses de ce genre. Alors, il a montré un bonheur sans égal et ils ont décidé qu'il se ferait ordonner immédiatement et qu'ils attendraient, pour se marier, qu'il ait pu obtenir une cure.

Mais je n'ai pu en entendre davantage, car mon cousin venait justement de m'appeler du rez-de-chaussée pour me dire que Mrs. Richardson était venue avec sa voiture pour prendre l'une de nous avec elle à Kensington Garden; il m'a donc fallu aller les interrompre pour demander à Lucy si elle voulait y aller, mais elle ne voulait pas quitter Edward et, en conséquence, je suis descendue, j'ai enfilé une paire de bas de soie et suis partie avec les Richardson.

— Je ne comprends pas bien, dit Elinor, vous dites que vous êtes allée les interrompre. Mais n'étiez-vous pas dans la même pièce qu'eux?

— Mais non, nous n'étions pas ensemble. Miss Dashwood, pensez-vous qu'ils allaient traiter leurs affaires de cœur en présence d'un tiers? Fi donc! Non, non; ils étaient enfermés ensemble au salon et tout ce que j'ai appris, c'est en écoutant à travers la porte.

— Comment? s'écria Elinor, tout ce que vous venez de me dire, vous ne l'avez appris qu'en écoutant aux portes! Je regrette bien de ne pas l'avoir su d'abord, car, certainement, je ne vous aurais pas permis de me raconter en détail une conversation que vous n'aviez pas le droit vous-même de connaître. Comment avez-vous pu agir si mal envers votre sœur?

— Oh la! la! Cela n'a pas d'importance, je me tenais seulement près de la porte et j'ai entendu comme j'ai pu. Je suis bien sûre que Lucy en aurait fait autant à ma place; car, il y a un an ou deux, quand Marthe Sharpe et moi avions ensemble toute espèce de secrets elle ne s'est jamais gênée pour se cacher dans un réduit ou derrière le manteau de la cheminée, pour écouter ce que nous disions.

Elinor essaya de parler d'autre chose, mais miss Steeles ne put rester deux minutes sans revenir au sujet qui lui tenait à cœur.

— Edward parle d'aller bientôt à Oxford, dit-elle, mais, pour le moment, il loge à Pall-Mall. Quelle femme dénaturée que sa mère, n'est-ce pas? Et votre frère et sa femme n'ont guère été aimables! Pourtant, à vous, je ne veux pas me plaindre d'eux; et, cependant, ils nous ont renvoyées chez nous dans leur propre voiture, ce que je n'aurais pas osé espérer. Et, pour mon compte, j'avais grande crainte que votre sœur aille nous réclamer les cadeaux qu'elle nous avait donnés un jour ou deux avant; mais, pourtant, il n'en a pas été question et j'ai pris soin de cacher le mien. Edward avait quelque affaire à Oxford, à ce qu'il a dit, et il fallait qu'il aille y passer quelque temps; après quoi, dès qu'il pourra se mettre en rapport avec un évêque, il sera ordonné. Je me demande quelle cure il pourra avoir! Seigneur! (et elle gloussait de rire), sur ma vie, je sais ce que vont dire mes cousins, quand ils en entendront parler. Ils me diront d'écrire au docteur pour qu'il donne à Edward le vicariat de sa nouvelle cure. Je sais bien qu'ils le diront. Mais, certainement, pour rien au monde, je ne ferai pareille chose. Mon Dieu, je leur dirai tout de suite : « Je ne comprends pas comment vous pouvez parler ainsi, moi! écrire au docteur... Oh! »

— Eh bien! dit Elinor, c'est une consolation de penser qu'on saura ce qu'il faut répondre; vous avez votre réplique toute prête.

Miss Steeles était disposée à continuer sur le même sujet, mais l'approche de ses amies l'obligea à en aborder un autre.

— Oh! là là! Voici les Richardson, j'avais encore beaucoup de choses à vous dire, mais je ne puis pas les laisser plus longtemps. Je vous assure qu'elles sont très aimables.

Lui, gagne énormément d'argent, et elles ont leur voiture à elles. Je n'ai pas le temps de parler à Mrs. Jennings, mais dites-lui donc que je suis tout à fait heureuse de savoir qu'elle ne nous en veut pas, ni lady Middleton non plus. Et si vous étiez obligées de partir, et que Mrs. Jennings désire avoir de la société, certainement nous serions heureuses de venir chez elle aussi longtemps qu'elle voudra. Je suppose que lady Middleton ne va pas nous inviter davantage cette fois. Bonsoir; je regrette que miss Marianne n'ait pas été là. Faites-lui bien mes amitiés. Et vous avez mis votre robe de mousseline à pois. Comment ? vous n'avez pas eu peur de la déchirer !

C'est sur cette réflexion qu'elle prit congé, car elle n'eut que le temps de faire ses adieux à Mrs. Jennings, avant d'être appelée par Mrs. Richardson, et elle laissa Elinor en possession de renseignements propres à alimenter quelque temps ses réflexions bien qu'elle n'eût, en somme, guère appris que ce qu'elle avait déjà envisagé comme probable. Le mariage d'Edward et de Lucy restait fermement décidé, et l'époque de sa réalisation demeurait absolument incertaine, ainsi qu'elle l'avait pensé. Tout dépendait, comme elle l'avait prévu, de l'obtention d'un poste, pour lequel il ne semblait pas avoir la moindre chance.

Dès qu'elles furent remontées en voiture, Mrs. Jennings s'empressa de demander des informations; Elinor, qui répugnait à révéler ce qui lui venait d'une source aussi indiscrète, se contenta de lui répéter quelques détails, dont Lucy, dans son propre intérêt, devait désirer la divulgation. Le maintien de leur engagement et les moyens qu'ils envisageaient pour le réaliser, c'est à quoi elle borna ses indications. Ce qui amena de la part de Mrs. Jennings une remarque bien naturelle.

— Attendre d'avoir une cure ! Nous savons tous à quoi cela les mènera. Ils vont attendre un an et, voyant que rien ne vient, ils accepteront une suppléance de cinquante livres par an, et ils devront vivre avec cela, l'intérêt de ses deux mille livres, ainsi que le peu que miss Steeles ou Mrs. Pratt pourront leur donner. Et ils auront un enfant tous les ans. Que Dieu les assiste ! Comme ils vont être misérables ! Il faudra que je vois ce que je peux faire pour meubler leur maison. Je parlais, l'autre jour, de deux servantes et de deux domestiques. Non, non, il leur faut une robuste bonne à tout faire. La sœur de Betty ne pourra plus faire l'affaire maintenant.

Le lendemain matin, la poste apporta à Elinor une lettre de Lucy elle-même. Elle contenait ce qui suit :

« Bartlett's Building Mars.

« J'espère que ma chère miss Dashwood excusera la liberté que je prends de lui écrire, mais je sais que votre amitié pour moi vous fera accueillir, avec plaisir, de bonnes nouvelles de moi-même et de mon cher Edward, aussi je ne m'excuserai pas davantage. Mais je vous dirai tout de suite que, Dieu merci, bien que nous ayons terriblement souffert, nous sommes tout à fait bien maintenant, et aussi heureux que nous devons toujours l'être dans notre amour mutuel. Nous avons eu de grandes épreuves, de grandes persécutions, mais, par contre, en même temps, nous avons reconnu nos véritables amis — parmi lesquels vous n'êtes pas les derniers — dont je me rappellerai toujours la grande bienveillance ainsi qu'Edward à qui j'en ai parlé. Je suis sûre que vous serez heureuse d'apprendre et la chère Mrs. Jennings aussi, que j'ai passé deux heures bien heureuses avec lui, hier après-midi; il n'a pas voulu entendre parler de rompre notre engagement, quoique je l'y aie vivement poussé par raison de prudence, comme c'était mon devoir, et que je fusse prête à le quitter sur-le-champ, s'il y avait consenti; mais il m'a dit que cela n'arriverait jamais, qu'il ne ferait aucun cas de la colère de sa mère, pourvu qu'il conserve mon affection. Nos perspectives ne sont pas très brillantes, certainement, mais nous pouvons attendre et espérer mieux; il sera bientôt ordonné; et, s'il était jamais en votre pouvoir de le recommander à quelqu'un qui dispose d'un poste, je suis sûre que vous ne nous oublierez pas, et la chère Mrs. Jennings non plus. Je compte qu'elle dira une bonne parole pour nous à sir John ou à Mr. Palmer ou à quelqu' autre personne qui pourrait nous venir en aide. La pauvre Anne était bien à blâmer pour ce qu'elle a fait. Mais elle a cru faire pour le mieux, aussi je ne dis rien. J'espère que cela ne sera pas trop d'embarras pour Mrs. Jennings de venir nous voir; si elle pouvait le faire un matin, ce serait une grande faveur et mes cousins seraient bien honorés de faire sa connaissance. J'arrive au bout de mon papier et vous

prie de me rappeler, avec reconnaissance et respect au bon
souvenir de Mrs. Jennings, de Mr. John et lady Middleton,
ainsi que de leurs chers enfants, quand vous aurez l'occasion
de les voir. Amitiés à miss Marianne.

« Je suis, etc., etc... »

Aussitôt après avoir fini la lecture de cette lettre, Elinor
remplit ce qui lui paraissait être le vœu de celle qui l'avait
écrite en la mettant entre les mains de Mrs. Jennings, qui
la lut à haute voix avec force commentaires satisfaits et
élogieux.

— Très bien, vraiment! Comme elle écrit agréablement.
Oui, da! c'était bien la chose à faire de lui proposer de rompre
s'il voulait. C'est tout à fait Lucy. Pauvre fille! Je voudrais,
de tout mon cœur, pouvoir lui donner une cure. Elle m'appelle sa chère Mrs. Jennings, vous voyez. C'est une bonne
fille s'il en fut. Très bien, ma parole. Voilà qui est bien
tourné. Oui, oui, j'irai la voir certainement. Comme elle
est attentionnée, elle a pensé à tout le monde. Je vous remercie bien, ma chère, de me l'avoir montré. C'est la plus jolie
lettre que j'ai vue, elle fait autant honneur à l'esprit qu'au
cœur de Lucy.

XXXIX

Il y avait maintenant plus de deux mois que les demoiselles Dashwood étaient à Londres et Marianne était de plus
en plus impatiente de partir. Elle soupirait après l'air, la
liberté, le calme de la campagne; et il lui semblait que, s'il
y avait un endroit, un seul, où elle puisse se trouver bien,
c'était Barton. Elinor n'était guère moins désireuse d'y
revenir, mais était seulement moins portée à un retour immédiat, à cause des difficultés d'un aussi long voyage que
Marianne n'envisageait pas. Elle commença, cependant, à
y penser sérieusement; elle avait déjà fait part de leurs intentions à leur excellente hôtesse, qui y résistait de toute son

éloquence, quand un plan fut suggéré qui, bien que les retenant un peu plus longtemps à Londres, lui parut bien préférable à tout autre. Les Palmers devaient revenir à Cleveland,
vers la fin de mars, pour les vacances de Pâques; et Mrs.
Jennings ainsi que ses deux amies reçurent de Charlotte
l'invitation la plus pressante de se joindre à eux. Cela n'aurait
pas été, en soi, suffisant pour miss Dashwood, mais Mr.
Palmer lui-même vint à la rescousse avec une grande politesse, ce qui, joint au très grand changement de ses manières
à leur égard depuis qu'il avait su les malheurs de Marianne,
l'amena à accepter avec plaisir.

Cependant, lorsqu'elle rendit compte à celle-ci de ce
qu'elle avait fait, le premier mouvement ne fut pas très encourageant.

— Cleveland! s'écria-t-elle très agitée. Non, je ne puis
pas aller à Cleveland.

— Vous oubliez, dit doucement Elinor, que sa situation
n'est pas... qu'il n'est pas dans le voisignage de...

— Mais c'est dans le Somersetshire. Je ne puis aller dans
le Somersetshire. Là où avant je comptais aller... Non, Elinor,
n'espérez pas me voir aller là...

Elinor n'essaya pas de lui démontrer qu'elle ferait bien
de surmonter ses impressions; elle s'efforça, seulement, de
les combattre par d'autres. Elle lui représenta, en conséquence, que pareille mesure aurait l'avantage de fixer l'époque de leur retour près de leur chère mère qu'elle désirait
par-dessus tout revoir, et cela d'une façon plus acceptable
et plus sûre que de toute autre manière, et peut-être sans
beaucoup plus de délai. De Cleveland, qui est à quelques
milles de Bristol, la distance à Barton n'était que d'une
journée — quoique d'une bonne journée — de voyage,
et le domestique de sa mère pourrait facilement venir pour
les emmener; et, comme il n'y avait pas de raison pour que
leur séjour à Cleveland se prolongeât au delà d'une semaine,
elles pourraient, au total, être rentrées chez elles dans trois
semaines, ou peu s'en fallait. La sincère affection de Marianne
pour sa mère triompha sans grande difficulté des périls imaginaires qu'elle s'était forgés.

Mrs. Jennings était si loin d'être lassée de ses hôtes qu'elle
les pressa vivement de revenir avec elle à Londres en quittant
Cleveland. Elinor lui en fut reconnaissante, mais resta ferme
dans son dessein. Comme l'assentiment de leur mère fut vite

obtenu, tout fut préparé aussi bien que possible, et Marianne trouva un certain soulagement à compter les heures qui la séparaient de son retour à Barton.

— Ah! colonel! je ne sais ce que nous allons devenir, vous et moi, sans les demoiselles Dashwood! C'est ainsi que Mrs. Jennings accueillit le colonel Barton à sa première visite après que le départ eût été décidé — car elles veulent absolument rentrer chez elles directement en quittant les Palmer. Comme nous allons nous sentir seuls, à mon retour, Seigneur! Nous allons rester plantés à bâiller l'un devant l'autre, aussi mornes que deux chats.

Peut-être, Mrs. Jennings espérait-elle, par cette vigoureuse esquisse de leur futur ennui, le pousser à faire une déclaration qui lui donnerait le moyen d'y échapper. Dans ce cas, elle eut, peu après, une bonne raison de croire qu'elle y avait réussi; en effet, profitant d'un moment où Elinor s'était approchée de la fenêtre pour prendre les dimensions d'une gravure qu'elle était en train de copier pour son amie, il la suivit d'un air particulièrement significatif et eut, avec elle, une conversation de plusieurs minutes. L'effet de ce discours sur son interlocutrice ne put pas davantage échapper à son observation car, bien qu'elle ne se fût pas abaissée à écouter leur conversation (elle avait même pour ne pas l'entendre pris place à côté du piano-forte sur lequel jouait Marianne), l'émotion évidente qui se lisait sur le visage d'Elinor ne pouvait cependant lui échapper. Elle paraissait, en effet, très agitée et prêtait tant d'attention aux paroles du colonel qu'elle avait abandonné ce qu'elle faisait.

Pour la confirmer encore plus dans ses espérances, pendant un intervalle où Marianne passait d'un morceau à un autre, elle ne put s'empêcher d'entendre quelques mots du colonel par lesquels il paraissait s'excuser du mauvais état de sa maison. Cela lui parut décisif. Elle s'étonnait bien un peu d'une pareille assertion, mais elle supposa que c'était en pareil cas une phrase de convenance. Elle ne put distinguer ce qu'Elinor répondit, mais elle jugea, au mouvement de ses lèvres, qu'elle ne voyait pas là d'objection sérieuse; et elle la félicita intérieurement. Là-dessus, ils s'entretinrent encore quelques minutes sans que lui parvint aucune syllabe. Puis un autre bienheureux arrêt de Marianne lui laissa surprendre ces mots prononcés d'une voix calme par le colonel :

— J'ai peur qu'il ne puisse se produire de sitôt.

Aussi étonnée que choquée par un propos aussi peu galant, elle fut sur le point de crier : « Seigneur! mais où voyez-vous un empêchement? » mais se retenant elle se borna à se dire intérieurement :

— Voilà qui est fort étrange. Il n'a pourtant pas besoin d'attendre d'être plus vieux.

Ce délai de la part du colonel, pourtant, ne parut pas offenser ou mortifier le moins du monde son aimable interlocutrice, car, leur conférence étant terminée, et chacun s'en allant de son côté, Mrs. Jennings entendit distinctement Elinor dire d'une voix qui la montrait pénétrée de ce qu'elle disait :

— Je me sentirai toujours très reconnaissante.

Cette gratitude fit grand plaisir à Mrs. Jennings, qui s'étonna seulement que, après une telle parole, le colonel pût immédiatement prendre congé, comme il le fit, avec le plus grand sang-froid, et sans faire aucune réponse. Elle n'aurait jamais cru que son vieil ami pût se montrer un prétendant aussi indifférent.

Ce qui s'était réellement passé entre eux, le voici :

— J'ai appris, dit-il, avec grande compassion l'injustice que votre ami, Mr. Ferrars, a enduré de la part de sa famille; car, si je comprends bien, ils l'ont entièrement renié pour avoir voulu persévérer dans son engagement avec une jeune fille très respectable. Ai-je été bien informé? Est-ce cela?

Elinor lui dit que oui.

— La cruauté, l'absurde cruauté, reprit-il avec émotion, qui consiste à vouloir séparer deux jeunes gens depuis longtemps attachés l'un à l'autre, est une chose terrible. Mrs. Ferrars ne se rend pas compte de ce qu'elle fait, ni de la violence dont elle se rend coupable envers son fils. J'ai vu Mr. Ferrars deux ou trois fois à Harley street et il m'a beaucoup plu. Ce n'est pas un jeune homme avec lequel on puisse lier rapidement connaissance, mais j'ai vu assez de lui pour lui vouloir personnellement du bien, et, à plus forte raison, puisqu'il est de vos amis. Je sais qu'il veut entrer dans les ordres. Voulez-vous être assez bonne pour lui dire que la cure de Delaford, qui vient d'être vacante, ainsi que me l'apprend une lettre reçue ce matin, est à sa disposition s'il veut l'accepter; et, en raison de la fâcheuse position où il se trouve on ne peut guère douter de sa réponse. Je voudrais seulement qu'elle fût plus importante : c'est un rectorat, mais petit; le dernier titulaire, je crois, n'en retirait pas plus de deux cents livres par an et, bien qu'il soit certainement susceptible d'amélioration, je crains que le revenu ne soit pas suffisant pour lui assurer une existence vraiment convenable. Tel qu'il est, cependant, j'aurais grand plaisir à présenter Mr. Ferrars à ce poste. Je vous prie de l'en assurer.

L'étonnement d'Elinor en recevant cette commission n'aurait pas été plus grand, si le colonel lui avait demandé sa main. Le poste que, deux jours auparavant, elle eût considéré comme impossible à obtenir pour Edward, se trouvait déjà prêt pour lui permettre de se marier. Et il fallait que le sort l'ait choisie, elle, Elinor, entre tous, pour le lui apporter. Son émotion était telle que Mrs. Jennings l'avait attribuée à une cause fort différente. Mais, quelle que part que des sentiments moins purs, moins agréables, aient pu avoir à cette émotion, son estime et sa gratitude pour la générosité naturelle et l'amitié qui avaient poussé le colonel Brandon à cette action, n'en furent pas moins vives et chaleureusement exprimées.

Elle le remercia de tout son cœur, donna aux principes et caractère d'Edward tous les éloges dont il était digne et promit de faire la commission avec plaisir si réellement il préférait se décharger de cette agréable mission sur une autre. Mais, en même temps, elle ne pouvait s'empêcher de penser que nul n'était mieux désigné que lui pour cet office. Elle aurait voulu épargner à Edward le chagrin de lui en avoir l'obligation, à elle, et aurait été, personnellement, toute heureuse d'en être dispensée.

Mais le colonel Brandon ne voulait pas s'en charger, pour des raisons de délicatesse et paraissait si désireux de passer par son intermédiaire, qu'elle ne voulut, à aucun prix, s'en défendre davantage. Edward, croyait-elle, était encore à Londres et elle avait heureusement retenu son adresse donnée par miss Steeles. Elle pouvait, en conséquence, l'informer dans la journée. Une fois la chose décidée, le colonel Brandon commença à parler de l'agrément personnel qu'il retirerait d'un voisinage aussi respectable et aussi agréable; c'est alors qu'il expliqua, avec regret, que le presbytère était petit et quelconque, inconvénient qu'Elinor, ainsi que l'avait supposé Mrs. Jennings, traita légèrement pour autant qu'il la concernait.

— Je ne vois aucun inconvénient, dit-elle, à ce que la maison soit petite car elle correspondra à leur revenu et à leur train de vie.

Le colonel, à ces mots, fut surpris de voir qu'elle pensait que cette présentation rendrait possible leur mariage. Au fond de lui-même, il ne supposait pas que la cure de Delaford pût fournir un revenu suffisant à quelqu'un habitué jusqu'alors à un certain train de vie.

— Ce petit rectorat ne peut donner à Mr. Ferrars que les moyens de vivre en célibataire; il n'est pas suffisant pour lui permettre de se marier. Je regrette que mon influence n'aille pas plus loin, mais je ne puis guère faire davantage. Si cependant, par quelque chance imprévue, il était en mon pouvoir de faire plus pour lui, il faudrait que j'aie bien changé d'avis sur son compte, si je n'étais pas aussi prêt que maintenant à rendre service. Ce que je fais actuellement n'est rien vraiment, puisque cela l'avance si peu vers le principal, l'unique objet de ses désirs. Son mariage doit rester encore un bonheur lointain. J'ai peur qu'il ne puisse se produire de si tôt.

Telle était la phrase qui, comprise de travers, avait choqué la délicatesse de Mrs. Jennings. Mais, après le récit que nous venons de faire, de ce qui s'était réellement passé entre le colonel Brandon et Elinor, au cours de leur entretien près de la fenêtre, la gratitude exprimée par cette dernière, au moment de leur séparation, paraîtra peut-être, au total, non moins fondée, ni moins justement formulée, que si elle avait eu sa source dans une offre de mariage.

XL

— Eh bien! miss Dashwood, dit Mrs. Jennings, avec un sourire entendu, aussitôt que le gentleman fut parti, je n'ai pas besoin de vous demander ce que vous a dit le colonel, car, bien que, sur mon honneur, j'aie essayé de me mettre hors de portée de voix, je n'ai pu m'empêcher d'en entendre assez pour comprendre de quoi il était question. Et je vous assure que je n'ai jamais de ma vie été si contente et je vous félicite de tout mon cœur.

— Je vous remercie, madame, dit Elinor. C'est un grand sujet de joie pour moi! et je suis très sensible à la bonté du colonel Brandon. Il n'y a pas beaucoup d'hommes qui auraient agi comme lui. Peu de gens ont un cœur aussi compatissant. Je n'ai jamais été aussi étonnée de ma vie.

— Seigneur! ma chère, vous êtes vraiment modeste! Je n'en ai pas été étonnée le moins du monde, car, depuis longtemps, je pensais qu'il n'y avait rien de plus probable.

— Vous jugez d'après votre connaissance générale du caractère généreux du colonel; mais vous ne pouviez prévoir qu'une occasion se présenterait aussi vite de l'éprouver.

— Une occasion! répéta Mrs. Jennings. Oh! quant à cela lorsqu'un homme s'est mis en tête pareille chose, l'occasion naît bien une fois ou l'autre. Eh bien! ma chère, je vous félicite encore; et s'il doit jamais y avoir un couple heureux en ce monde, je saurai où il faut aller le chercher.

— Vous voulez dire qu'il faudra aller à Delaford à leur suite, dit Elinor, avec un faible sourire.

— Oui, ma chère, c'est bien ce que je dis. Quant à l'insuffisance de sa maison, je ne sais ce que le colonel veut dire, car elle est aussi bien que possible.

— Il disait qu'elle avait besoin de réparations.

— Bon, et à qui la faute? Pourquoi ne la répare-t-il pas? Qui donc peut le faire si ce n'est lui?

Elles furent interrompues par le domestique annonçant que la voiture était à la porte et Mrs. Jennings, se préparant à sortir immédiatement, ajouta :

— Eh bien! ma chère, je suis obligée de partir avant d'avoir dit la moitié de ce que je voulais vous dire. Mais je me rattraperai ce soir, car nous serons tout à fait seules. Je ne vous propose pas de m'accompagner, car je pense bien que vous avez l'esprit trop plein de la chose pour souhaiter de la compagnie; et puis, il doit vous tarder d'en parler à votre sœur.

Marianne était sortie avant le début de la conversation.

— Certainement, madame, je mettrai Marianne au courant; mais, pour le moment, je n'en parlerai à personne **d'autre.**

— Oh! très bien, dit Mrs. Jennings, un peu désappointée. Alors, vous ne voulez pas que je le dise à Lucy, car je compte aller aujourd'hui jusqu'à Holborn.

— Non, madame, je vous en prie, pas même à Lucy. Un jour de délai n'a pas d'importance et, jusqu'à ce que j'ai écrit à Mr. Ferrars, il ne faut y faire allusion devant personne. Je vais le faire tout de suite. Il importe de ne pas perdre de temps avec lui, car, certainement, il doit avoir beaucoup à faire au sujet de son ordination.

Ces mots stupéfièrent Mrs. Jennings. Pourquoi fallait-il que Mr. Ferrars fût averti si vite, elle ne le saisit pas d'abord. Mais un moment de réflexion lui suggéra une idée lumineuse, et elle s'écria :

— Oh là! Je vous comprends. Vous avez choisi Mr. Ferrars. Mais tout est pour le mieux. Oui, pardi, il faut qu'il soit ordonné rapidement; et vous me voyez bien heureuse que les choses soient aussi avancées entre vous. Mais, ma chère, n'est-ce pas un peu en dehors de votre rôle? Ne serait-ce pas au colonel à écrire lui-même? Certainement, il est tout désigné.

Elinor ne comprit rien au commencement de ce discours, mais elle ne jugea pas à propos de demander des explications. Elle répondit seulement à la conclusion.

— Le colonel Brandon est un homme si délicat, qu'il préfère ne pas annoncer lui-même ses intentions à Mr. Ferrars, mais les lui faire communiquer par un tiers.

— Et, par conséquent, c'est vous qui êtes obligée de le faire. Tout de même, c'est une singulière délicatesse. Mais, je ne veux pas vous déranger (Elinor se préparait à écrire). Vous savez, mieux que moi, ce que vous avez à faire. Làdessus, bonjour, ma chère. Je n'ai rien entendu qui m'ait fait plus de plaisir depuis que Charlotte garde la chambre.

Elle partit là-dessus, mais revint un instant après.

— Je viens de penser à la sœur de Betty, ma chère. Je serai bien heureuse de lui procurer une si bonne maîtresse. Mais je ne suis pas bien sûre qu'elle puisse faire comme femme de chambre. Elle est excellente pour le ménage et la couture. Enfin, vous y penserez à loisir.

— Certainement, madame, répondit Elinor, ne comprenant pas grand chose et plus pressée d'être seule que d'éclaircir ce point.

Comment entamer le sujet, comment s'exprimer dans sa

lettre à Edward, c'était maintenant tout son souci. Leur situation particulière rendait difficile ce qui aurait été pour toute autre personne la chose du monde la plus simple; mais elle craignait, à la fois, d'en dire trop et de ne pas en dire assez et restait hésitante devant son papier, la plume en l'air, lorsqu'elle fut interrompue par l'arrivée d'Edward en personne.

Il avait rencontré à la porte Mrs. Jennings sur le point de monter en voiture, au moment où il venait déposer une carte d'adieu; et celle-ci, s'excusant de ne pas se retourner, l'avait forcé à entrer en lui disant que miss Dashwood était chez elle et désirait lui parler pour une affaire particulière.

Au milieu de sa perplexité, Elinor s'était tout de même félicitée en se disant que, si délicat qu'il fut de s'exprimer par lettre, une explication de vive voix eût été encore plus pénible. Et voilà que l'entrée inopinée de son visiteur venait justement de la mettre en face de cette nécessité. Son étonnement et sa confusion furent grands devant cette apparition soudaine.

Elle ne l'avait pas revu depuis que ses fiançailles avaient été rendues publiques, et, par conséquent, depuis qu'il la savait au courant. Sachant ce qu'elle en pensait et ce qu'elle avait à lui en dire, elle se sentit, pendant quelques minutes, particulièrement mal à l'aise. De son côté, il était fort malheureux et ils se trouvaient, l'un devant l'autre, dans un mutuel embarras.

Avait-il pensé à lui demander pardon d'être entré à l'improviste? Il ne put se le rappeler. Mais, pensant tenir le bon bout, il lui fit des excuses en forme aussitôt qu'il eut recouvré la parole :

— Mrs Jennings m'a dit, articula-t-il, que vous vouliez me parler, c'est, du moins, ce que j'ai compris, autrement je ne me serais pas introduit ici de cette façon, bien que j'eusse été pourtant très fâché de quitter Londres sans vous voir, vous et votre sœur; d'autant que ce sera probablement pour assez longtemps. Il n'est pas probable, en effet, que j'aie le plaisir de vous rencontrer de si tôt. Je pars demain pour Oxford.

— Mais vous ne seriez certainement pas parti, dit Elinor (elle s'était ressaisie et était résolue à aborder aussitôt que possible le sujet qu'elle redoutait le plus), sans avoir reçu nos bons souhaits, même si nous n'avions pu vous les appor-

ter nous-mêmes. Mrs. Jennings avait tout à fait raison, j'ai
quelque chose d'important à vous dire, et j'allais vous écrire
à ce sujet. Je suis chargée d'une agréable mission (elle respirait un peu plus précipitamment que d'habitude tout en
parlant) : le colonel Brandon, qui sort d'ici, désire vous
informer, par mon intermédiaire, que, sachant que vous
devez vous faire ordonner, il est très heureux de vous offrir
la cure de Delaford qui vient d'être vacante et regrette seulement qu'elle ne soit pas plus importante. Laissez-moi vous
féliciter d'avoir un tel ami et souhaiter comme lui que ce
poste — il rapporte environ deux cents livres par an —
devienne beaucoup plus important, de façon à vous rendre
possible... à être plus qu'une situation transitoire pour
vous... enfin, j'aurais souhaité qu'il vous permette de réaliser tous vos vœux de bonheur.

Ce que furent les impressions d'Edward, comme il ne put
arriver à les exprimer lui-même, il ne faut pas s'attendre à
ce que personne puisse le faire à sa place. Il laissa voir tout
l'étonnement qu'une nouvelle aussi imprévue, aussi éloignée
de sa pensée, ne pouvait manquer de lui donner, mais il ne
put dire que ces deux mots !

— Le colonel Brandon !

— Oui, continua Elinor, s'affermissant maintenant que
le plus fort était fait. Le colonel Brandon désire vous témoigner, par là, la part qu'il prend à ce qui vient de se passer,
à la cruelle situation dans laquelle vous a placé l'injustifiable
conduite de votre famille, sentiment que nous partageons
tous, Marianne, moi et tous vos amis; et c'est aussi une
façon de vous prouver sa haute estime pour votre caractère
en général, et sa particulière approbation pour votre attitude
dans les circonstances actuelles.

— Le colonel Brandon m'offrir une cure ! Est-ce possible ?

— Les mauvais procédés de votre famille font que vous
vous étonnez de rencontrer, quelque part, un geste amical.

— Non, répliqua-t-il, avec un brusque élan; non, pas
en vous; car je ne puis ignorer que c'est à vous, à votre
bonté que je dois tout. Je le sens, je voudrais l'exprimer,
si je pouvais, mais comme vous le savez, je ne suis pas orateur.

— Vous vous trompez beaucoup. Je vous assure que
vous ne devez rien qu'à votre mérite, entièrement à votre

mérite et à la juste appréciation qu'en a faite le colonel Brandon. Je n'y ai été pour rien. Je ne savais même pas, avant qu'il m'en eût parlé, que la cure fût vacante; et il m'était même jamais venu à l'esprit qu'il eût un poste de ce genre à sa disposition. En sa qualité d'ami de ma famille et de moi-même, il se peut, et je crois même que c'est exact, qu'il ait encore plus de plaisir à vous rendre ce service. Mais, sur ma parole, vous ne devez rien à mon intervention.

La vérité l'obligeait à admettre qu'elle y avait une petite part mais, en même temps, il lui répugnait tellement de se poser en bienfaitrice d'Edward, qu'elle hésitait à le reconnaître; ce qui probablement contribua, à ancrer dans l'esprit de ce dernier, le soupçon qui venait d'y entrer. En effet, quand Elinor eut fini de parler, il resta quelque temps profondément enfoncé dans ses pensées et, à la fin, il dit, en paraissant faire un effort :

— Le colonel Brandon semble un homme très remarquable et très respectable. C'est ainsi que j'en ai toujours entendu parler et votre frère, je le sais, l'estime beaucoup. C'est, certainement, un homme d'un jugement sûr et un parfait gentleman.

— Je suis certaine, répondit Elinor, que, quand vous aurez fait plus ample connaissance, vous trouverez que tout ce qu'on vous a dit sur son compte est exact. Et, puisque vous allez être très proches voisins (car je crois que le presbytère est à côté de sa maison), il est fort important qu'il en soit ainsi.

Edward ne répondit pas. Mais, quand elle eut tourné la tête, il jeta sur elle un regard si sérieux, si profond, si malheureux, qu'il semblait bien qu'il aurait souhaité, pour son avenir, que le presbytère et la maison fussent beaucoup plus éloignés l'un de l'autre.

— Le colonel Brandon, je crois, loge dans Saint-James street, dit-il un moment après, en se levant de son siège.

Elinor lui indiqua le numéro de la maison.

— Je dois donc me dépêcher, pour lui apporter à temps ces remerciements que vous ne voulez pas accepter et l'assurer qu'il m'a rendu véritablement très heureux.

Elinor ne chercha pas à le retenir; et ils se séparèrent, sur une chaleureuse assurance, de sa part, qu'elle ne cesserait de faire les vœux les plus cordiaux pour son bonheur en quelque situation qu'il puisse se trouver; tandis que, de son côté, il essayait, plutôt qu'il n'y réussissait, d'exprimer, en retour, les mêmes sentiments.

— Quand je le reverrai, se dit Elinor une fois la porte refermée sur lui, il sera le mari de Lucy.

Et sur cette peu plaisante anticipation, elle s'absorba à évoquer le passé, se rappelant les paroles d'Edward, essayant de comprendre ses sentiments, et, de toute façon, réfléchissant sur les siens sans aucun plaisir.

Lorsque Mrs. Jennings rentra, bien qu'elle revînt de voir des gens qu'elle ne connaissait pas encore et eût, par conséquent, beaucoup de choses à dire sur eux, son esprit était tellement préoccupé du grand événement, qu'elle y revint dès qu'Elinor apparut.

— Eh bien, ma chère, s'écria-t-elle. Je vous ai envoyé le jeune homme. N'ai-je pas eu raison? Et je suppose que vous n'avez pas eu grande difficulté à le convaincre. Vous ne pouviez guère le trouver disposé à refuser votre proposition.

— Non, madame, ce n'était pas probable.

— Bon et quand sera-t-il prêt? Car tout dépend de cela, il me semble.

— Vraiment, dit Elinor, je suis si peu au courant de ce genre de choses, que j'aurais même de la peine à dire combien il faut de temps, ni quelle préparation est nécessaire. Mais je suppose que deux ou trois mois lui suffisent pour arriver à son ordination.

— Deux ou trois mois? s'écria Mrs. Jennings. Avec quel calme vous prenez cela, ma chère! Et le colonel pourra-t-il attendre deux ou trois mois, Dieu me bénisse! je suis sûre que, pour moi, je n'aurais pas cette patience. Et, sans doute, je serais heureuse qu'on fît cette gracieuseté à ce pauvre Mr. Ferrars, mais cela n'a pas de sens d'attendre deux ou trois mois à cause de lui. On trouvera, certainement, quelqu'un qui fera aussi bien, quelqu'un qui soit déjà ordonné.

— Mais, chère madame, dit Elinor, à quoi pensez-vous? Certainement, le seul but du colonel Brandon est d'être utile à Mr. Ferrars.

— Dieu vous bénisse, ma chère! Certainement, vous n'allez pas me faire croire que le colonel Brandon vous épouse uniquement pour pouvoir donner dix guinées à Mr. Ferrars.

Après cela, le quiproquo ne pouvait plus continuer, et une explication s'ensuivit, qui leur procura à toutes deux beaucoup d'amusement sans rien enlever à leur satisfaction mutuelle, car Mrs. Jennings échangea seulement une satisfaction pour une autre, et encore ne perdit-elle pas l'espoir de voir se réaliser ses premiers vœux.

— Oui, oui, le presbytère est petit, dit-elle après que le premier moment de surprise et de satisfaction fut passé, et je crois qu'il est en mauvais état; mais, d'entendre un homme s'excuser comme je me le figurais, à propos d'une maison qui, à ma connaissance, a cinq salons au rez-de-chaussée et peut contenir cinquante lits, d'après ce que m'a dit l'intendant! Et auprès de vous qui vivez à Barton Cottage! Cela semblait tout à fait ridicule. Mais, ma chère, il faudra que vous touchiez un mot au colonel, au sujet du presbytère, pour qu'il le mette en état avant l'arrivée de Lucy.

— À vrai dire, le colonel Brandon ne paraît pas avoir idée que le revenu de la cure leur permette de se marier.

— Le colonel est un nigaud, ma chère. Parce qu'il a deux mille livres de rente, il s'imagine que personne ne peut se marier à moins. Rappelez-vous ce que je dis : pourvu que Dieu me prête vie, j'irai rendre visite au presbytère de Delaford avant la Saint-Michel; et, certainement, je n'irais pas si Lucy n'y était déjà.

Elinor était tout à fait de son avis et il lui semblait probable qu'ils n'attendraient pas plus longtemps.

XLI

Edward, ayant apporté ses remerciements au colonel Brandon, alla faire part de son bonheur à Lucy; et, tel en était l'excès au moment où il atteignit Barlett's Buildings, que Lucy pût affirmer à Mrs. Jennings, revenue la voir le lendemain pour lui porter ses félicitations, qu'elle ne l'avait jamais vu si entrain de sa vie.

Son propre bonheur et son propre entrain n'étaient pas moins certains; et elle partageait de tout cœur l'espérance

de Mrs. Jennings de les voir confortablement installés dans
le presbytère de Delaford avant la Saint-Michel. En même
temps, elle était si éloignée de contester à Elinor le crédit
que lui avait supposé Edward, qu'elle parlait avec une
reconnaissance chaleureuse de son amitié à leur égard, était
prête à reconnaître toutes les obligations qu'ils lui avaient,
et déclarait bien haut que, de la part de miss Dashwood,
aucune démarche pour leur bien, présente ou future, ne la
surprendrait jamais, car elle la croyait capable de faire tout
au monde pour ceux qu'elle estimait réellement. Quant au
colonel Brandon, elle n'était pas seulement disposée à le
vénérer comme un saint, mais, de plus, était vraiment soucieuse de le voir traité en conséquence dans toutes ses affaires temporelles, préoccupée de voir le montant de ses dîmes
porté au maximum, et secrètement bien décidée à profiter,
le plus possible, pour son compte, à Delaford, de son personnel, de ses voitures, de sa vacherie et de son poulailler.

Il y avait maintenant près d'une semaine que John Dashwood était venu à Berkeley street et, comme, depuis lors,
elles n'avaient rien fait au sujet de l'indisposition de sa
femme, que de s'informer, de loin, de ses nouvelles, Elinor
commença à croire qu'il était nécessaire de lui faire une
visite. C'était là, d'ailleurs, une obligation pour laquelle
non seulement elle ne se sentait personnellement aucune
inclination, mais pour l'accomplissement de laquelle elle
ne reçut aucun encouragement de son entourage.

Marianne, non contente de refuser absolument, pour son
compte, insista beaucoup auprès de sa sœur pour qu'elle
s'en abstînt. Et Mrs. Jennings tout en mettant, comme toujours sa voiture, au service d'Elinor, ressentait une telle
antipathie pour Mrs. John Dashwood, que, même sa curiosité de voir comment l'avaient traitée les derniers événements,
non plus que le vif désir qu'elle avait de l'affronter en prenant
le parti d'Edward, ne purent lui faire surmonter sa répugnance à se trouver encore en sa compagnie. La conséquence fut qu'Elinor prit sur elle de rendre une visite, pour
laquelle elle ne se sentait aucun goût et de courir le risque
d'un tête à tête avec cette femme qu'elle avait, plus que tous,
les meilleures raisons de détester.

Mrs. Dashwood ne recevait pas; mais, avant que la voiture fût repartie, son mari vint à sortir. Il manifesta le plus
grand plaisir en voyant Elinor, lui dit qu'il allait justement

leur rendre visite à Berkeley street, et, lui assurant que Fanny serait très heureuse de la voir, l'invita à entrer.

Ils montèrent jusqu'au salon. Il n'y avait personne.

— Fanny est dans sa chambre, je suppose, dit-il. Je vais voir, tout de suite, car je suis sûr qu'elle n'aura pas la moindre objection à vous recevoir, tout au contraire. Maintenant, surtout, bien que, d'ailleurs, Marianne et vous ayez toujours été de ses préférées. Pourquoi Marianne n'est-elle pas venue ?

Elinor fournit une excuse quelconque.

— Je ne suis pas fâché de vous voir seule, reprit-il, car j'ai bien des choses à vous dire. Cette cure de Delaford ? est-ce vrai ? Le colonel Brandon l'a-t-il réellement donnée à Edward ? J'en ai entendu parler, hier, par hasard, et j'allais chez vous pour m'en informer sûrement.

— C'est parfaitement vrai. Le colonel a donné à Edward la cure de Delaford.

— Réellement ! comme c'est étonnant ! Ils ne sont pas parents. Ils ne se connaissaient pas, et ces postes-là valent aujourd'hui si cher ! Que rapporte-t-il ?

— Environ deux cents livres par an.

— Très bien. Et pour le droit de présentation à un poste de cette valeur, en supposant que le dernier titulaire ait été vieux et malade et le poste sur le point d'être vacant, il aurait pu demander, je crois bien, quatorze cents livres. Comment n'a-t-il pas réglé cela avant la mort de cette personne ? Maintenant, certainement, il est trop tard, mais un homme aussi sensé que le colonel Brandon, je suis stupéfait qu'il se soit montré aussi imprévoyant à l'égard d'une éventualité si commune, si naturelle. Oui, il faut reconnaître qu'il entre beaucoup d'imprévu dans le caractère de presque tous les gens. Je suppose, cependant, en y réfléchissant, que le cas pourrait s'expliquer ainsi : Edward serait là pour tenir le poste jusqu'à ce que la personne, à qui le colonel a réellement vendu le droit de présentation, soit en âge de l'occuper. Oui, oui, voilà le fait, soyez-en sûre.

Elinor, cependant, lui opposa une dénégation en toute connaissance de cause et, comme elle lui expliqua qu'elle avait été elle-même chargée de transmettre l'offre du colonel à Edward, et par conséquent, devait en connaître les termes, il fut obligé d'accepter ce qu'elle lui disait.

— C'est vraiment étonnant! s'écria-t-il après l'avoir entendu. Quels pouvaient être les motifs du colonel?

— Il n'en avait qu'un, très simple. Rendre service à Mr. Ferrars.

— Bon, quoi qu'il en soit du colonel Brandon, Edward a vraiment de la chance! N'en parlez pas à Fanny, cependant. Car, bien que je ne lui aie pas cachée, et qu'elle ait supporté cela très bien, elle ne tient pas beaucoup à en entendre parler.

Elinor eut quelque peine à se retenir de faire observer qu'à son avis, Fanny pouvait avoir supporté, sans peine, une bonne fortune survenue à son frère, et qui ne pouvait, en aucune façon, l'appauvrir, ni elle, ni son fils.

— Mrs. Ferrars, ajouta-t-il baissant la voix pour la mettre au diapason convenable à un objet si important, n'en sait rien, jusqu'à présent, et je crois qu'il vaut mieux le lui cacher aussi longtemps que possible. Lorsque le mariage aura eu lieu, j'ai peur qu'elle n'apprenne tout cela.

— Mais pourquoi tant de précautions? Sans doute, on ne peut supposer que Mrs. Ferrars puisse éprouver la moindre satisfaction en apprenant que son fils a assez d'argent pour vivre; ceci est hors de question. Mais comment, étant donné l'attitude qu'elle a prise, peut-on supposer qu'elle en ressentira quelque chose? Elle a renié son fils, elle l'a repoussé pour toujours, et a entraîné dans cette attitude tous ceux sur lesquels elle a une influence. Certainement, après avoir ainsi agi, on ne peut la supposer susceptible d'aucune impression de joie ou de chagrin à son sujet. Elle ne peut s'intéresser à rien de ce qui l'atteint. On ne peut supposer qu'elle se soit privée de l'appui d'un fils pour garder toute l'anxiété d'une mère!

— Ah! Elinor! dit John, vous raisonnez fort bien, mais vous ne connaissez pas la nature humaine. Quand ce déplorable mariage d'Edward aura lieu, tenez pour certain que sa mère en souffrira comme si elle ne l'avait jamais écarté d'elle, et, par conséquent, toutes les circonstances qui peuvent accélérer ce désastreux événement doivent lui être dissimulées autant que possible. Mrs. Ferrars ne pourra jamais oublier qu'Edward est son fils.

— Vous me surprenez, je pensais qu'il était, depuis ce temps, sorti pour ainsi dire de sa mémoire.

— Vous lui faites tout à fait tort. Mrs. Ferrars est la mère la plus affectueuse du monde.

Elinor garda le silence.

— Nous pensons, maintenant, dit Mr. Dashwood, après une courte pause, à marier Robert à miss Morton.

Elinor, amusée par le ton d'importance grave et décisif de son frère, répondit simplement.

— La jeune fille, je suppose, n'a pas voix au chapitre dans cette affaire.

— Voix au chapitre? Que voulez-vous dire?

— Simplement, que je suppose, d'après votre manière de parler, que c'est la même chose pour miss Morton d'épouser Edward ou Robert.

— Certainement, il ne peut y avoir de différence. Car Robert, maintenant, à tous les points de vue, peut être considéré comme un fils aîné; pour le reste, ils sont aussi bien de leur personne l'un que l'autre, et je ne vois pas que l'un soit supérieur à l'autre.

Elinor n'insista pas et John resta un moment sans parler. Ses réflexions aboutirent à ceci:

— Il y a une chose, ma chère sœur — et il lui prit amicalement la main, tandis qu'il prenait un ton confidentiel et solennel — une chose dont je puis vous assurer, parce que je sais qu'elle vous fera plaisir. J'ai de bonnes raisons de croire, oui de bonnes raisons, sinon je ne le répéterais pas, car ce serait mal de revenir sur ce sujet... de bonnes raisons de penser, quoique Mrs. Ferrars ne me l'ait pas dit, mais je sais qu'elle s'en est ouvert à Fanny... de penser que, quelques objections qu'il y ait pu avoir contre... contre un certain projet, vous me comprenez, elle l'eût trouvé bien préférable et il ne lui aurait pas causé la moitié de la peine que celui-ci lui a occasionnée. J'ai été extrêmement heureux d'apprendre que Mrs. Ferrars considérait les choses de cette manière, ce qui est vraiment agréable pour nous tous, vous le comprenez.

« C'eût été, sans comparaison, le moindre mal, a-t-elle dit, et elle aurait été heureuse maintenant de s'en accommoder. Mais, bien entendu tout cela est hors de question, il n'y a plus à y penser ni à en parler. Pour ce qui est d'un mariage, cela n'a jamais été possible, et c'est bien fini. Mais, j'ai pensé que je devais vous le dire, parce que je savais combien cela vous ferait plaisir. Non que vous ayez rien à regretter, ma chère Elinor. Il n'y a aucun doute que vous ne réussissiez excessivement bien, aussi bien et peut-être mieux,

toutes choses bien considérées. Avez-vous vu récemment
le colonel Brandon ? »

Elinor en avait entendu assez, sinon pour flatter sa vanité,
du moins pour l'énerver et l'agiter, aussi fut-elle heureuse
d'échapper, par l'entrée de Mr. Robert Ferrars, à la nécessité d'ajouter personnellement quelque chose et à l'obligation d'en entendre davantage de son frère. Après avoir
échangé avec lui quelque propos, Mr. John Dashwood, se
rappelant que Fanny n'avait pas encore été informée de la
présence de sa sœur, sortit pour aller la chercher, et Elinor
eut tout loisir de faire plus ample connaissance avec Robert.
Sa joyeuse insouciance, sa satisfaction béate de lui-même
tandis qu'il bénéficiait, au préjudice de son frère disgrâcié,
d'une libéralité aussi partiale et aussi injuste, acquise uniquement par sa conduite frivole et dissipée, achevèrent de donner
à la jeune fille la plus mauvaise opinion de son cœur et de
son esprit.

A peine avaient-ils été deux minutes ensemble, qu'il mit
la conversation sur Edward; car, lui aussi, avait entendu
parler de la cure de Delaford et montrait beaucoup de curiosité à ce sujet. Elinor refit le récit qu'elle avait déjà fait à
John, et l'effet, sur Robert, quoique très différent, ne fut pas
moins frappant. Il se traduisit par une hilarité sans bornes.
L'idée d'Edward devenu clergyman et vivant dans un petit
presbytère l'amusait au delà de toute expression; et lorsqu'il
en vint à s'imaginer, par là-dessus, Edward lisant les prières
revêtu d'un surplis blanc, publiant les bancs de mariage entre
John Smith et Mary Brown, il lui parut qu'on ne pouvait
rien concevoir de plus ridicule.

Elinor, attendant en silence et avec une imperturbable
gravité la conclusion de ce discours inepte, ne put s'empêcher de tenir les yeux fixés sur lui avec un regard qui exprimait tout son mépris. Bien lui en prit, car elle en éprouva du
soulagement, et il n'y comprit rien. Il quitta le ton plaisant
pour le ton sérieux, non qu'il eût senti le reproche, mais de
son propre mouvement.

— Nous pouvons tourner la chose en plaisanterie, dit-il à
la fin, en quittant le rire affecté qu'il avait prolongé bien au-
delà de son premier mouvement de gaieté, mais, sur mon
âme, c'est une affaire déplorable. Pauvre Edward! Il est
ruiné pour toujours. Cela me fait beaucoup de peine, car je
le tiens pour une excellente créature, un garçon qui a la meil-

leure nature du monde. Vous ne pouvez pas en juger, miss Dashwood, par les brefs rapports que vous avez eus avec lui. Il est certainement un peu gauche par nature. Mais, vous le savez, tout le monde ne naît pas avec les mêmes aptitudes, la même facilité. Pauvre diable! Dans un cercle d'étrangers, certainement, il fait pitié! Mais, sur mon âme, je ne connais personne qui ait aussi bon cœur. Et je déclare, je proteste devant vous que je n'ai, jamais de ma vie, été aussi choqué que quand cet éclat s'est produit. Je ne pouvais pas le croire. Ma mère est la première personne qui m'en a informé, et moi, sentant que je devais prendre résolument parti, je lui dis immédiatement :

— Chère madame, je ne sais ce que vous allez faire en cette occasion, mais, pour moi, je dois dire que, si Edward épouse cette jeune personne, je ne le verrai plus de ma vie. C'est ce que j'ai dit immédiatement. Je n'ai jamais de ma vie été aussi indigné. Pauvre Edward! Il est complètement perdu, mis pour toujours au ban de la bonne société. Mais, comme je l'ai dit tout de suite à ma mère, je n'en suis pas le moins du monde surpris; on ne pouvait attendre autre chose du genre d'éducation qu'il avait reçu. Ma pauvre mère était à moitié folle.

— Avez-vous jamais vu la personne en question?

— Oui, une fois, pendant qu'elle était à la maison. Il m'arriva d'entrer pour dix minutes. Et j'ai pu la voir suffisamment. La plus vulgaire demoiselle de province, sans allure, sans élégance, et sans grande beauté. Juste le genre de femme qui pouvait captiver ce pauvre Edward. Dès que ma mère m'eut appris son engagement, j'offris tout de suite de lui parler moi-même et de le dissuader de cette union. Mais, à ce moment-là, c'était trop tard pour rien faire, car, malheureusement, je n'étais pas au courant dès le début, et je n'ai rien su que lorsque l'éclat avait eu lieu à un moment où, vous comprenez, je ne pouvais plus intervenir. Mais, si je l'avais su quelques heures plus tôt, je crois que, très probablement, j'aurais pu faire quelque chose. Certainement, j'aurais présenté les choses à Edward sous leur vrai jour. « Mon cher ami, lui aurais-je dit, regardez bien ce que vous faites. Vous vous engagez dans l'union la plus déshonorante, et toute votre famille est unanime à la désapprouver. » Bref, je ne puis m'empêcher de croire qu'on aurait trouvé quelque moyen d'en sortir. Mais, maintenant, il est trop

tard. Il est réduit à la misère, c'est certain. Absolument
réduit à la misère.

Il venait d'énoncer cette conclusion avec la plus grande
tranquillité, quand l'entrée de Mrs. John Dashwood mit
fin à ce sujet. Mais, bien que cette dernière n'en parlât jamais
hors du cercle de sa famille, Elinor perçut à quel point son
esprit était préoccupé, en notant une nuance d'embarras
dans sa contenance, et un effort pour prendre à son égard
une attitude aimable. Elle alla jusqu'à exprimer son regret
qu'Elinor et sa sœur fussent sur le point de quitter la ville,
car elle avait espéré les voir plus souvent, véritable effort de
sa part, dans lequel, son époux, qui l'avait accompagnée et
était suspendu amoureusement à ses paroles, parut voir tout
ce qu'on peut imaginer de plus gracieux et de plus tendre.

XLII

Une dernière et brève visite à Harley street, où Elinor
reçut les félicitations de son frère sur la chance qu'elles
avaient de voyager sans dépense jusqu'à une si grande proxi-
mité de Barton, et de voir le colonel Brandon les suivre à
Cleveland dans un jour ou deux, termina les rapports de Mr.
Dashwood et de ses sœurs à Londres; et toutes les allusions
à une prochaine rencontre à la campagne se bornèrent à une
invitation du bout des lèvres par Fanny de venir à Norland,
si jamais elles en avaient l'occasion, ce qui était bien la chose
la plus improbable, et à un souhait plus chaleureux, quoique
plus discrètement exprimé de la part de John à Elinor, de la
voir bientôt à Delaford.

Cela l'amusa d'observer que toutes ses connaissances semblaient conspirer pour l'envoyer à Delaford, l'endroit du
monde qu'elle avait le moins envie de visiter et où elle désirait le moins séjourner. Car, non seulement, Mrs. Jennings
et son frère s'accordaient pour y voir sa future résidence,
mais Lucy, elle-même, quand elle prit congé, l'invita d'une
façon pressante à aller les voir.

Au début d'avril par un beau matin, les deux groupes des habitants d'Hanover Square et de Berkeley street sortirent de leurs résidences respectives, pour se rencontrer au rendez-vous sur la route. A cause de Charlotte et de son bébé, on devait mettre plus de deux jours à faire le voyage, tandis que Mr. Palmer et le colonel Brandon, voyageant plus rapidement, devaient les rejoindre à Cleveland peu après leur arrivée.

Marianne, si peu qu'elle ait eu d'instants heureux à Londres et si désireuse qu'elle fût de partir, ne put, quand le moment fut arrivé, dire adieu, sans un grand chagrin, à cette demeure où, pour la dernière fois, elle avait caressé, à l'égard de Willoughby, ces sentiments d'espoir et de confiance, maintenant anéantis à jamais. Et elle ne put s'empêcher de verser d'abondantes larmes à la pensée qu'elle quittait le lieu où il avait contracté de nouveaux engagements et formé de nouveaux projets, où elle n'avait aucune part.

La satisfaction d'Elinor, au moment du départ, était plus réelle. Elle n'avait aucun objet semblable sur lequel ses regrets puissent s'attarder; elle ne laissait, derrière elle, aucune personne dont elle ne pût se séparer pour toujours sans le moindre regret, elle était heureuse de se libérer de la persécution que constituaient pour elle les protestations d'amitié de Lucy, elle se félicitait d'emmener sa sœur sans que Willoughby l'ait revue depuis son mariage et mettait sa confiance en quelques mois de tranquillité à Barton pour rétablir la paix dans l'esprit de Marianne et achever de tranquilliser le sien.

Leur voyage se passa heureusement. Le second jour les amena dans cette contrée de Somerset, tour à tour chérie ou détestée, suivant le tour que prenait l'imagination de Marianne, et, dans la matinée du troisième jour, ils arrivèrent à Cleveland.

Cleveland était une grande maison moderne dominant une prairie en pente. Il n'y avait pas de parc, mais beaucoup de coins charmants, et, comme dans beaucoup d'autres domaines de cette importance, il y avait un bosquet et une allée couverte; un chemin de fin gravier entourant une plantation conduisait à l'entrée; les prairies étaient parsemées d'arbres. La maison, elle-même, était ombragée par des sapins, des frênes, des acacias, et un épais rideau de ces mêmes

essences entremêlées de grands peupliers de Lombardie la
séparait des communs.

Marianne pénétra dans la maison, le cœur chaviré d'émotion à l'idée qu'elle était seulement à dix-huit milles de Barton
et à moins de trente de Combe Magna. Elle n'y était pas
entrée depuis cinq minutes, que, profitant de ce que les
autres étaient tous occupés avec Charlotte à montrer le
bébé à l'intendant, elle se glissa au dehors, à travers les
détours des bosquets qui commençaient à verdoyer agréablement pour gagner une hauteur, près de là, couronnée
par un temple grec. De là, ses yeux errant sur un large hori-
zon de campagne dans la direction du sud-ouest pouvaient
se reposer avec délices sur la ligne de collines la plus éloignée, et rêver que, de leurs sommets, elle pourrait voir
Combe Magna.

Dans de tels moments de précieuse, d'inappréciable tristesse, elle ne pouvait assez se féliciter, tout en versant des
larmes d'agonie, de se trouver à Cleveland; et, tandis qu'elle
s'en retournait à la maison, en faisant des détours, goûtant
tout le bonheur d'être en liberté à la campagne et de se
promener dans une libre et délicieuse solitude, elle prit la
résolution de se livrer, pendant le temps qu'elle demeurerait
chez les Palmer, au plaisir de ces courses solitaires.

Elle revint juste à temps pour se joindre aux autres au
moment où ils partaient de la maison afin d'en explorer les
environs immédiats; et le reste de la matinée fut amplement occupé à faire le tour du jardin potager, à examiner les
fleurs des plantes grimpantes, à écouter les lamentations du
jardinier sur la gelée, à flâner à travers les serres, où la perte
de ses plantes favorites, imprudemment exposées et brûlées
par une gelée tardive, excita l'hilarité de Charlotte; et à
visiter le poulailler, où les plaintes qu'elle entendit sur les
poules qui avaient abandonné leurs nids ou avaient été
enlevées par un chien, sur la perte subite d'une couvée pleine
de promesse, procurèrent à Charlotte de nouvelles sources
de joie.

Le temps était beau et sec, et Marianne, dans son plan de
promenades, n'avait pas fait entrer, en ligne de compte, un
changement de température possible durant son séjour à
Cleveland. En conséquence, elle éprouva une grande surprise lorsqu'une pluie persistante l'empêcha de ressortir
après dîner. Elle avait compté sur une promenade au cré-

puscule vers le temple grec, et, peut-être, dans tout le domaine, et une soirée simplement froide et humide ne l'en aurait pas détournée, mais une grosse pluie persistante ne pouvait, même pour elle, passer pour un temps favorable à la promenade.

La compagnie n'était pas nombreuse, et les heures s'écoulaient tranquillement. Mrs. Palmer avait son bébé, et Mrs. Jennings, son ouvrage. Elles causaient des amis qu'elles avaient laissés, des invitations de lady Middleton, et se demandaient si Mr. Palmer et le colonel Brandon iraient, ce soir, plus loin que Reading. Elinor, si peu qu'elle y fût intéressée, prenait part à la conversation, et Marianne qui, partout où elle se trouvait, avait toujours le talent de se faufiler jusqu'à la bibliothèque, si peu fréquentée qu'elle put être en général par la famille, ne tarda pas à se procurer un livre.

Du côté de Mrs. Palmer, rien ne manquait de ce que peut une constante et amicale bonne humeur pour mettre ses hôtes à leur aise. Ses façons ouvertes et cordiales rachetaient largement ce manque de réflexion qui lui faisait souvent négliger les formes extérieures de la politesse; son amabilité se peignait sur sa figure engageante; et sa frivolité, quoique évidente, ne choquait pas, n'ayant rien d'apprêté; Elinor lui aurait tout passé, sauf son rire.

Les deux gentlemen arrivèrent le lendemain assez tard pour le dîner, et constituèrent un agréable appoint pour la petite société dont ils varièrent à propos la conversation, que la longue réclusion d'une matinée de pluie ininterrompue avait fini par tarir à peu près.

Elinor avait si peu vu Mr. Palmer et, dans ce peu, avait trouvé une telle variété dans sa façon de s'adresser à elle et à sa sœur, qu'elle ne savait comment elle allait le trouver dans le cercle de sa propre famille. Elle constata, pourtant, qu'il se comportait tout à fait en gentleman vis-à-vis de tous ses hôtes et ne montrait de rudesse, à l'occasion, que vis-à-vis de sa femme et de sa belle-mère; elle découvrit qu'il était tout à fait capable de faire un compagnon agréable, et que, s'il ne l'était pas toujours, cela venait de son trop grand penchant à se croire aussi supérieur aux gens en général, qu'il avait conscience de l'être en la société de Mrs. Jennings et de Charlotte. Pour le reste, son caractère et ses habitudes ne présentaient, autant qu'Elinor put le remarquer, rien d'inaccoutumé parmi les personnes de son sexe et de son monde. Il était délicat pour la nourriture, incertain pour ses heures; il adorait son fils, tout en affectant de n'y pas faire attention; et passait souvent ses matinées à jouer au billard alors qu'il aurait dû s'occuper de ses affaires. Au total, cependant, il lui plaisait plus qu'elle ne s'y était attendue, et, au fond du cœur, elle n'était pas fâchée qu'il ne lui plût pas davantage; il ne lui était pas désagréable, en observant chez lui des traces d'épicurisme, d'égoïsme et d'affectation, de reposer sa pensée sur le souvenir d'Edward, de son tempérament généreux, de ses goûts simples et de sa défiance de lui-même.

Au sujet d'Edward, ou du moins de certaines choses le concernant, elle reçut des nouvelles par le colonel Brandon, qui avait été récemment dans le Dorsetshire. La considérant comme une amie désintéressée de Mr. Ferrars, et sa confidente, il l'entretint longuement du presbytère de Delaford, décrivit ce qui y manquait ainsi que ses projets pour le mettre en état. Son attitude, envers elle, à ce sujet, le plaisir qu'il avait ouvertement manifesté en la revoyant après une absence de dix jours seulement, son empressement à rechercher sa conversation et sa déférence pour ses avis pouvaient bien confirmer Mrs. Jennings dans sa conviction, et auraient pu la faire hésiter elle-même, si Elinor n'avait pas su, dès le début, que Marianne était réellement sa préférée.

Mais, en fait, l'idée ne l'en effleurait même pas, en dépit de ce que pensait Mrs. Jennings. Elle savait bien que, d'elles deux, elle était la meilleure observatrice, car c'était les yeux du colonel qu'elle observait, tandis que Mrs. Jennings s'attachait seulement à son attitude.

Et, tandis que ses regards d'anxieuse inquiétude vers Marianne, qui se plaignait de maux de tête et de maux de gorge à la suite d'un refroidissement, passaient entièrement inaperçus de la vieille dame, parce qu'ils s'exprimaient en silence, elle y lisait clairement les sentiments et l'alarme inutile d'un amoureux.

Deux délicieuses promenades au crépuscule le troisième et le quatrième jour de leur arrivée, non pas seulement sur le gravier bien sec des allées, mais dans tous les coins de la propriété, surtout les plus éloignés, là où la nature était plus sauvage, les arbres plus vieux, le gazon plus épais et plus humide, jointes à l'imprudence majeure qu'elle avait eue de garder ses bas et ses souliers mouillés, avaient causé à Marianne un refroidissement. Le mal était assez violent pour qu'au bout d'un ou deux jours pendant lesquels elle essaya de le traiter par le mépris ou de le nier, il lui devint impossible de ne pas l'avouer aux autres et à elle-même. Des conseils abondèrent de tous côtés et, comme d'habitude, elle les repoussa. Bien qu'elle fût accablée et fiévreuse, qu'elle eût les jambes lourdes, qu'elle toussât et souffrît de la gorge, elle persista à déclarer qu'une bonne nuit de sommeil suffirait à la remettre tout à fait et, à grand peine, Elinor parvint, quand elle fut au lit, à lui faire prendre un ou deux remèdes des plus simples.

XLIII

Marianne se leva le lendemain à son heure habituelle. A toutes les demandes, elle répondit qu'elle se trouvait mieux et essaya de se le prouver en se livrant à ses occupations accoutumées. Mais, toute une journée passée à grelotter au coin du feu avec, sur ses genoux, un livre qu'elle n'avait pas la force de lire, ou à s'étendre, faible et languissante, sur un sofa, ne témoignait guère en faveur d'une amélioration. Et, lorsqu'à la fin, de plus en plus mal à l'aise, elle se décida à se coucher de bonne heure, le colonel Brandon s'étonna seulement du calme de sa sœur, qui, bien que s'étant occupée toute la journée à la soigner malgré elle, et l'ayant forcée à absorber un remède approprié pour la nuit, restait, comme Marianne, convaincue qu'une nuit de sommeil suffirait à la remettre, et ne s'était pas réellement inquiétée.

Une nuit agitée et fiévreuse, pourtant, apporta un démenti à ces prévisions; et, lorsque Marianne, qui avait persisté à vouloir se lever, avoua qu'elle ne pouvait se tenir debout et se remit d'elle-même au lit, Elinor fut toute disposée à suivre l'avis de Mrs. Jennings et à envoyer chercher le docteur des Palmer.

Celui-ci vint, examina la patiente, et fit espérer à miss Dashwood que quelques jours suffiraient à rétablir la santé de sa sœur. Mais il déclara que la malade avait une tendance à l'infection et, à ce mot, donna aussitôt l'alarme à Mrs. Palmer pour son bébé. Mrs. Jennings, qui avait incliné, dès le début, à juger la maladie plus sérieuse que ne l'avait cru Elinor, prit très au sérieux l'indication de Mr. Harris et, confirmant Charlotte dans ses craintes et son désir de prendre des précautions, insista sur la nécessité pour elle de partir d'urgence avec l'enfant, et Mr. Palmer, bien qu'il déclarât leurs appréhensions sans fondement, trouva que l'anxiété de sa femme était trop forte pour s'y opposer.

En conséquence, leur départ fut décidé, et, une heure après l'arrivée de Mr. Harris, elle partit, avec son petit garçon et la nurse, pour la maison d'un proche parent de Mr. Palmer, à quelques milles de l'autre côté de Bath, où son époux, sur ses instances réitérées, promit de la rejoindre dans un jour ou deux, et où elle pressa également sa mère de l'accompagner; mais Mrs. Jennings, avec une bonté de cœur qui la fit vraiment aimer par Elinor, déclara fermement sa résolution de ne pas quitter Cleveland tant que Marianne serait malade et de tout mettre en œuvre pour tenir auprès d'elle la place de sa mère à qui elle l'avait enlevée; et Elinor trouva en elle, en toute occasion, la compagne la plus dévouée et la plus active, désireuse de partager toute la peine avec elle, et très souvent utile, par son expérience plus grande pour les soins à donner.

La pauvre Marianne, languissante et déprimée par sa maladie, ne put se flatter plus longtemps que le lendemain lui apporterait la guérison; et l'idée de ce que ce lendemain aurait pu lui apporter sans cette malencontreuse maladie, ajoutait à son amertume; car c'était précisément ce jour-là qu'elles avaient décidé de partir pour rentrer chez elles, escortées par un domestique de Mrs. Jennings, pour surprendre leur mère le lendemain matin. Le peu qu'elle en dit consistait en lamentations sur cet inévitable délai; Elinor essayait de la réconforter et de lui faire croire, comme si elle le croyait elle-même, qu'il ne s'agissait que d'un léger retard.

La journée ne changea pas grand-chose à l'état de la malade; elle n'allait certainement pas bien, mais, enfin, son état n'empirait pas. Leur société s'était maintenant fort

réduite; car Mr. Palmer, quoiqu'il eut préféré rester, tant par
goût personnel qu'à cause de sa répugnance à paraître obéir
aux ordres de sa femme, se laissa à la fin persuader par le
colonel Brandon de remplir la promesse qu'il lui avait faite;
et, pendant qu'il se préparait au départ, le colonel Brandon
lui-même, non sans prendre beaucoup sur lui, parla de s'en
aller aussi. Mais, la bonté d'âme de Mrs. Jennings lui suggéra
des arguments fort acceptables contre ce projet, car, renvoyer
le colonel pendant que l'objet de son amour était dans une
si grande inquiétude sur le compte de sa sœur, était, dans
sa pensée, ce qu'il pouvait y avoir de plus pénible pour tous
les deux; en conséquence, elle lui exposa immédiatement
que sa présence à Cleveland lui était nécessaire, qu'elle avait
besoin de lui pour jouer au piquet, le soir, pendant qu'Elinor
était auprès de la malade, etc.; et elle le pressa tellement
de rester qu'il ne put résister plus longtemps à accorder une
faveur qui satisfaisait à ses vœux les plus chers. D'autant
plus que Mrs. Jennings fut chaleureusement appuyée par
Mr. Palmer qui se sentait plus tranquille en laissant derrière
lui une personne aussi capable d'assister ou de conseiller
miss Dashwood dans toutes les occasions.

Naturellement, Marianne ignorait tout de ces arrangements. Elle ne soupçonnait pas qu'à cause d'elle, ses hôtes
avaient été obligés de quitter Cleveland, sept jours à peine
après leur arrivée. Elle ne fut pas surprise de ne pas voir
Mrs. Palmer, et comme elle ne s'en inquiétait pas, elle ne
prononça même pas son nom.

Deux jours s'étaient écoulés depuis le départ de Mr.
Palmer, et la situation, avec quelques fluctuations, restait là
même. Mr. Harris, qui venait chaque jour, parlait encore
avec confiance d'un rétablissement rapide, et miss Dashwood
était également optimiste. Mais les autres n'étaient pas aussi
rassurés. Mrs. Jennings s'était mis en tête, dès le début, que
Marianne ne pourrait jamais s'en tirer; et le colonel Brandon,
particulièrement prédisposé à écouter ses prophéties, n'était
pas dans une disposition d'esprit à résister à leur influence.
Il essayait de se rassurer en considérant que l'opinion du
médecin rendait ses craintes absurdes; mais les longues
heures qu'il passait dans une entière solitude n'étaient que
trop favorables à la floraison d'idées mélancoliques, et il
ne pouvait chasser de son esprit la persuasion qu'il ne verrait
plus jamais Marianne.

Le matin du troisième jour, pourtant, leurs sombres pronostics furent à peu près démentis, car Mr. Harris, dès son arrivée, déclara qu'il y avait un mieux sensible. Le pouls était plus fort, et tous les symptômes plus encourageants qu'à sa dernière visite. Elinor, dont les espoirs favorables se trouvaient confirmés, était toute à la joie. Elle se félicitait d'avoir, dans ses lettres à sa mère, suivi sa propre inspiration plutôt que celle de son entourage en plaçant, sous son vrai jour, l'indisposition qui les retenait à Cleveland et se voyait déjà fixant le jour de leur départ.

Mais la journée ne se termina pas aussi heureusement. Vers le soir, Marianne retomba plus fatiguée, plus agitée, plus mal à l'aise que jamais. Sa sœur, cependant, toujours optimiste, crut pouvoir simplement attribuer ce changement à la fatigue qu'elle avait éprouvée en se levant pour laisser refaire son lit; et, après lui avoir soigneusement fait prendre la potion prescrite, elle la vit, avec satisfaction, sombrer dans un sommeil dont elle attendait les meilleurs résultats. Ce sommeil, moins paisible qu'Elinor ne l'aurait souhaité, se prolongea fort longtemps; et, soucieuse d'en constater par elle-même l'effet, elle résolut de rester avec elle jusqu'à son réveil. Mrs. Jennings, ignorant qu'il y eut rien de nouveau, alla se coucher de très bonne heure; sa femme de chambre était allée prendre quelque distraction chez l'intendante, et Elinor restait seule avec Marianne.

Celle-ci devint de plus en plus agitée; et sa sœur qui épiait, avec une attention sans relâche, ses continuels changements de position, et écoutait les plaintes fréquentes mais inarticulées qui s'échappaient de ses lèvres, se demandait s'il ne vaudrait pas mieux la tirer d'un sommeil si pénible, lorsque Marianne, éveillée soudain par quelque bruit, se dressa brusquement, criant avec une anxiété fébrile :

— Est-ce que maman arrive ?

— Pas encore, répondit sa sœur, dissimulant sa terreur, et aidant Marianne à s'étendre de nouveau; mais elle sera bientôt là, je l'espère. Il y a loin d'ici à Barton, vous le savez bien.

— Mais elle ne doit pas passer par Londres, cria Marianne toujours sur le même ton. Je ne la verrai jamais si elle passe par Londres.

Elinor, alarmée, se rendit compte qu'elle n'avait pas toute sa connaissance, et tout en s'efforçant de la calmer, tâta anxieusement son pouls. Il était plus faible et plus rapide que jamais. Et Marianne, continuant à appeler sa mère avec égarement, l'inquiétude l'envahit au point qu'elle prit la résolution d'envoyer chercher tout de suite Mr. Harris et d'envoyer un message à Barton pour sa mère. La pensée lui vint aussitôt de demander conseil au colonel Barton sur ce dernier point. Et, après avoir sonné la femme de chambre pour la remplacer un moment auprès de sa sœur, elle alla en hâte au salon, où elle savait qu'il avait coutume de veiller jusqu'à une heure bien plus tardive.

Ce n'était pas le moment d'hésiter. Elle lui exposa immédiatement ses craintes et ses difficultés. En ce qui concernait les craintes, il n'avait ni courage, ni confiance pour essayer de les atténuer. Il les écouta, dans un abattement silencieux. Mais les difficultés furent aussitôt aplanies, car, avec un empressement qui semblait indiquer qu'il avait déjà pensé à ce qu'il faudrait faire en l'occurrence, il s'offrit lui-même à aller chercher Mrs. Dashwood. Les objections d'Elinor furent rapidement surmontées. Elle le remercia brièvement, mais chaleureusement, et pendant qu'il se hâtait pour envoyer un message à Mr. Harris, et commander immédiatement des chevaux de poste, elle écrivit quelques lignes destinées à sa mère.

L'appui d'un ami tel que le colonel Brandon, d'un tel compagnon pour sa mère, comme elle l'appréciait en ce moment! Un compagnon dont le jugement la guiderait, dont l'assistance la soutiendrait, et dont l'amitié lui ferait du bien! Pour autant que pareil coup pourrait être amorti, sa présence, ses manières, son assistance y contribueraient.

Lui, pendant ce temps, quels que fussent ses sentiments, agit avec toute la fermeté d'un esprit rassis, prit aussi rapidement que possible les mesures nécessaires, et calcula exactement le moment où il pourrait être de retour. Pas un instant ne fut perdu. Les chevaux arrivèrent, plus tôt même qu'on ne les attendait, et le colonel Brandon, après lui avoir simplement pressé la main avec un regard expressif, et quelques mots prononcés trop bas pour qu'elle les entendît, sauta dans la voiture. Il était près de minuit, et elle retourna dans la chambre de sa sœur pour attendre l'arrivée du médecin et la veiller le reste de la nuit.

Ce fut une nuit également pénible pour toutes deux. Les heures s'écoulaient après les heures, dans l'insomnie et le délire pour Marianne, et dans une cruelle anxiété pour Elinor en attendant Mr. Harris. Ses craintes une fois éveillées furent d'autant plus fortes que sa tranquillité avait d'abord été plus grande; et la servante qui l'assistait, car elle n'avait pas voulu faire appeler Mrs. Jennings, l'alarma encore plus en lui laissant entrevoir ce que sa maîtresse avait toujours pensé.

Les idées de Marianne restaient encore, par intervalles, fixées d'une façon incohérente sur sa mère et, chaque fois qu'elle mentionnait son nom, c'était un coup pour le cœur de la pauvre Elinor; elle se reprochait d'avoir traité à la légère les débuts de cette maladie et, frustrée d'un espoir immédiat, s'imaginait que toute espérance était désormais vaine, qu'elle avait tardé trop longtemps, et se représentait la souffrance de sa mère, arrivant trop tard pour voir son enfant chérie, ou la trouvant sans connaissance.

Elle était sur le point d'envoyer encore quelqu'un chez Mr. Harris, et, s'il ne pouvait pas venir, de faire chercher un autre médecin, quand celui-ci arriva enfin vers cinq heures du matin. L'avis qu'il émit, pourtant, fit quelque peu passer sur son retard; il admettait qu'il s'était produit dans l'état de sa malade une aggravation imprévue et fâcheuse, mais il ne pensait pas qu'il y eût un danger sérieux et parla de l'effet qu'allait produire un nouveau mode de traitement, avec une confiance qu'il communiqua, quoique à un moindre degré, à Elinor. Il promit de revenir dans deux ou trois heures et laissa la malade et son anxieuse compagne plus calmes qu'il ne les avait trouvées.

Ce fut avec beaucoup de chagrin et mille reproches pour n'avoir pas été appelée, que Mrs. Jennings apprit le lendemain ce qui s'était passé. Ses anciennes craintes, maintenant revenues et avec plus de fondement apparent, ne lui laissaient aucun doute sur l'issue de la maladie; et, tout en cherchant à réconforter Elinor, sa conviction du danger couru par sa sœur ne lui permettait pas de parler d'espoir. Elle était réellement affligée. Le brusque déclin, la mort prématurée d'une enfant aussi jeune, aussi gracieuse que Marianne aurait excité la sympathie d'une personne moins directement intéressée. Mais elle avait d'autres droits à la compassion de Mrs. Jennings. Pendant trois mois, elle avait été sa compagne, elle était encore sous sa garde, elle savait qu'elle avait été gravement offensée, et très malheureuse. Elle avait aussi, sous les yeux, le spectacle de l'angoisse de sa sœur, sa préférée, et, quant à leur mère, lorsque Mrs. Jennings se disait que Marianne était probablement pour elle ce que Charlotte était pour elle-même, sa sympathie à l'égard de ses souffrances était profondément sincère.

Mr. Harris fut ponctuel pour la seconde visite, mais il fut désappointé quand à l'effet qu'il attendait de ses prescriptions. Son remède n'avait pas agi, la fièvre n'était pas tombée et Marianne, un peu plus tranquille seulement, mais nullement revenue à elle-même, demeurait plongée dans une lourde stupeur. Elinor, saisissant à l'instant toutes ses craintes et plus que ses craintes, proposa une consultation. Mais il n'en vit pas la nécessité; il avait encore quelque chose à essayer, encore un nouveau remède, dans le succès duquel il avait, au moins, autant de confiance que dans le premier et sa visite se termina sur des assurances encourageantes qui atteignirent bien l'oreille de miss Dashwood, mais n'entamèrent pas sa conviction. Elle était calme, sauf lorsqu'elle évoquait la pensée de sa mère, mais sans espoir. Elle resta dans cet état jusqu'à midi, s'écartant à peine du lit de sa sœur, l'esprit balloté d'une angoisse à une autre, pensant aux souffrances de sa sœur et à celles de sa mère et son angoisse portée au comble par la conversation de Mrs. Jennings qui ne craignait pas d'attribuer la gravité de l'état de Marianne à la longue période de dépression préalable que lui avait valu sa déception. Elinor ne sentait que trop combien elle avait raison, et son inquiétude s'en trouvait portée au plus haut point.

Vers midi, cependant, mais avec une grande réserve, une peur de se tromper qui lui fit garder le silence même envers son amie, il lui sembla — elle commença à espérer — que le pouls de sa sœur allait en s'améliorant; elle attendit, observa, l'examina de temps en temps et, à la fin, avec un transport qu'elle eut plus de peine à dissimuler sous un calme apparent que ses précédentes inquiétudes, elle se risqua à faire part de son espoir à Mrs. Jennings. Celle-ci, forcée de constater elle-même une amélioration momentanée, essaya de mettre sa jeune amie en garde contre un espoir prématuré. Et Elinor, portée à renchérir sur chaque expression de crainte, se dit qu'il n'y avait rien à espérer du tout. Mais c'était trop tard, l'espoir l'avait déjà gagnée; et, l'esprit flottant anxieusement, elle se pencha vers le lit de sa sœur pour attendre —

elle n'aurait su dire quoi. Une demi-heure s'écoula et les symptômes favorables continuèrent, à sa grande joie. D'autres même vinrent s'y ajouter et les confirmer. Sa respiration, son teint et ses lèvres, tout montrait à Elinor des signes de mieux et Marianne fixa les yeux sur elle avec un regard lucide, quoique encore empreint de langueur.

L'anxiété et l'espoir l'oppressaient également et ne lui laissèrent pas un moment de repos jusqu'à l'arrivée de Mr. Harris à quatre heures. Mais alors, ses assurances et ses félicitations sur une amélioration qui surpassait même ses prévisions, la rassurèrent pleinement, et elle se répandit en pleurs de joie.

Marianne était, à tous les points de vue, sensiblement mieux et il la déclara entièrement hors de danger. Mrs. Jennings, peut-être satisfaite de la justification partielle que la dernière alarme avait donnée à ses prévisions, se rangea à son avis, et admit, avec une joie sincère, et bientôt une allégresse indiscutable, la probabilité d'une guérison complète.

Elinor ne put pas montrer de gaîté, sa joie était de différente sorte, et d'une toute autre nature. Marianne rendue à la vie, à la santé, à ses amis, à sa mère, c'était là une idée qui remplissait son cœur d'une sensation de bonheur exquise, d'une gratitude fervente, mais qui ne s'épanchait pas au dehors en exclamations de joie, en paroles ou en rires. Sa satisfaction était toute intérieure, forte et silencieuse.

Elle demeura près du lit de sa sœur presque sans interruption tout l'après-midi, calmant chaque frayeur, répondant à toutes les questions que posait son esprit affaibli, lui rendant tous les services, épiant presque chaque regard, chaque souffle. La possibilité d'une rechute, certes, se présentait parfois à elle et ravivait son anxiété — mais, quand elle constata, par un examen attentif et incessant, que chaque symptôme d'amélioration persistait et qu'elle vit Marianne, vers six heures, tomber dans un sommeil tranquille, profond, et, selon toute apparence, réparateur, elle bannit toute crainte.

Le moment approchait où le colonel Brandon devait être de retour. A dix heures, ou peu s'en faut, elle y comptait, sa mère serait tirée de la terrible incertitude qui devait la tenir angoissée. Et le colonel aussi, non moins à plaindre peut-être. Oh! comme le temps s'écoulait entement pendant qu'elle les sentait encore dans l'ignorance de l'amélioration survenue.

A six heures, laissant Marianne encore tranquillement endormie, elle rejoignit Mrs. Jennings, pour le thé. Au breakfast, ses craintes lui avaient ôté tout appétit et il en avait été de même au dîner au moment où elles avaient redoublé, et ce repas, avec le contentement qu'elle y apportait, était particulièrement le bienvenu. Mrs. Jennings aurait bien voulu la persuader de prendre quelque repos avant l'arrivée de sa mère et de lui laisser prendre sa place auprès de Marianne; mais, en ce moment, Elinor ne sentait pas sa fatigue, elle n'aurait pu dormir et rien ne pouvait la décider à s'écarter un instant de sa sœur sans nécessité. En conséquence, Mrs. Jennings, après être montée avec elle dans la chambre de la malade, pour s'assurer que tout allait bien, l'y laissa de nouveau livrée à ses occupations et à ses pensées et se retira chez elle pour faire sa correspondance et dormir.

La nuit était froide et le temps mauvais. Le vent grondait autour de la maison et la pluie battait les fenêtres. Mais Elinor, toute à sa joie intérieure, n'y prêtait pas attention. Marianne dormait, malgré la tempête, et quant aux voyageurs, une belle compensation les attendait à leur arrivée, pour leur faire oublier ces inconvénients passagers.

La pendule sonna huit heures. Si elle en eût sonné dix, Elinor aurait été certaine, en ce moment, d'avoir entendu le bruit d'une voiture s'approchant de la maison, et l'impression fut si forte qu'en dépit de la quasi-impossibilité de la chose, elle alla dans le cabinet de toilette voisin et ouvrit un volet pour s'assurer de ce qui en était. Elle vit aussitôt qu'elle ne s'était pas trompée. Les lanternes d'une voiture brillaient tout près. A la lueur incertaine, il lui sembla distinguer qu'elle était attelée de quatre chevaux. Et ce détail, qui disait l'excès des alarmes de sa pauvre mère, expliquait, jusqu'à un certain point, la rapidité imprévue de leur arrivée.

A aucun moment de sa vie, Elinor n'avait éprouvé autant de difficulté à garder son calme. Comment rester calme, sachant ce que sa mère devait éprouver quand la voiture s'arrêterait devant la porte, ses doutes, ses craintes, son désespoir peut-être, alors qu'elle avait, au contraire, de telles nouvelles à lui annoncer! Tout ce qui lui restait à faire était de se dépêcher et, en conséquence, prenant juste le temps d'installer la femme de chambre à sa place, elle descendit précipitamment l'escalier.

Des bruits dans le vestibule, pendant qu'elle traversait le couloir, l'assurèrent qu'ils étaient déjà dans la maison. Elle se précipita vers le salon, entra et se trouva en présence de Willoughby.

XLIV

Elinor, reculant avec un regard d'horreur à cette vue, céda à sa première impulsion en se retournant pour quitter la pièce et sa main était déjà sur le bouton de la porte, quand il l'arrêta en s'avançant précipitamment et dit d'un ton de commandement plutôt que de prière:

— Miss Dashwood, je vous supplie de rester, pour une demi-heure, pour dix minutes.

— Non, monsieur, répliqua-t-elle avec fermeté. Je ne resterai pas. Ce ne peut être à moi que vous avez à faire. Les domestiques, je suppose, ont oublié de vous dire que Mr. Palmer n'était pas chez lui.

— Quand on m'aurait dit, s'écria-t-il avec violence, que Mr. Palmer et toute sa famille étaient au diable, cela ne m'aurait pas empêché d'entrer. C'est à vous et à vous seule que j'ai à faire.

— A moi! dit-elle, profondément surprise. Alors, monsieur, soyez bref, et, si possible, moins violent.

— Asseyez-vous, et vous serez satisfaite.

Elle hésita, ne sachant que faire. L'idée que le colonel Brandon pouvait survenir et les trouver là lui traversa l'esprit. Mais elle avait accepté de l'écouter et sa curiosité n'était pas moins engagée que son honneur. En conséquence, après un moment de réflexion, elle conclut que la prudence demandait d'en finir au plus vite, et que le meilleur moyen pour cela était de l'écouter. Elle se dirigea donc en silence vers la table, devant laquelle elle s'assit. Il prit une chaise en face d'elle, et, pendant une demi-minute, pas un mot ne fut prononcé de part et d'autre.

— Dépêchez-vous, monsieur, je vous prie, dit Elinor impatiente. Je n'ai pas de temps à perdre.

Il restait perdu dans une attitude de profonde méditation, et ne parut pas l'avoir entendue.

— Votre sœur, dit-il tout d'un coup, un moment après, est hors de danger. Je l'ai appris par le domestique. Dieu soit loué! Mais est-ce vrai? Est-ce réellement vrai?

Elinor ne voulait rien dire. Il répéta sa question avec plus de véhémence.

— Pour l'amour de Dieu, dites-moi, est-elle hors de danger ou non?

— Nous espérons que oui.

Il se leva et arpenta la pièce.

— Si je l'avais su, il y a seulement une demi-heure. Mais, puisque je suis ici... Il s'assit de nouveau et se mit à parler avec une vivacité forcée. Qu'est-ce que cela peut signifier? Pour une fois, miss Dashwood, et ce sera peut-être la dernière, causons cordialement ensemble. Je me sens en humeur joyeuse. Dites-moi, honnêtement, — et le rouge lui montait aux joues — pensez-vous que je sois un coquin ou un fou?

Elinor le contempla avec plus d'étonnement que jamais. Elle commença à se demander s'il n'était pas sous l'influence de l'ivresse : l'étrangeté d'une telle visite et d'une pareille conduite ne semblait pas pouvoir s'expliquer autrement. Sous cette impression, elle se leva aussitôt, en disant :

— Mr. Willoughby, je vous prie à présent de retourner à Combe. Je n'ai pas le loisir de rester avec vous plus longtemps. Quelle que soit l'affaire dont vous avez à me parler, vous vous la rappellerez et vous l'expliquerez mieux demain.

— Je vous entends, répondit-il avec un sourire expressif et d'une voix parfaitement calme. Oui, je suis parfaitement ivre. Une pointe de porto avec mon bœuf froid à Malborough, il n'en fallait pas plus pour me mettre à l'envers.

— A Malborough! s'écria Elinor de plus en plus incapable de comprendre.

— Oui, j'ai quitté Londres ce matin à huit heures et je n'ai passé que dix minutes hors de ma chaise de poste pour un casse-croûte à Malborough.

Son attitude posée et l'intelligence qui brillait dans son regard convainquirent Elinor, que, pour si impardonnable que pût être la folie qui l'avait amené à Cleveland, il n'était pas sous l'empire de la boisson. Après un instant de réflexion, elle reprit :

— Monsieur Willoughby, vous devez sentir, et vous sentez certainement qu'après ce qui s'est passé, votre façon de vous introduire ici et de me forcer à vous écouter demande une explication particulière. Qu'est-ce que cela signifie?

— Mon but, dit-il d'un ton sérieux et avec énergie, est d'obtenir que vous me haïssiez un peu moins que vous ne le faites à présent. Ce que je demande c'est de vous offrir une sorte d'explication, une sorte d'excuse pour le passé, c'est de vous ouvrir tout mon cœur. Je voudrais vous convaincre que si j'ai toujours été un imbécile, je n'ai pourtant jamais été un misérable, je voudrais obtenir quelque chose comme le pardon de Mar..., de votre sœur.

— Est-ce là la raison de votre visite?

— Oui, sur mon âme, fut la réponse, proférée avec une chaleur qui lui rappela l'ancien Willoughby. En dépit d'elle-même, elle eut l'impression qu'il était sincère.

— Si c'est tout, vous êtes satisfait, car Marianne depuis longtemps vous a pardonné.

— Vraiment! s'écria-t-il du même ton passionné. Alors, elle m'a pardonné avant d'en avoir le droit. Mais elle me pardonnera encore, et avec plus de raison. Maintenant, voulez-vous m'écouter?

Elinor s'inclina en signe d'assentiment.

— Je ne sais, dit-il après une pause, comment vous avez interprété mon attitude vis-à-vis de votre sœur, ni quel motif diabolique vous pouvez m'avoir prêté. Peut-être arriverez-vous difficilement à changer d'avis — mais cela vaut la peine d'essayer et vous allez entendre tout ce que j'ai à vous dire.

Au début de mon intimité avec votre famille, je n'avais d'autre intention, d'autre vue, en entrant en relations avec elle que de passer agréablement mon temps pendant mon séjour forcé en Devonshire, — plus agréablement que j'avais jamais eu l'occasion de le faire. La grâce de votre sœur et son caractère attrayant ne pouvaient que me plaire; et son attitude à mon égard, presque dès le début, était telle que je suis étonné, quand j'y pense, et réfléchis à ses manières que mon cœur ait été aussi insensible!

Mais, tout d'abord, je dois l'avouer, je n'en ressentis qu'une satisfaction de vanité. Sans égard pour son bonheur, ne pensant qu'à mon propre plaisir, m'abandonnant, comme toujours, à ces penchants dont je n'avais que trop l'habitude, je m'efforçai par tous les moyens en mon pouvoir de lui plaire, sans aucune intention de lui donner mon affection en retour.

A cet endroit, miss Dashwood, le regardant avec le plus profond mépris, l'arrêta, en disant :

— Il est difficile, Mr. Willoughby, pour vous, de continuer, ou, pour moi, d'écouter plus longtemps. Un tel début ne comporte pas de suite. Epargnez-moi la douleur d'entendre quoi que ce soit de plus sur un tel sujet.

— J'insiste pour que vous m'écoutiez jusqu'au bout, répliqua-t-il. Ma fortune n'avait jamais été considérable, et j'avais toujours été porté à la dépense, toujours habitué à fréquenter des gens plus riches que moi. Chaque année, depuis ma majorité, ou même avant, je crois, mes dettes étaient allées en s'augmentant; et, quoique je dusse avoir, à la mort de ma cousine, Mrs. Smith, les moyens de m'en libérer, c'était là une chose incertaine, peut-être lointaine. En conséquence, depuis quelque temps, mon intention était de rétablir mes affaires par un beau mariage. Je ne pouvais donc songer à lier ma vie à celle de votre sœur — et avec une bassesse, un égoïsme, une cruauté que même vos regards indignés et méprisants, miss Dashwood, ne peuvent assez flétrir, j'agis ainsi, cherchant à gagner son amour, sans la moindre idée de le payer de retour.

Mais il y a une chose à ma décharge, c'est que, même dans cet horrible état d'abandon à mon égoïsme et à ma vanité, je ne me rendais pas compte de la profondeur du mal que je faisais. C'est qu'alors je ne savais pas encore ce que c'était que l'amour. Mais l'ai-je vraiment jamais su? On peut bien en douter. Car si j'avais réellement aimé, aurais-je pu immoler mes sentiments à la vanité, à l'avarice? — ou ce qui est bien pire, aurais-je pu immoler les siens? Pourtant je l'ai fait. Pour éviter une pauvreté relative que son affection et sa compagnie auraient rendue si aisée à supporter, j'ai perdu, en acquérant la richesse, tout ce qui pouvait m'en faire jouir.

— Vous avez donc, dit Elinor un peu radoucie, cru pendant quelque temps lui être attaché.

— Avoir résisté à de tels attraits, avoir méconnu une telle tendresse... Y a-t-il sur la terre un homme qui en eût été capable? Oui, par degrés insensibles, j'arrivais à m'en trouver sincèrement épris; et les heures les plus heureuses de mon existence sont celles que j'ai passées auprès d'elle, quand j'avais conscience que mes intentions étaient strictement honorables et mes sentiments innocents.

Mais, même alors, pourtant, quand j'étais bien décidé à la demander en mariage, je me laissais aller, de la façon la moins pardonnable, à reculer de jour en jour cette demande, parce qu'au fond j'hésitais à m'engager à cause de l'embarras de mes affaires. Je ne veux pas m'excuser, ni davantage m'étendre sur l'absurdité d'avoir hésité ainsi à engager ma foi là où mon honneur était déjà engagé. L'événement a prouvé que ma prudence n'était que folie, et que j'avais mis en œuvre toute mon habileté pour arriver à me rendre méprisable et malheureux à jamais.

À la fin, cependant, ma résolution fut prise et j'avais décidé, dès que je le pourrais, d'essayer de la rencontrer seule, de justifier la cour que je lui avais faite si assidûment, en lui avouant clairement un sentiment que tous mes soins avaient déjà tendu à lui montrer. Mais, dans l'intervalle, dans cet intervalle de quelques heures qui restait à passer avant de trouver l'occasion d'un tête à tête, survint une malheureuse circonstance qui ruina toute ma résolution et avec elle mon bonheur.

Il eut un moment d'hésitation et baissa les yeux :

— Mrs. Smith fut informée d'une manière ou d'une autre, par quelque parent éloigné, j'imagine, qui avait intérêt à me brouiller avec elle, d'une liaison... mais je n'ai pas besoin de m'expliquer davantage, ajouta-t-il, en lui jetant un regard d'interrogation tandis que son visage s'empourprait — vous êtes intime avec... vous avez été mise probablement depuis longtemps au courant de tout.

— Oui, répondit Elinor rougissant également, et se raidissant de nouveau contre la compassion qu'il lui avait inspirée. On m'a tout dit. Et j'avoue ne pouvoir comprendre comment vous pourrez fournir la moindre excuse pour votre conduite dans cette lamentable affaire.

— Mais rappelez-vous, s'écria Willoughby, de qui vous avez appris cela! Est-ce de quelqu'un placé pour juger impartialement? Je reconnais que j'aurais dû respecter le caractère et la situation de cette jeune fille. Je ne cherche nullement à me justifier, mais, en même temps, je ne puis

vous laisser supposer que tous les torts sont de mon côté.
De ce que je lui ai causé du tort, il ne suit pas qu'elle soit
irréprochable. Si la violence de ses passions, la faiblesse de
son intelligence... mais, cependant, je ne veux pas m'excuser.
Son affection pour moi méritait mieux et j'ai évoqué souvent,
avec un grand remords, le souvenir de sa tendresse qui,
pendant une brève période, fut assez forte pour m'entraîner
moi aussi. Je voudrais, oh! je voudrais de tout mon cœur
que cela n'eût jamais été. Mais ce n'est pas elle seule que
j'ai trahie. J'en ai trahi une autre dont l'affection pour moi
(oserai-je le dire) n'était guère moins profonde que la sienne
et qui lui était si supérieure par l'âme.

— Cependant votre indifférence pour cette infortunée,
je dois dire cela, si pénible que soit pour moi la discussion
d'un pareil sujet — votre indifférence n'est pas une excuse
pour le cruel abandon où vous l'avez laissée. Pensez-vous
que sa faiblesse de caractère ou son défaut d'intelligence
puissent excuser l'aveugle cruauté dont vous avez fait preuve?
C'est l'évidence : vous deviez savoir, que, pendant que vous
meniez dans le Devonshire l'existence la plus agréable,
toujours gai, toujours heureux, elle était réduite à la plus
extrême misère.

— Mais, sur mon âme, je ne le savais pas, répliqua-t-il
avec chaleur. Je n'ai pas souvenir de lui avoir caché mon
adresse. Et le simple bon sens devait lui suffire pour me
retrouver.

— Bien, monsieur, et que dit Mrs. Smith?

— Elle me reprocha tout de suite ma faute et il est facile
de deviner ma confusion. La pureté de sa vie, son respect
des conventions, son ignorance du monde, tout était contre
moi. Je ne pouvais nier les faits, et il était vain d'essayer de
les atténuer. Je crois bien qu'elle avait déjà des doutes sur
moi. De plus, je l'avais indisposée au cours de ma dernière
visite par mon peu d'attention, et le peu de temps que je
lui avais consacré. Bref, cela finit par une rupture totale.
Dans son culte des principes, l'excellente femme! elle m'offrit
de tout oublier si je consentais à épouser Elisa. C'était impossible, et je fus formellement exclu de ses faveurs et de sa
maison.

Je passai la nuit suivante (je devais partir le matin) à déli-
bérer sur la conduite que j'allais tenir. J'hésitai beaucoup;
mais ce fut pour me décider trop vite. Mon affection pour

Marianne, la certitude où j'étais de son attachement, tout cela fut insuffisant pour balancer en moi la peur de la pauvreté, pour me faire surmonter ce préjugé sur la nécessité de la richesse auquel j'étais naturellement enclin et qu'avaient renforcé mes fréquentations mondaines.

J'avais des raisons de croire que je pourrais réussir, si je le voulais, auprès de celle qui est actuellement ma femme et j'arrivai à me persuader que la prudence la plus ordinaire ne me permettait pas de prendre un autre parti.

Un cap difficile, cependant, restait à franchir, avant mon départ du Devonshire. J'avais été invité à dîner chez vous ce jour-là, il me fallait trouver une excuse pour me dégager. Je débattis longuement le point de savoir si j'écrirais ou si je viendrais en personne. J'étais effrayé à l'idée de revoir Marianne, et je me demandais même si j'aurais la force de la revoir et de tenir ma résolution. Sur ce point, cependant, j'avais douté à tort de ma force d'âme, l'événement le prouva. Car je vins, je la vis, je la vis malheureuse, je la laissai malheureuse, et je la quittai n'espérant plus la revoir.

— Pourquoi donc venir ? Mr. Willoughby, dit Elinor, d'un ton de reproche. Une lettre aurait fait l'affaire ; en quoi votre présence était-elle nécessaire ?

— C'était une question de vanité. Je ne pouvais supporter l'idée de quitter le pays dans des conditions qui auraient pu vous amener, vous ou les personnes du voisinage, à soupçonner quoi que ce soit de ce qui s'était passé entre Mrs. Smith et moi, c'est pourquoi je pris le parti de m'arrêter au cottage, en allant à Honiton. La vue de votre chère sœur, néanmoins, fut une chose vraiment terrible ; et, pour comble de malheur, je la trouvai seule, vous étiez tous sortis, pour aller je ne sais où. La veille au soir, je l'avais laissée, pleinement, fermement résolu à faire mon devoir envers elle. Dans quelques heures, nous allions être engagés l'un à l'autre pour toujours ; et je me souviens combien je me sentais léger, heureux, en allant du cottage à Allenham, satisfait de moi-même, voyant tout en beau ! Mais alors dans cette dernière entrevue qui devait mettre fin à notre amitié, le sentiment de ma culpabilité m'ôta presque le pouvoir de dissimuler. Son chagrin, son désappointement, son profond regret, quand je lui dis que j'étais obligé de partir tout de suite, je ne les oublierai jamais. Et, tout cela, accom-

pagné d'une telle foi, d'une telle confiance en moi... Oh!
Dieu du Ciel! quel vaurien sans cœur j'étais!

Tous deux gardèrent le silence un moment, Elinor prit
la parole la première.

— Lui promîtes-vous de revenir bientôt?

— Je ne sais ce que je lui ai dit, répliqua-t-il impatiemment. Moins que ce que justifiait le passé, sans aucun doute,
et très certainement beaucoup plus que ne devait faire l'avenir.
Je ne veux pas penser à cela, je ne peux pas! Puis, pour me
mieux torturer, arriva votre chère mère, avec toute sa bonté
et sa confiance. Dieu merci! j'en fus accablé. J'étais misérable,
miss Dashwood, et vous ne pouvez vous faire une idée du
soulagement que j'éprouve quand je me rappelle ma propre
misère. J'ai un tel remords pour la stupide, l'ignoble folie
de mon propre cœur que tout ce que j'ai pu souffrir jadis à
ce sujet est maintenant pour moi un sujet d'exaltation, de
triomphe.

Toujours est-il que je partis, abandonnant tout ce que
j'aimais pour aller rejoindre ceux à qui, en mettant les choses
au mieux, j'étais seulement indifférent. Et puis, ce voyage! —
je voyageais avec mes propres chevaux — je n'avais personne à qui parler; mes propres réflexions étaient si agréables, l'avenir se présentait à moi sous des couleurs si riantes,
les souvenirs de Barton étaient si doux.

Il s'arrêta.

Oh! quel voyage béni ç'avait été!

— Eh! bien, monsieur, dit Elinor, qui, tout en le plai-
gnant, était impatiente de le voir partir, est-ce là tout?

— Tout! non. Avez-vous oublié ce qui s'est passé en
ville? Cette lettre infâme! Vous l'a-t-elle montrée?

— Oui, j'ai lu toutes les lettres.

— Lorsque je reçus sa première lettre (et ce fut tout de
suite, car j'étais à Londres tout le temps de votre séjour),
le langage ordinaire ne peut exprimer ce que je ressentis
tout ce que je puis dire, c'est que je fus très très malheureux.
Pour employer une métaphore usée que la chère enfant
pardonnerait, si elle était ici, chaque phrase, chaque mot
était un coup de poignard pour mon cœur. Pour continuer
à employer le même langage, apprendre sa présence à Londres, était un coup de tonnerre. Poignard! coup de tonnerre!
Quels reproches ne me ferait-elle pas si elle m'entendait

m'exprimer ainsi, elle dont les goûts et les opinions me sont plus connus et plus chers que les miens!

Elinor, dont les sentiments avaient si souvent varié au cours de cette extraordinaire conversation, était de nouveau apaisée; elle sentit pourtant qu'il était de son devoir à la fin d'arrêter son interlocuteur sur cette pente.

— Ce n'est pas bien, Mr. Willoughby, rappelez-vous que vous êtes marié. Ne me dites que ce que, en conscience, il est nécessaire que j'entende.

— La lettre de Marianne, m'assurant que je lui étais encore aussi cher qu'aux premiers jours, qu'en dépit de tant et tant de semaines de séparation, elle restait aussi fidèle à ses sentiments que confiante dans les miens, cette lettre réveilla tous mes remords. Je dis qu'elle les réveilla, car le temps, Londres, les affaires et la dissipation les avaient jusqu'à un certain point calmés; de plus, je m'enfonçais dans la vilenie, m'imaginant qu'elle m'était devenue indifférente, et essayant de me persuader qu'elle aussi m'avait oublié. Je me répétais que notre ancien attachement était une simple bagatelle, je haussais les épaules pour me le prouver, j'imposais silence à tous les reproches, à tous les scrupules de ma conscience en me disant, en secret, de temps en temps : « Je serais vraiment heureux d'apprendre qu'elle est bien mariée. »

Mais cette lettre me fit voir plus clair en moi-même. Je sentis qu'elle m'était infiniment plus chère qu'aucune femme au monde, et que ma conduite était infâme. Mais tout venait d'être définitivement arrêté entre miss Grey et moi. Impossible de reculer. Tout ce que je pouvais faire était de vous éviter l'une et l'autre. Je ne fis aucune réponse à Marianne, espérant, par ce moyen, me dérober à son attention, et, pendant quelque temps, je décidai même que je n'irais pas rendre visite à Berkeley street; mais, par la suite, la meilleure tactique me parut être de me comporter comme une connaissance ordinaire, indifférente. Un matin, j'épiai le moment où vous étiez sortie, et je laissai ma carte.

— Vous nous avez épiées!

— Mais oui. Vous seriez étonnée si vous saviez combien de fois je vous ai suivies, combien de fois j'ai failli vous rencontrer. Je suis rentré plus d'une fois dans une boutique, pour éviter votre voiture. Logé comme je l'étais à Bond street, il n'y avait presque pas de jour où je ne vous ai aperçues l'une ou l'autre; seule, ma vigilance toujours en éveil, mon inflexible résolution de me dérober à votre vue, nous ont tenus séparés si longtemps. J'évitais, de mon mieux, les Middleton, ainsi que toutes les personnes avec qui nous pouvions avoir des relations communes. Cependant, ignorant leur présence en ville, je tombai sur sir John, le premier jour de son arrivée, je crois, et, le lendemain, je rendis visite à Mrs. Jennings.

On m'invita à une réunion, un bal, chez eux, dans la soirée. Même ne m'aurait-il pas dit, pour m'engager à accepter, que vous et votre sœur seriez présentes, la chose me paraissait trop certaine pour en courir le risque. Le lendemain matin m'apporta une courte lettre de Marianne, encore affectueuse, ouverte, naïve, confiante, exactement le genre de lettre qui pouvait rendre ma conduite plus haïssable. Je ne pus pas lui répondre. J'essayai, mais je ne pus écrire une phrase. Pas un instant de la journée, je crois, je ne pus chasser sa pensée. Si je puis encore vous inspirer de la pitié, miss Dashwood, plaignez ma triste situation d'alors. La tête et le cœur tout remplis de votre sœur, j'étais obligé de faire figure d'amoureux comblé auprès d'une autre femme! Ces trois ou quatre semaines ont été ce que j'ai connu de pire.

A la fin, comme je n'ai pas besoin de vous le rappeler, nous fûmes mis en présence. Oh! l'adorable figure dont je dus me détourner! Quelle soirée d'agonie! D'un côté, Marianne, belle comme un ange, m'appelant par mon nom et avec quelle voix! O Dieu! me tendant la main, ses yeux enchanteurs fixés sur moi, quêtant une explication d'une façon si expressive! et Sophia, en face, jalouse comme un démon, nous surveillant. Allons, qu'importe, c'est passé maintenant!

Je m'éloignai de vous le plus tôt que je pus non sans avoir eu le temps de voir sa chère figure devenir pâle comme la mort. C'est la dernière fois que je l'ai vue, le dernier aspect sous lequel elle m'est apparue. L'horrible vision! aujourd'hui encore, quand je craignais vraiment pour sa vie, c'était une sorte de consolation, pour moi, d'imaginer que je savais exactement comment elle apparaîtrait à ceux qui la verraient pour la dernière fois en ce monde. Elle était sous mes yeux, constamment sous mes yeux, pendant mon voyage avec ce même aspect et cette même couleur.

Pendant un court moment, ils restèrent tous deux silen-

cieux, en proie à leurs mutuelles réflexions. Willoughby,
revenant le premier à lui, reprit :

— Et maintenant j'ai hâte d'en finir et de partir. Votre
sœur est certainement mieux, certainement hors de danger ?

— Nous en sommes certains.

— Et votre pauvre mère aussi! elle qui adore Marianne!

— Mais la lettre, Mr. Willoughby, votre lettre; avez-
vous quelque chose à me dire là-dessus ?

— Oui, oui, et en détail. Comme vous le savez, votre
sœur m'écrivit encore le lendemain matin. Vous savez ce
qu'elle me disait. Je déjeunais chez les Ellison; on m'apporta
sa lettre avec plusieurs autres et il advint qu'elle frappa les
yeux de Sophia avant les miens; la forme, l'élégance du
papier et de l'écriture éveillèrent immédiatement ses soupçons. Elle avait eu auparavant un vague écho de mon attachement à une jeune lady dans le Devonshire, et ce qu'elle
avait vu de ses yeux, la veille au soir, lui avait montré de
qui il s'agissait et l'avait rendue plus jalouse que jamais.

Affectant cet air de légèreté qui est si séduisant chez une
femme aimée, elle ouvrit elle-même la lettre et en prit connaissance. Elle fut bien payée de son imprudence. Elle lut
ce qui devait la mortifier le plus. De cela, j'aurais bien pris
mon parti, mais sa passion, sa rancune, à tout prix il fallait
les apaiser. Et bref, que pensez-vous du style épistolaire
de ma femme? Délicat, tendre, vraiment féminin, n'est-ce
pas?

— Votre femme? Mais la lettre était de votre écriture.

— Oui, mais j'ai eu seulement la permission de copier
ce que j'avais honte de signer. L'original est d'elle, ce sont
ses heureuses pensées et son gracieux style. Mais que pouvais-je faire? Nous étions fiancés, tous les préparatifs étaient
en train, la date presque fixée; mais je m'exprime comme
un fou. Préparatifs! Date! pour parler crûment, j'avais
besoin de son argent, et, dans une telle situation, je devais
tout faire pour éviter une rupture. Et, après tout, pour le
fond des choses, qu'importait à Marianne et à ses amis le
style de ma réponse. Elle ne tendait qu'à ceci : à révéler ma
bassesse et peu importait que cela soit dit d'une façon polie
ou grossière. « Je suis ruiné pour toujours dans leur opinion,
éloigné pour toujours de leur société; ils me tiennent déjà
pour un être sans principes, cette lettre leur fera seulement
juger que je suis, en outre, un grossier personnage. » Voilà

ce que je me dis et, en proie à une sorte de calme désespéré, je copiai la prose de ma fiancée et l'envoyai avec les derniers souvenirs de Marianne. Ses trois lettres — malheureusement, elles étaient dans mon portefeuille, sans cela j'aurais nié leur existence et les aurais mises à l'abri pour toujours. Je fus forcé de les renvoyer et ne pus même les porter à mes lèvres. Quand à sa boucle de cheveux, je la gardais toujours sur moi dans ce même portefeuille que miss Grey fouillait maintenant avec le même gracieux empressement — sa chère boucle — tout, tous ces souvenirs me furent arrachés.

— Vous avez grand tort, Mr. Willoughby, vous êtes inexcusable, dit Elinor, tandis que sa voix démentait ses paroles et trahissait sa compassion, vous ne devriez pas parler ainsi, ni de Mrs. Willoughby, ni de ma sœur. Vous avez fait votre choix, sans contrainte; votre femme a droit à votre courtoisie, à votre respect, tout au moins. Elle doit tenir à vous, sinon elle ne vous aurait pas épousé. Ce n'est pas en la méprisant, en la dénigrant que vous atténuerez vos torts envers Marianne, ni, je présume, que vous apaiserez vos propres remords.

— Ne me parlez pas de ma femme, répondit-il en soupirant profondément. Elle ne mérite pas votre pitié. Elle savait que je n'avais aucun amour pour elle quand nous nous sommes mariés. Nous sommes allés ensuite à Combe Magna savourer notre bonheur, et, maintenant, me plaindrez-vous, miss Dashwood? ou vous aurai-je dit tout cela en vain? Ne vous parais-je pas — ne serait-ce qu'un peu — un peu moins coupable que vous ne le pensiez? Mes intentions n'ont pas été entièrement mauvaises. Ai-je un peu atténué mes torts?

— Oui, certainement, un peu. Vous avez montré qu'en somme vous n'étiez pas aussi coupable que nous le croyions. Le fond chez vous était moins mauvais, beaucoup moins mauvais que nous le pensions. Mais, pour le mal que vous avez fait, je ne crois pas, non je ne crois pas qu'il eût pu être pire.

— Voudriez-vous répéter à votre sœur, quand elle sera tout à fait remise, ce que je vous ai dit? Laissez-moi me disculper un peu dans son opinion comme dans la vôtre. Vous me dites qu'elle m'a déjà pardonné. Je voudrais pouvoir penser que, quand elle connaîtra mieux le fond de mon cœur et les sentiments qui sont les miens maintenant, son pardon sera plus spontané, plus naturel, plus amical, moins hautain. Parlez-lui de ma détresse et de ma pénitence, dites-lui que mon cœur lui a été toujours fidèle, et, si vous y consentez, qu'en ce moment elle m'est plus chère que jamais.

— Je lui dirai tout ce qui est nécessaire pour ce qu'on peut appeler votre justification. Mais vous ne m'avez pas expliqué quel motif particulier vous a amené ici, ni comment vous avez appris sa maladie.

— La nuit dernière, au foyer du théâtre de Drury-Lane, je suis tombé sur sir John Middleton; dès qu'il m'eut reconnu, il m'adressa la parole, ce qu'il n'avait pas fait depuis un an. Qu'il eût rompu avec moi depuis mon mariage, je n'en éprouvais ni surprise, ni ressentiment. A ce moment, cependant, son bon naturel, honnête et balourd, dans son indignation contre moi et sa sollicitude pour votre sœur, ne put résister à la tentation de me dire ce qui, à son avis, aurait dû me rendre cruellement malheureux, quoiqu'il ne m'en crût pas capable. Aussi brutalement que possible, il me dit que Marianne Dashwood se mourait à Cleveland d'une fièvre pernicieuse — une lettre de Mrs. Jennings reçue le matin même déclarait le danger imminent — les Palmer étaient partis, crainte de la contagion.

Le choc était trop violent pour que je puisse dissimuler mes sentiments, même aux yeux du peu perspicace sir John. Il se radoucit en me voyant souffrir, et sa rancune fondit au point qu'en me quittant, il fut sur le point de me serrer la main, tandis qu'il me rappelait une ancienne promesse relative à un jeune chien d'arrêt.

Ah! que n'ai-je pas ressenti en apprenant que votre sœur était sur le point de mourir — et de mourir, persuadée que j'étais l'être le plus vil du monde, me détestant, me maudissant à ses derniers moments! L'impression fut si terrible que je ne tardais pas à prendre ma décision et, à huit heures du matin, j'étais en route. Maintenant vous n'ignorez plus rien.

Elinor ne répondit rien. Elle méditait silencieusement sur le mal irréparable qui découlait d'une indépendance prématurée. La paresse, la dissipation, le luxe qui en avaient été la conséquence avaient anéanti l'esprit et le caractère, détruit le bonheur d'un homme doué de tous les avantages du corps et de l'esprit. Avec des dispositions naturelles à la franchise et à l'honnêteté et un cœur sensible et aimant, le monde l'avait rendu d'abord extravagant et vain; et, peu à peu, insensible et égoïste. La vanité, en lui faisant rechercher un triomphe coupable aux dépens d'une autre, l'avait mis sur la route d'un amour sincère que son emportement vers les plaisirs l'avait forcé à sacrifier. Chaque concession en l'inclinant vers le mal l'avait également conduit au châtiment. L'amour qu'il avait volontairement repoussé contre son honneur, son propre sentiment et son véritable intérêt, le possédait tout entier, maintenant qu'il lui était interdit. Et cette union pour laquelle il avait, sans scrupule, désespéré Marianne, s'était avérée pour lui une source de malheurs encore plus irrémédiables.

Elle fut tirée de ses réflexions, au bout de quelques minutes, par Willoughby qui, sortant d'une rêverie pour le moins aussi pénible, se leva pour prendre congé et dit :

— Je n'ai plus rien à faire ici. Je dois partir.

— Rentrez-vous en ville ?

— Non, à Combe Magna. J'ai quelques affaires à régler, puis, de là, à Londres dans un ou deux jours. Adieu.

Il lui tendit la main, elle ne put lui refuser la sienne; il la serra avec affection et, tout de suite après :

— Aurez-vous gagné une opinion un peu meilleure de moi ? interrogea-t-il en s'appuyant contre le manteau de la cheminée comme s'il ne pensait plus à partir.

Elinor lui en donna l'assurance; elle lui pardonnait, le plaignait, lui souhaitait du bien — s'intéressant même à son bonheur, et elle alla jusqu'à lui donner aimablement quelques conseils sur la meilleure conduite à tenir dans sa situation. Sa réponse ne fut pas encourageante.

— Pour cela, dit-il, il faudra que je me fasse ma place dans le monde comme je pourrai. Mon bonheur domestique est hors de question. Si, cependant, je pouvais croire que, vous et les vôtres, prenez quelque intérêt à mon sort et à mes actions, ce serait peut-être un moyen — je me tiendrais sur mes gardes — ce serait au moins un but dans ma vie. Marianne, certainement, est perdue pour moi pour toujours. Quand je viendrais, par une chance inespérée, à être libre de nouveau...

Elinor l'arrêta avec un reproche.

— Bien, répliqua-t-il. Encore une fois, adieu. Je pars maintenant et je vais vivre dans la peur d'un événement...

— Que voulez-vous dire ?

— Du mariage de votre sœur.

— Vous avez tout à fait tort. Elle ne peut pas être plus perdue pour vous qu'elle l'est maintenant.

— Mais un autre peut l'obtenir. Et si c'était celui dont, entre tous, je puis le moins supporter la pensée... Mais je ne veux pas insister et risquer de perdre tout le bénéfice de votre charitable compassion, en laissant voir que là où j'ai fait le plus de mal, c'est moi qui pardonne le moins. Adieu. Dieu vous bénisse !

Sur ces dernières paroles, il sortit, ou plutôt, se précipita au dehors.

XLV

Quelque temps après son départ, et tandis que le bruit de la voiture avait cessé depuis un moment déjà, Elinor demeura trop accablée par une foule d'idées, toutes fort différentes, mais également mélancoliques, pour pouvoir même penser à sa sœur.

Willoughby, qu'une demi-heure auparavant elle abhorrait comme le plus indigne des hommes, Willoughby, en dépit de toutes ses fautes, excitait maintenant sa commisération pour tout le mal qu'il s'était fait à lui-même. Et elle envisageait cette rupture irrémédiable avec lui dans un sentiment dicté plutôt par sa propre compassion que par les mérites du jeune homme. Elle comprenait que cette impression sur son esprit était fondée sur des choses qui, raisonnablement, auraient dû n'avoir aucun poids : la rare attraction qui se dégageait de sa personne, ses manières ouvertes, affectueuses et vivantes qu'il n'avait aucun mérite à posséder, et cet amour encore ardent pour Marianne qui désormais n'était même plus innocent. Mais elle s'en rendait compte avant de pouvoir s'en dégager.

Quand enfin elle retourna à Marianne inconsciente de ce qui venait de se passer, elle la trouva qui s'éveillait, reposée au delà de toute espérance par ce long rafraîchissant sommeil. Le cœur d'Elinor débordait. Le passé, le présent, le futur, la visite de Willoughby, la guérison de Marianne, l'arrivée attendue de sa mère, tout cela la jetait dans une agitation qui lui ôtait le sentiment de la fatigue et lui laissait seulement la crainte de se trahir devant sa sœur. Cette crainte, toutefois, ne fut pas de longue durée, car une demi-heure après le départ de Willoughby, elle fut encore appelée en bas par le bruit d'une nouvelle voiture. Empressée d'épargner à sa mère, ne fût-ce qu'un instant, de son horrible incertitude, elle traversa tout de suite le hall en courant et atteignit la porte d'entrée juste à temps pour la recevoir dans ses bras au moment où elle entrait.

Mrs. Dashwood, que son angoisse, s'accroissant à mesure qu'elle approchait de la maison, avait fini par convaincre qu'elle ne reverrait plus jamais sa fille, n'avait pas de voix pour s'informer d'elle, pas de voix même pour Élinor; mais celle-ci, passant par-dessus le protocole des salutations et des demandes; lui annonça immédiatement l'heureuse nouvelle; et sa mère, prenant les choses avec son impétuosité habituelle, fut en un instant aussi transportée de bonheur qu'elle avait été accablée de craintes. Sa fille et son ami la conduisirent au salon. Et là, pleurant de joie et encore incapable de parler, elle embrassa et réembrassa Elinor, se détournant, par moments, pour serrer la main au colonel Brandon, avec un regard qui disait, non seulement sa gratitude, mais sa conviction qu'il partageait avec elle toute la joie de cet heureux moment. Il la partageait, mais plus silencieusement encore qu'elle.

Le premier désir de Mrs. Dashwood, remise de sa première émotion, fut de voir Marianne; et, deux minutes après, elle se trouvait auprès de sa chère enfant, rendue plus chère que jamais par l'absence, le malheur et le danger. Le plaisir d'Elinor à voir ce qu'elles éprouvaient l'une et l'autre dans cette rencontre n'était troublé que par la crainte d'insomnie pour Marianne; mais Mrs. Dashwood savait être calme et même prudente, quand la vie d'une de ses enfants était en jeu, et, Marianne, contente de savoir sa mère auprès d'elle, et sentant qu'elle était trop faible pour soutenir une conversation, se soumit volontiers au régime de silence et de calme que tout le monde lui conseillait.

Mrs. Dashwood voulut rester toute la nuit avec elle, et Elinor, sur les instances de sa mère, alla se coucher. Mais l'excitation de son esprit était trop grande pour qu'elle pût trouver le sommeil que semblait réclamer une nuit d'insomnie suivie de longues heures de la plus pénible anxiété.

Willoughby, « le pauvre Willoughby » comme elle se permettait maintenant de le nommer, lui était constamment présent; pour rien au monde, elle n'aurait voulu entendre sa défense, et, maintenant, tantôt elle se blâmait, tantôt elle s'approuvait d'avoir auparavant porté sur lui un jugement si dur. Mais sa promesse de tout rapporter à sa sœur ne lui donnait que de l'appréhension. Elle en redoutait l'accomplissement, elle se demandait avec anxiété quel en serait l'effet sur Marianne; elle aurait voulu savoir si, après une pareille explication, elle pourrait jamais se trouver heureuse avec un autre; et, un instant, elle en vint à souhaiter que Willoughby fut veuf; puis, sa pensée se reportant sur le colonel Brandon, elle se fit des reproches, sentant que la reconnaissance de sa sœur devait aller à ses souffrances et à sa constance avec infiniment plus de justice qu'à son rival et souhaita tout au monde plutôt que la mort de Mrs. Willoughby.

Le bouleversement produit par l'arrivée du colonel Brandon à Barton avait été sensiblement atténué, pour Mrs. Dashwood, par ses alarmes antérieures. Car elle était si inquiète de Marianne qu'elle avait déjà décidé de partir, ce jour-là, pour Cleveland, sans attendre d'autres nouvelles; et elle avait poussé si loin ses préparatifs avant l'arrivée du colonel, qu'on attendait justement les Carey pour se charger de Margaret que sa mère ne voulait pas emmener à cause de la contagion.

L'état de Marianne s'améliorait chaque jour et Mrs. Dashwood, se fiant à la façon modérée dont Elinor s'était exprimée au sujet de sa désillusion, penchait, dans l'exubérance de sa joie, à ne s'occuper que de ce qui pouvait l'accroître. Marianne lui était rendue, échappée d'un danger auquel, elle commençait à s'en rendre compte, sa propre erreur de jugement en encourageant ce malheureux attachement à Willoughby avait contribué à l'exposer ; et cette guérison lui avait encore apporté une autre source de joie ignorée d'Elinor. Elle lui en fit part aussitôt qu'elles eurent l'occasion de s'entretenir sans témoins.

— Enfin nous sommes seules. Mon Elinor, vous ne savez pas encore tout mon bonheur. Le colonel Brandon aime Marianne; il me l'a dit lui-même.

Sa fille, se sentant à la fois heureuse et peinée, surprise et non étonnée, était tout attention silencieuse.

— Vous ne m'avez jamais ressemblée, ma chère Elinor, sans cela je serais stupéfaite de votre calme. S'il m'avait fallu dire ce que je désirais de plus heureux pour ma famille, j'aurais indiqué, comme la chose la plus désirable, que le colonel Brandon épousât l'une de vous. Et je crois que, de vous deux, c'est Marianne à qui cela fera le plus de plaisir.

Elinor penchait un peu à lui demander la raison parce qu'elle-même n'en voyait aucune qui pût se trouver fondée sur leurs âges, leurs caractères ou leurs sentiments — mais sa mère, lorsqu'elle tenait un sujet intéressant, se laissait toujours emporter par son imagination; en conséquence, au lieu de poser une question, elle se contenta de laisser passer cette affirmation avec un sourire.

— Il m'a entièrement ouvert son cœur, hier, pendant notre voyage. C'est arrivé, d'une façon entièrement imprévue, presque par hasard. Evidemment, je ne pouvais parler d'autre chose que de ma fille — lui, ne pouvait cacher sa désolation; je vis qu'elle était égale à la mienne, et comme il sentait, peut-être, que la simple amitié, au train dont vont aujourd'hui les choses, ne pouvait expliquer une sympathie aussi chaleureuse, ou, tout compte fait, ne pensant à rien, mais obéissant à une impulsion irrésistible, il me fit la confidence de son profond, tendre et constant amour pour Marianne. Il l'a aimée, ma chère Elinor, presque depuis le premier moment où il l'a vue.

Ici, pourtant, Elinor perçut, non le langage, non les affirmations du colonel Brandon, mais les enjolivements naturels à l'inlassable fantaisie de sa mère qui tournait à sa façon tout ce qui lui plaisait.

— Son affection pour elle surpasse infiniment tout ce que Willoughby a pu jamais ressentir ou feindre, elle est beaucoup plus chaleureuse, sincère ou constante, comme vous voudrez. Elle a persisté malgré la connaissance qu'il avait de la malheureuse passion de la chère Marianne pour cet indigne jeune homme! Et sans aucun égoïsme! Sans aucun espoir pour l'encourager! Aurait-il pu la voir heureuse avec un autre? Quel noble esprit! Quelle franchise, quelle sincérité! Personne n'aura jamais de déception avec lui.

— Le colonel Brandon, dit Elinor, a la réputation bien établie d'un excellent homme.

— J'en suis bien persuadée, dit sa mère d'un ton soucieux, car, après une pareille expérience, je serais la dernière à encourager pareille affection ou même à m'en féliciter. Mais la façon dont il est venu me chercher, et qui témoignait tant d'active amitié, suffirait à prouver qu'il est l'homme le plus estimable du monde.

— Il ne faudrait pas seulement, répondit Elinor, le juger sur un acte obligeant, auquel son affection pour Marianne, même si l'humanité n'avait pas été en cause, l'aurait porté. Mais Mrs. Jennings et les Middleton le connaissaient intimement et de longue date; et ils l'aiment et le respectent également beaucoup; quoique depuis peu de temps, je l'estime tant que, si Marianne peut être heureuse avec lui, je trouverai, tout comme vous, que leur union serait pour nous la plus heureuse chose du monde. Quelle réponse lui avez-vous donnée? Lui avez-vous laissé de l'espoir?

— Oh! ma chère, à ce moment-là, je ne pouvais parler d'espoir ni pour lui ni pour moi. Marianne était peut-être mourante. Mais il ne demandait ni espoir ni encouragement. C'était une confidence involontaire, une effusion irrésistible faite à une amie qui pouvait le comprendre, et non pas une demande à une mère. Pourtant, après un moment, car d'abord, j'étais toute bouleversée, je lui ai donné tous les encouragements en mon pouvoir. Le temps, un petit peu de temps, lui ai-je dit, arrangera tout; Marianne ne peut rester attachée pour toujours à un homme tel que Willoughby. Par son propre mérite, le colonel ne tardera pas à la gagner.

— A en juger par l'humeur du colonel, pourtant, vous ne lui avez pas communiqué votre confiance.

— Non. Il juge l'amour de Marianne trop profond pour qu'un changement puisse se produire avant longtemps; et, même, en supposant son cœur libre de nouveau, il se défie trop de lui-même pour croire qu'avec une telle différence d'âge et de disposition, il puisse jamais lui plaire. Mais, là, il se trompe tout à fait. La grande différence d'âge est seulement un avantage car ainsi ses principes et son caractère sont bien arrêtés et ses dispositions, j'en suis bien convaincue, sont exactement celles qui peuvent faire le bonheur de votre sœur. Et sa personne, ses manières sont toutes en sa faveur. La partialité ne m'aveugle pas, il n'est certainement pas aussi brillant que Willoughby; mais, en même temps, il a quelque chose de bien plus sympathique. Il y avait toujours eu, par moments, si vous vous le rappelez, quelque chose dans les yeux de Willoughby que je n'aimais pas.

Elinor n'arriva pas à se le rappeler; mais sa mère, sans attendre son assentiment, continua :

— Et quant à ses manières, celles du colonel ne sont pas seulement plus agréables que celles de Willoughby, mais elles sont d'une nature qui, je le sais bien, est infiniment plus susceptible de retenir Marianne. Sa bonne grâce, son attention spontanée aux autres, sa simplicité virile et sans apprêt s'accordent bien mieux avec ses vraies dispositions que la vivacité, souvent artificielle, et souvent déplacée de l'autre. J'en suis sûre, la conduite de Willoughby aurait-elle été le contraire de ce qu'elle a été, elle n'aurait jamais été aussi heureuse avec lui qu'elle le sera avec le colonel Brandon.

Elle s'arrêta. Sa fille n'était pas tout à fait de son avis, mais n'en dit rien, et, par conséquent, rien ne vint contrarier Mrs. Dashwood.

— A Delaford, elle ne sera pas loin de moi, ajouta celle-ci, même si je reste à Barton; et, très probablement, car il paraît que le village est grand, il doit y avoir, dans le voisinage, quelque petite maison ou quelque cottage qui nous conviendrait aussi bien que notre habitation actuelle.

Pauvre Elinor! Encore une nouvelle occasion pour elle d'aller vivre à Delaford! Mais rien ne pouvait la réconcilier avec cette idée.

— Et sa fortune aussi! car, à mon âge, vous comprenez, on fait attention à cela. Et quoique je ne sache pas et ne désire pas savoir ce qu'elle est exactement, je suis sûre qu'elle est importante.

Ici, elles furent interrompues par l'arrivée d'une tierce personne et Elinor se retira pour réfléchir à loisir à tout cela; souhaitant, à son ami, le succès et, tout en le souhaitant, ne pouvant se défendre d'un sentiment de pitié pour Willoughby.

XLVI

La maladie de Marianne n'avait pas duré assez longtemps pour nécessiter une longue convalescence. Sa jeunesse et sa vigueur naturelle aidant, ainsi que la présence de sa mère, elle se trouva assez bien pour pouvoir passer dans la chambre de Mrs. Palmer où le colonel Brandon fut invité, à la requête même de Marianne, à venir la voir, car il lui tardait de lui adresser ses remerciements pour lui avoir amené sa mère.

L'émotion qu'il fit paraître à son entrée en voyant son regard altéré, en prenant la main amaigrie qu'elle lui tendit immédiatement, fut telle que, au jugement d'Elinor, elle ne devait pas avoir seulement sa source dans son affection pour Marianne et elle eut tôt fait de découvrir, dans ses yeux mélancoliques et le trouble qu'ils laissaient paraître en regardant sa sœur, l'effet d'un souvenir. Elle pensa qu'il évoquait alors les douloureuses scènes d'un passé que lui rappelait la ressemblance d'Elisa et de Marianne, ressemblance avivée maintenant par les yeux creusés de celle-ci, son teint pâli, sa posture languissante, et ses chaleureuses protestations de reconnaissance.

Au bout d'un jour ou deux, comme Marianne prenait visiblement des forces d'heure en heure, Mrs. Dashwood, obéissant aussi bien à sa propre inclination qu'à celle de ses filles, commença à parler du retour à Barton. De ses résolutions, dépendaient celles de ses deux amis. Mrs. Jennings ne pouvait quitter Cleveland durant le séjour des Dashwood, et le colonel Brandon se laissa facilement persuader par elle et Mrs. Jennings qu'il devait en faire autant, encore que sa présence fût moins indispensable. Sur leurs instances à tous deux, en revanche, Mrs. Dashwood accepta de se servir de sa voiture pour le retour, afin de ménager mieux la santé de la convalescente; et le colonel, sollicité par elle et Mrs. Jennings, dont l'amicale obligeance toujours en éveil lui faisait pratiquer l'hospitalité aussi bien pour le

compte des autres que pour le sien, s'engagea avec plaisir
à faire, en échange, une visite au cottage, dans quelques
semaines.

Le jour de la séparation et du départ arriva; Marianne
fit à Mrs. Jennings des adieux chaleureux et prolongés; elle
se montra si vivement reconnaissante, si pleine de respect
et de vœux affectueux qu'elle semblait avoir ressenti un
secret remords de son indifférence passée à son égard. Après
avoir dit adieu au colonel Brandon avec une cordialité
amicale, elle fut soigneusement installée par lui dans la voiture dont il aurait voulu lui voir occuper la moitié de la
place disponible. Mrs. Dashwood et Elinor suivirent et
les autres furent laissés à leur propre solitude, jusqu'à ce
que Mrs. Jennings fut appelée à monter dans son cabriolet;
là elle trouva du soulagement à bavarder avec sa femme de
chambre et à épiloguer sur le départ des deux jeunes filles.
Immédiatement après, le colonel Brandon s'en retourna
solitairement à Delaford.

Le voyage des Dashwood dura deux jours et Marianne
le supporta sans fatigue particulière. Chacune de ses deux
compagnes déploya l'affection la plus zélée, le soin le plus
attentif pour son bien-être et elles trouvèrent, l'une et l'autre,
leur récompense en la voyant en bonne santé et l'esprit
tranquille. Ce dernier point, surtout, fit particulièrement
plaisir à Elinor. Elle, qui l'avait vue, pendant de longues
semaines constamment accablée de douleur, le cœur serré
d'une angoisse qu'elle n'avait pas le courage ni d'avouer
ni de dissimuler, observait maintenant chez sa sœur, avec
un soulagement sans égal, une visible tranquillité d'esprit,
résultat, elle l'espérait, de sérieuses réflexions qui devaient
progressivement l'amener à retrouver son équilibre et sa
gaieté.

En approchant de Barton, cependant, regagnant ces lieux
où chaque champ, chaque arbre évoquait quelque souvenir
particulier et douloureux, elle devint silencieuse et pensive,
et, évitant leur regard, se mit à regarder passionnément à
travers la glace de la voiture. Mais, là, Elinor n'eut ni étonnement, ni blâme; et, lorsqu'en aidant Marianne à descendre
de voiture, elle s'aperçut qu'elle avait pleuré, elle n'y vit
qu'une émotion trop discrète et trop naturelle pour exciter
autre chose qu'une tendre pitié.

Tout le reste du temps, sa conduite montra que la volonté

de se contenir d'une façon raisonnable était entrée dans son esprit, car on ne fut pas plutôt entré dans la salle commune, que Marianne y jeta un regard circulaire avec une fermeté résolue, comme si elle était déterminée à s'accoutumer à la vue de chaque objet auquel s'attachait le souvenir de Willoughby. Elle ne parla pas beaucoup, mais ce qu'elle disait respirait la bonne humeur, et, si un soupir lui échappait parfois, elle le corrigeait toujours par un sourire. Après dîner, elle voulut essayer son piano-forte. Elle s'y installa; mais la musique sur laquelle elle tomba d'abord était un opéra, que lui avait apporté Willoughby, contenant quelques-uns de leurs duos favoris et portant son nom écrit de sa main à la page de garde. C'en était trop. Elle secoua la tête, mit la musique de côté, et, après avoir promené une minute ses doigts sur le clavier, se plaignit de leur faiblesse et referma l'instrument, déclarant cependant, avec fermeté, qu'à l'avenir elle reprendrait ses exercices.

Le lendemain n'amena aucun affaiblissement de ces heureux symptômes. Au contraire, fortifiée de corps et d'esprit par le sommeil, elle se montra encore plus naturelle dans ses gestes et ses paroles, se réjouissant du prochain retour de Margaret, et parlant de leur cher cercle de famille enfin reformé, de leurs mutuelles occupations et de leur heureuse union comme de la seule perspective de bonheur digne de ses vœux.

— Quand le temps sera au beau et que j'aurais repris mes forces, dit-elle, nous ferons ensemble de longues promenades tous les jours. Nous irons à la ferme qui est au sommet de la colline voir comment vont les enfants; nous irons visiter les nouvelles plantations de sir John à Barton Cross, et la terre de l'Abbaye; et il faudra aller souvent jusqu'aux ruines du vieux prieuré et essayer de retrouver la trace des fondations aussi loin qu'elles s'étendent. Je crois que nous passerons des heures charmantes. Certainement, l'été sera gai. J'ai l'intention de me lever tous les matins à six heures au moins et, jusqu'au dîner, je partagerai mon temps entre la musique et la lecture. J'ai dressé un plan et suis résolue à travailler sérieusement. Je connais trop bien notre bibliothèque pour l'utiliser autrement que par simple amusement. Mais il y a au Park beaucoup de livres qui valent la peine d'être lus et je sais que je pourrai emprunter des ouvrages modernes au colonel Brandon. Rien qu'en lisant six heures par jour, je pourrai en six mois compléter largement les lacunes de mon instruction.

Elinor la félicita d'un plan qui s'annonçait si bien, tout en souriant de voir la même impétuosité de sentiment qui l'avait conduite à l'excès extrême de la langueur et des regrets, faire tourner maintenant à l'exagération un projet si raisonnable de travail et de domination de soi.

Mais ce sourire fit place à un soupir quand elle se rappela qu'elle n'avait toujours pas rempli la promesse faite à Willoughby. Elle redoutait que cette communication ne vienne encore troubler Marianne, ruinant ainsi, au moins pour un temps, ces heureuses perspectives de tranquillité active et diligente. En conséquence, voulant retarder ce moment délicat, elle décida d'attendre, avant d'aborder ce sujet, que la santé de sa sœur fût plus affermie. Mais cette résolution ne fut pas plutôt prise qu'elle fut contrariée.

Marianne était restée deux ou trois jours à la maison pour attendre que le temps fût assez beau pour permettre à une convalescente comme elle de s'aventurer dehors. Mais, enfin, un matin se leva, si doux, si engageant qu'elle fut tentée et que sa mère prit confiance; et Marianne, appuyée au bras d'Elinor, eut la permission de se promener, aussi longtemps qu'elle pourrait le faire sans fatigue, sur le chemin devant la maison.

Les deux sœurs marchèrent à pas lents ainsi qu'il convenait à la faiblesse de Marianne qui se livrait, pour la première fois, à cet exercice depuis sa maladie. Elles s'étaient un peu écartées de la maison pour jouir de l'entière vue de la colline, de la grande colline derrière la maison, quand Marianne s'arrêta, et, tournant les yeux avec calme de ce côté :

— C'est là, exactement là (elle indiquait l'endroit de la main) sur ce monticule qui fait saillie, que je suis tombée, et que j'ai vu pour la première fois Willoughby.

Sa voix faiblit en prononçant ce nom, mais elle se remit aussitôt et ajouta :

— Je me sens heureuse de constater que j'éprouve si peu de peine à revoir cet endroit. Pouvons-nous aborder ce sujet, Elinor? (Elle hésita un peu) Où est le mal? Je puis, je crois, en parler maintenant, comme il faut.

Elinor l'invita tendrement à s'ouvrir à elle.

— Pour ce qui est du regret, dit Marianne, c'est fini. Je ne veux pas vous parler de ce que j'ai éprouvé pour lui, mais de ce que je ressens maintenant. Maintenant, si je pouvais avoir satisfaction sur une chose — si je pouvais être sûre qu'il n'a pas toujours joué un rôle, qu'il ne m'a pas toujours trompée — et, par-dessus tout, si je pouvais être sûre qu'il n'a jamais été aussi pervers que j'ai parfois peur de l'imaginer d'après l'histoire de cette malheureuse fille...

Elle s'interrompit. Elinor, transportée de joie, recueillit précieusement ses paroles et lui répondit :

— Si vous pouviez en être assurée, vous pensez que vous seriez apaisée ?

— Oui, mon repos d'esprit en dépend doublement, car, non seulement il est horrible de suspecter de tels desseins quelqu'un qui a été pour moi ce qu'il a été, mais sous quel jour cela me fait-il apparaître moi-même ? Dans ma situation, à quoi mon élan irréfléchi m'exposait-il ?

— Et comment, demanda sa sœur, voudriez-vous pouvoir expliquer sa conduite ?

— Je voudrais supposer — oh! comme j'en serais heureuse — qu'il a été seulement léger, très léger.

Elinor ne répondit pas. Elle débattait en elle-même si c'était le moment de commencer son récit ou s'il valait mieux attendre que Marianne fût plus forte; et elles avancèrent quelques minutes en silence.

— Ce n'est pas lui vouloir trop de bien, dit enfin Marianne avec un soupir, que de souhaiter que ses secrètes réflexions ne soient pas plus pénibles que les miennes. Il y a là de quoi le faire assez souffrir.

— Pouvez-vous comparer votre conduite à la sienne ?

— Non, ma conduite, je la compare à ce qu'elle aurait dû être. Je la compare à la vôtre.

— Nos situations ne se ressemblaient guère.

— Elles se ressemblaient plus que notre conduite. Ne laissez pas, ma chère Elinor, votre bonté défendre ce que votre jugement ne peut que blâmer. Ma maladie m'a permis de réfléchir. Elle m'a donné le loisir et le calme pour un sérieux examen de conscience. Longtemps avant de pouvoir parler, j'avais recouvré la faculté de réfléchir.

« J'ai considéré le passé; je n'ai vu dans ma conduite, depuis le début de nos relations avec lui, l'automne dernier, qu'une série d'imprudences envers moi-même, et un manque d'égards pour les autres. J'ai vu que j'avais moi-même été cause de mes maux et que mon manque de courage pour les supporter m'avait presque conduite au tombeau. Ma maladie, je sens bien que j'en ai été la seule cause, par une négligence de ma santé telle que je m'en rendais compte au moment même. Si j'étais morte, ç'aurait été un suicide. Je n'ai pas eu conscience du danger tant qu'il a duré. Mais, maintenant, à la réflexion, je m'étonne d'avoir survécu; je m'étonne que la violence de mon désir de vivre, d'avoir le temps de demander pardon à Dieu, à vous tous, ne m'ait pas tuée sur-le-champ. Si j'étais morte, dans quel état particulièrement misérable je vous aurais laissée, vous, ma garde-malade, mon amie, ma sœur! Vous, qui aviez été témoin du terrifiant égoïsme de mes derniers jours, qui aviez connu tous les murmures de mon cœur! Comment auriez-vous pu vivre avec ces souvenirs!

« Et ma mère aussi! Comment auriez-vous fait pour la consoler? Je ne puis exprimer combien j'ai horreur de moi-même! Partout où je regarde dans le passé, je vois un regard négligé, une faute à me reprocher. Il me semble que j'ai fait tort à tout le monde. La bonté, l'incessante bonté de Mrs. Jennings, ingrate que j'étais, je l'ai payée de mon mépris. Envers les Middleton, les Palmer, les Steeles, envers toutes nos connaissances, enfin, j'ai été insolente et injuste; avec un esprit prévenu contre leurs mérites, et un caractère irrité par leurs sincères prévenances. A John, à Fanny, oui, même à eux, si peu qu'ils le méritent, j'ai donné moins que leur dû. Mais vous, vous, par-dessus tout, ma mère exceptée, vous avez à vous plaindre de moi. Moi, et moi seule, je savais ce que vous aviez sur le cœur, oui, et à quoi cela m'a-t-il servi? Ai-je éprouvé des sentiments de pitié qui auraient pu nous profiter à toutes deux? Votre exemple était devant moi. A quoi bon? Ai-je mérité votre indulgence, ou soulagé votre peine, en prenant la moindre part dans ces obligations de politesse générale ou de gratitude particulière qu'il vous a fallu par suite remplir seule? Non, pas plus quand je vous ai vue malheureuse que quand je vous croyais heureuse, je n'ai voulu me charger d'aucune corvée obligatoire, ou d'aucun devoir d'amitié, n'admettant presque pas que le chagrin pût exister pour d'autre que pour moi, regrettant seulement ce cœur qui m'avait abandonné et me désespérait, et vous laissant, vous pour qui je professais une affection sans bornes, prendre toute la peine à ma place,

Ici s'arrêta l'impétueux courant des reproches qu'elle s'adressait à elle-même, et Elinor, impatiente de la calmer, mais trop trop honnête pour la flatter, lui prodigua aussitôt l'éloge et les encouragements que sa franchise et son repentir méritaient si bien. Marianne pressa sa main et répliqua :

— Vous êtes bien bonne. C'est à l'avenir de me justifier. Je me suis dressé un plan et, si je suis capable de m'y tenir, j'arriverai à gouverner mes sentiments et à améliorer mon caractère, de manière à n'être plus importune aux autres et à ne plus me torturer moi-même. Je ne veux plus vivre maintenant que pour ma famille. En conséquence, vous, ma mère et Margaret, vous serez le monde entier pour moi, vous vous partagerez entièrement mes affections. Je n'aurai plus désormais la moindre tentation de m'écarter de vous, de la maison; et, si je viens à me mêler à une autre société, ce sera seulement pour montrer que mon orgueil est abaissé, que je me suis amendée et que je puis m'acquitter des devoirs ordinaires de civilité, avec gentillesse et bonne humeur. Et, pour Willoughby, il serait vain de dire que je l'oublierai bientôt, ou même que je l'oublierai jamais. Son souvenir ne pourra jamais être effacé par aucun changement de circonstances ou d'opinions. Mais il pourra être combattu par la religion, par la raison, par des occupations continuelles.

Elle s'arrêta et ajouta à voix plus basse :

— Si je pouvais seulement connaître son cœur, tout deviendrait facile.

Elinor qui, depuis un moment, réfléchissait sur l'opportunité de hasarder ou non son récit, sans pouvoir se décider dans un sens ou dans l'autre, fut frappée de cette parole; et, se disant que, lorsque la réflexion n'avance à rien, la résolution doit tout faire, elle se trouva bientôt lancée dans la voie des confidences.

Elle présenta les choses avec adresse, comme elle l'espérait, prépara avec précaution son anxieuse interlocutrice, rapporta simplement et honnêtement les principaux points sur lesquels Willoughby avait fondé sa défense, rendit justice à ses remords et atténua seulement un peu ses protestations d'amour inchangé. Marianne ne dit pas un mot, elle tremblait; ses yeux étaient fixés sur la terre et ses lèvres devinrent plus blanches qu'elles ne l'avaient jamais été durant sa maladie. Mille questions se pressaient sur ses lèvres, mais elle n'osait en formuler aucune. Sa main, à son insu, pressait convulsivement celle de sa sœur, et ses joues étaient inondées de larmes.

Elinor, craignant qu'elle ne fût fatiguée, la ramena vers la maison, et jusqu'à ce qu'elles fussent arrivées à la porte du cottage, devinant ce que devait être le désir de Marianne, ne parla d'autre chose que de Willoughby et de sa conversation avec lui; entrant soigneusement dans les plus petits détails sur ses paroles et son attitude, là où elle pouvait le faire sans danger.

Dès qu'elles furent entrées dans la maison, Marianne après un baiser de gratitude et ces trois mots qui passèrent juste entre ses larmes : « Dites-le à maman », quitta sa sœur et monta sans bruit dans sa chambre. Elinor ne chercha pas à troubler une solitude recherchée, cette fois, avec raison; et tout en imaginant anxieusement les résultats de sa démarche, avec la résolution bien arrêtée de revenir sur le sujet au cas où Marianne ne le ferait pas elle-même, elle se dirigea vers le salon pour accomplir le vœu que venait d'exprimer sa sœur.

Mrs. Dashwood n'entendit pas sans émotion le plaidoyer de son ancien favori. Elle fut heureuse de le voir lavé d'une partie des fautes qui lui étaient imputées; elle le plaignit, elle souhaita qu'il fût heureux. Mais elle ne retrouva pas pour lui ses sentiments d'autrefois. Rien ne pouvait lui redonner son auréole de foi inviolée, de conduite irréprochable envers Marianne. Rien ne pouvait effacer le sentiment de ce que cette dernière avait souffert par lui, ni racheter sa conduite envers Elisa. Rien, par conséquent, ne pouvait lui rendre l'estime qu'elle avait eue, d'abord, à son égard, ni diminuer son intérêt pour le colonel Brandon.

Si Mrs. Dashwood avait, comme sa fille, entendu l'histoire de la propre bouche de Willoughby, si elle avait été témoin de sa détresse, si elle avait subi l'influence de sa présence et de son attitude, sa compassion eût été probablement plus vive. Mais Elinor n'avait ni le pouvoir, ni l'envie de ressusciter, par une évocation détaillée, les sentiments que cette scène avait suscités en elle. La réflexion avait donné du calme à son jugement et ramené à une juste mesure son appréciation des mérites de Willoughby. Elle chercha, en conséquence, à exposer simplement la vérité et à montrer les faits comme ils se présentaient réellement, sans rien embellir ni se laisser entraîner à des exagérations sentimentales.

Au cours de la soirée, lorsqu'elles se trouvèrent toutes les trois réunies, Marianne commença à parler encore de lui; mais ce ne fut pas sans faire un effort, ainsi que le montrait clairement la rêverie inquiète et agitée dans laquelle elle avait commencé par s'absorber, le sang qui montait à ses joues à mesure qu'elle parlait et sa voix mal assurée.

— Je tiens à vous assurer toutes deux, dit-elle, que j'envisage les choses exactement comme vous pouvez le désirer.

Mrs. Dashwood l'aurait immédiatement interrompue par des démonstrations de tendresse, si Elinor, qui voulait connaître vraiment ses sentiments réels, ne l'eût, d'un geste décidé, engagée au silence. Marianne continua doucement.

— Ce qu'Elinor m'a dit ce matin est, pour moi, un grand soulagement. Maintenant, j'ai entendu exactement ce que je désirais entendre.

Sa voix s'éteignit un moment; mais, se reprenant, elle continua d'un ton plus assuré.

— Je suis maintenant parfaitement satisfaite. Je ne désire rien de plus. Je n'aurais jamais pu être heureuse avec lui, après avoir appris tout cela, comme je l'aurais appris un jour ou l'autre. Je n'aurais plus pu avoir de confiance ni d'estime pour lui. Rien n'aurait pu bannir ces choses de mon esprit.

— Je le comprends! Je le comprends! s'écria sa mère. Heureuse avec un homme qui s'est conduit en libertin! Avec un homme qui a troublé la paix du plus cher de nos amis, et du meilleur des hommes! Non, ma Marianne n'a pas le cœur fait pour être heureuse avec un pareil homme! Sa conscience, sa délicate conscience aurait ressenti tout ce que la sienne aurait dû ressentir.

Marianne soupira et répéta :

— Je ne désire rien de plus.

— Vous envisagez la chose, dit Elinor, exactement comme doit la voir un esprit juste et un entendement sain; et je crois bien que vous trouverez, comme moi-même, non seulement en cela, mais dans beaucoup d'autres circonstances, assez de motifs pour être convaincue que ce mariage vous aurait apporté infailliblement beaucoup de trouble et de déception, qui n'auraient été compensés, de son côté, que par une affection bien problématique. L'auriez-vous épousé, vous auriez été toujours pauvre. Sa prodigalité, il en convient lui-même, et toute sa conduite montre que l'oubli de soi-même est une expression qui n'a pas de sens pour lui. Ses besoins d'argent et votre inexpérience, avec un faible, très faible revenu, vous auraient mis dans une détresse qui n'aurait été rien moins qu'adoucie par ce fait que vous n'en auriez eu auparavant aucune expérience, ni aucune prévision. Votre sens de l'honneur et de l'honnêteté vous aurait amenée, j'en suis sûre, dès que vous auriez eu conscience de cette situation, à essayer de faire toutes les économies possibles. Et, peut-être, tant que la parcimonie n'aurait été pratiquée qu'aux dépens de votre confort personnel, il vous aurait laissé faire, mais vous n'auriez pu faire que bien peu de chose par vos seuls moyens pour arrêter une ruine déjà commencée avant le mariage. Au delà de cette limite, si vous aviez essayé si raisonnable que ce fût, d'empiéter sur ses plaisirs, n'était-il pas à craindre que, bien loin de rien obtenir d'un caractère aussi égoïste, vous perdiez toute influence sur lui, de sorte qu'il aurait fini par regretter une union qui l'engageait dans de telles difficultés ?

Les lèvres de Marianne tremblèrent et elle répéta le mot : « Égoïste » d'un ton qui signifiait : « Le croyez-vous réellement égoïste ? »

— Toute sa conduite, répondit Elinor, du commencement à la fin, a été fondée sur l'égoïsme. C'est l'égoïsme qui l'a fait d'abord jouer avec votre affection et, ensuite, quand son cœur s'est mis de la partie, lui a fait différer l'aveu, et l'a finalement engagé à quitter Barton. Son propre plaisir, ses commodités ont été sa règle souveraine dans chaque cas.

— C'est très vrai ! Il n'a jamais eu mon bonheur pour objet.

— A présent, poursuivit Elinor, il regrette ce qu'il a fait. Et pourquoi le regrette-t-il ? Parce que cela ne lui a pas réussi. Il n'a pas trouvé le bonheur. Ses affaires ne sont plus, maintenant, embarrassées, il n'a plus rien à craindre de ce côté, et il considère seulement qu'il a épousé une femme moins agréable que vous. Mais s'ensuit-il qu'il eût été heureux, s'il vous avait épousée ? Les inconvénients n'auraient pas été les mêmes. Il aurait alors souffert des embarras pécuniaires qu'il compte pour rien, maintenant qu'ils sont évités. Il aurait eu toutes satisfactions du côté du caractère de sa femme mais il aurait été toujours besogneux, toujours pauvre et il aurait probablement bientôt été amené à accorder plus d'importance aux innombrables avantages d'une situation nette et d'un large revenu, même pour le bonheur domestique, qu'au caractère d'une femme.

— Je n'en doute pas, dit Marianne, et je n'ai rien à regretter que ma propre folie.

— Dites plutôt l'imprudence de votre mère, mon enfant, dit Mrs. Dashwood, c'est elle qui doit répondre de ce qui s'est passé.

Marianne n'aurait pas voulu l'admettre, et Elinor, satisfaite de voir qu'elles reconnaissaient, l'une et l'autre, leur erreur, ne cherchait plus qu'à éviter tout rappel du passé qui ne pouvait que déprimer Marianne; reprenant donc son premier sujet, elle poursuivit aussitôt :

— Il faut, cependant, en toute vérité, tirer une conclusion de l'ensemble de l'affaire : tous les embarras de Willoughby sont venus, en droite ligne, de sa faute initiale contre l'honneur, de sa conduite envers Elisa Williams. Ce crime a été l'origine des fautes moins graves qui l'ont suivi, et de son malaise actuel.

Marianne approuva chaleureusement cette remarque; et sa mère partit de là pour énumérer les souffrances et les mérites du colonel Brandon, avec une chaleur qui s'inspirait autant d'une réelle amitié que d'une pensée plus intéressée. Sa fille n'eut, cependant, guère l'air d'y faire attention.

Elinor, ainsi qu'elle s'y attendait, constata, dans les deux ou trois jours suivants, que l'état de Marianne demeurait stationnaire; mais, tant que sa résolution tenait bon et qu'elle faisait effort pour apparaître joyeuse et naturelle, sa sœur se fiait au temps pour lui voir recouvrer sa santé.

Margaret revint et elles se trouvèrent rendues de nouveau les unes aux autres, paisiblement installées dans leur cottage; et, si elles ne poursuivaient pas leurs études tout à fait avec la même ardeur qu'au début de leur installation, elles tiraient au moins des plans pour les développer vigoureusement à l'avenir.

Il commençait à tarder à Elinor d'avoir des nouvelles d'Edward. Elle n'avait plus entendu parler de lui depuis qu'il avait quitté Londres, ne savait rien de ses projets, ni même son adresse actuelle. Quelques lettres avaient été échangées avec son frère, en raison de la maladie de Marianne, et, dans la première qu'elle avait reçue de John, se trouvaient ces mots : « Nous ne savons rien de notre malheureux Edward, et nous ne pouvons faire d'enquête sur un sujet aussi délicat, mais nous supposons qu'il est toujours à Oxford. » C'était tout ce qu'on pouvait apprendre sur Edward par ce canal, car les autres lettres ne mentionnaient même pas son nom. Elle ne devait pas, cependant, rester longtemps dans l'ignorance de ses actes.

Leur domestique était allé, un matin, à Exeter pour des commissions; et, pendant qu'il servait à table, lorsqu'il eut satisfait aux demandes de sa maîtresse au sujet de son voyage, il ajouta de lui-même :

— Je suppose que vous avez appris, Madame, que Mr. Ferrars est marié!

Marianne sursauta violemment et fixa son regard sur Elinor, la vit pâlir et tomba évanouie sur sa chaise. Mrs. Dashwood, dont les yeux, tandis qu'elle répondait au domestique, avaient instinctivement pris la même direction, fut saisie en voyant par l'attitude d'Elinor combien elle était réellement atteinte. Elle fut immédiatement après également alarmée à cause de l'état de Marianne et resta un moment sans savoir laquelle de ses deux filles elle devait d'abord secourir.

Le domestique, qui avait seulement vu que Miss Marianne se trouvait mal, eut le bon sens d'appeler une des femmes de chambre, qui aida Mrs. Dashwood à la transporter dans une autre pièce. Bientôt, Marianne fut un peu mieux, et sa mère, la laissant sous la garde de Margaret et de la servante, retourna à Elinor, qui, quoique encore fort troublée, avait recouvré assez de sang-froid et de voix pour s'enquérir auprès de Thomas de l'origine de son information. Mrs. Dashwood s'en chargea immédiatement et Elinor eut tout le bénéfice de l'interrogatoire sans avoir à prendre la peine de le conduire.

— Qui vous a dit que Mr. Ferrars fut marié, Thomas?

— J'ai vu Mr. Ferrars moi-même, ce matin, à Exeter, et sa femme, qui était auparavant Miss Steeles. Ils étaient dans une voiture arrêtée à la porte de New London Inn, au moment où j'y arrivais, pour donner des nouvelles de Sally du Park, à son frère, qui est un des postillons. Je regardai, par hasard, quand je passai à côté de la voiture et je vis tout de suite que c'était la plus jeune des demoiselles Steeles, de sorte que je levai mon chapeau, et que, me reconnaissant, elle m'appela, et me demanda de vos nouvelles, Madame, et de ces demoiselles, spécialement de Miss Marianne. Elle me chargea aussi de vous transmettre ses compliments et ceux de Mr. Ferrars, leurs meilleurs compliments et leurs respects. Il fallait que je vous dise également combien ils regrettaient de n'avoir pas eu le temps de venir vous voir; car ils étaient très pressés de partir, parce qu'ils allaient un peu plus loin passer quelque temps — mais, à leur retour, ils viendront certainement vous voir.

— Mais vous a-t-elle dit qu'ils étaient mariés, Thomas?

— Oui, Madame. Elle sourit et dit qu'elle avait changé de nom depuis le temps où elle était ici. Elle avait toujours été une personne bien affable et facile, et très polie; aussi ai-je pris la liberté de lui souhaiter bonne chance.

— Et Mr. Ferrars était dans la voiture avec elle?

— Oui, Madame, je l'ai juste vu de dos, mais il n'a pas regardé dehors : il n'a jamais été un gentleman très bavard.

Elinor n'eut pas de peine à s'expliquer qu'il n'ait pas tenu à se montrer et Mrs. Dashwood trouva probablement la même explication.

— Il n'y avait personne d'autre dans la voiture?

— Non, Madame, rien que tous les deux.

— Savez-vous d'où ils venaient?

— Ils venaient droit de Londres, c'est ce que m'a dit miss Lucy, Mrs. Ferrars.

— Et ils allaient loin vers l'Ouest?

— Oui, Madame. Mais pas pour longtemps. Ils seront bientôt de retour, et, certainement alors, ils viendront vous voir.

Mrs. Dashwood regarda sa fille; mais Elinor ne s'attendait pas à les voir. Elle reconnaissait bien Lucy à ce message, et se tenait pour bien sûre qu'Edward ne viendrait jamais chez elles. Elle fit observer à sa mère, à voix basse, qu'ils allaient probablement chez Mrs. Pratt, près de Plymouth.

Thomas semblait avoir épuisé ses renseignements, Elinor parut décidée à en savoir davantage.

— Les avez-vous vu partir avant de vous retirer?

— Non, Mademoiselle. Les chevaux venaient d'arriver, mais je ne pouvais pas attendre plus longtemps. J'avais peur d'être en retard.

— Mrs. Ferrars paraissait-elle bien?

— Oui, Madame, elle a dit qu'elle allait très bien; et il

m'a semblé qu'elle était toujours une bien jolie personne
et elle paraissait extrêmement contente.

Mrs. Dashwood n'avait pas d'autres questions à poser
et Thomas, ainsi que la garniture de table, maintenant inu-
tiles, disparurent rapidement. Marianne avait déjà fait dire
qu'elle ne pourrait rien manger de plus. Mrs. Dashwood
et Elinor avaient également perdu l'appétit et Margaret
put se féliciter vraiment qu'avec tous les événements de ces
derniers temps, si faits pour couper l'appétit de ses sœurs,
on n'ait pas eu encore l'occasion de se priver complètement
de dîner.

Lorsque l'on eut enlevé le dessert et les vins et que
Mrs. Dashwood et Elinor furent laissées à elles-mêmes, elles
restèrent longtemps pareillement songeuses et silencieuses.
Mrs. Dashwood n'osait hasarder une remarque, et ne se
risquait pas à offrir des consolations. Elle voyait, maintenant,
qu'elle s'était trompée en se fiant à ce qu'Elinor lui avait
dit de ses sentiments; et concluait justement qu'elle avait
tout atténué volontairement, autrefois, pour lui épargner
un surcroît d'angoisse, alors qu'elle était malheureuse à
propos de Marianne. Elle découvrit que la vigilante attention de sa fille l'avait induite en erreur. Il était hélas, bien
certain que l'attachement d'Elinor, considéré quelque temps
par sa mère comme assez superficiel, avait bien toute la
profondeur que Mrs. Dashwood lui avait tout d'abord
attribué. Elle craignait maintenant que sa mauvaise appréciation des choses l'eût rendue injuste, indifférente, oui,
presque cruelle pour Elinor; que son affection se soit trop
portée sur Marianne, parce que son malheur était plus
évident, plus immédiatement émouvant et qu'elle ait été
portée à oublier qu'elle avait en Elinor une fille aussi durement frappée, et certainement avec moins de responsabilité
de sa part, et plus de courage.

XLVII

Elinor put alors apprécier la différence entre l'attente d'un événement fâcheux, si inévitable qu'il soit, et la certitude de son existence. Elle découvrit, qu'en dépit d'elle-même, elle avait toujours gardé quelque espoir, tant qu'Edward était libre, et supposait, en secret, que quelque chose viendrait empêcher son mariage avec Lucy. Un changement dans ses idées, l'intervention d'un ami, ou l'occasion d'un établissement plus favorable offerte à Lucy, pouvaient surgir pour la satisfaction générale. Mais, maintenant, il était marié et elle se reprochait de s'être laissée aller à ces rêves décevants qui aggravaient tellement sa douleur présente.

Tout d'abord, elle fut un peu étonnée qu'il se fût marié si vite, avant (pensait-elle) d'avoir pu être ordonné et, par conséquent, d'être en possession de sa cure. Mais elle se rendit rapidement compte combien il était naturel que Lucy, dans son souci égoïste, dans sa hâte d'assurer son mariage, ait préféré courir tous les risques plutôt que d'attendre. Ils étaient mariés, mariés à Londres et ils s'empressaient maintenant d'aller chez son oncle. Qu'avait pu éprouver Edward en se trouvant à quatre milles de Barton, en voyant leur domestique et en entendant le message de Lucy ?

Ils seraient, sans doute, bientôt installés à Delaford, cet endroit vers lequel tout la ramenait sans cesse, qu'elle désirait à la fois connaître et éviter. En un éclair, elle les vit installés dans leur presbytère ; elle voyait en Lucy, l'active et inquiète ménagère, cherchant à concilier les apparences de l'élégance avec la plus grande simplicité, s'efforçant de dissimuler la moitié de ses pratiques d'économies, ne pensant qu'à poursuivre son propre intérêt, courtisant le colonel Brandon, Mrs. Jennings et tous ceux de ses amis qu'elle jugeait fortunés. Pour Edward, elle ne savait qu'en dire, ni ce qu'elle désirait; heureux ou malheureux, les deux choses lui déplaisaient également, elle écartait de sa pensée toute image de lui.

Elinor se flattait que quelques-uns de leurs amis de Londres lui écriraient pour annoncer l'événement et donner quelques détails; mais les jours s'écoulèrent sans apporter de lettres, ni de nouvelles. Il n'était pas prouvé qu'ils fussent à blâmer, mais elle les trouvait tous en faute. Il fallait qu'ils fussent oublieux ou paresseux.

— Quand écrirez-vous au colonel Brandon, Maman?

Telle fut la demande que lui dicta son impatience de savoir quelque chose.

— Je lui ai écrit, ma chérie, la semaine dernière, et je m'attends plutôt à le voir qu'à recevoir de ses nouvelles. Je l'ai vivement pressé de venir, et je ne serais pas surprise de le voir arriver aujourd'hui ou demain, ou quelque autre jour.

C'était quelque chose de gagné, quelque chose à espérer. Le colonel Brandon fournirait sans doute quelque information.

A peine avait-elle fait cette réflexion qu'elle aperçut, à travers la fenêtre, la silhouette d'un cavalier. Il s'arrêta à leur porte : c'était un gentleman, le colonel Brandon certainement. Elle allait, maintenant, en savoir davantage et elle tremblait à cette perspective. Mais... ce n'était pas le colonel, ni son air, ni sa taille. Si c'eût été possible, elle aurait dit que c'était Edward. Elle regarda de nouveau, Il avait mis pied à terre, il n'y avait pas d'erreur possible. c'était Edward. Elle se retira et s'assit. « Il vient exprès de chez Mr. Pratt pour nous voir. Je dois être calme. Je resterai maîtresse de moi-même. »

En un instant, elle se rendit compte que les autres s'étaient également aperçues de l'erreur. Elle vit Marianne et sa mère changer de couleur, la regarder, et échanger quelques mots entre elles à voix basse. Elle aurait donné tout au monde pour être capable de parler, de leur faire comprendre qu'elles ne devaient montrer, à son égard, aucune marque de froideur, de dédain; mais la voix lui manquait, et elle fut obligée de tout laisser à leur inspiration.

Pas une syllabe ne fut prononcée. Toutes attendaient en silence l'apparition de leur visiteur. On entendit le gravier de l'allée craquer sous ses pas; un moment après, il était dans le passage et, enfin, il apparut.

Sa contenance, en entrant dans la pièce n'était guère brillante. Il était pâle et agité, et paraissait inquiet, comme s'il avait conscience d'avoir mérité d'être mal reçu. Mrs. Dashwood cependant, pensant remplir les vœux de cette fille, par laquelle, dans la chaleur de son affection, elle entendait se laisser guider, maintenant, en toute chose, l'accueillit en se forçant à prendre un air de complaisance, lui tendit la main et lui souhaita la bienvenue.

Il rougit, et balbutia une réponse inintelligible. Elinor avait ouvert la bouche en même temps que sa mère, et, après coup, regretta de ne pas lui avoir aussi tendu la main. Mais il était trop tard, et, avec un air aussi aisé que possible, elle s'assit et se mit à parler du temps qu'il faisait.

Marianne s'était assise à l'écart pour cacher son angoisse, et Margaret comprenant quelque chose, mais non pas tout, pensa qu'il lui incombait de prendre une attitude de dignité et, en conséquence, s'assit également assez loin en gardant le plus profond silence.

Lorsque Elinor eut cessé de célébrer le beau temps, il y eut un silence fort impressionnant. Il fut rompu par Mrs. Dashwood qui se sentit obligée de demander s'il avait laissé Mrs. Ferrars en bonne santé. Il répondit précipitamment que oui.

Autre pause.

Elinor résolue à prendre sur elle, et bien qu'ayant peur du son de sa propre voix, dit alors :

— Mrs. Ferrars est-elle à Longstraple?

— A Longstraple! répondit-il avec un air de surprise. Non, ma mère est à Londres.

— Je voulais dire... dit Elinor, en prenant un ouvrage sur la table, je demandais des nouvelles de Mrs. Edward Ferrars.

Elle n'osait pas lever les yeux, mais sa mère et Marianne dirigeaient leurs regards sur lui. Il rougit, sembla perplexe, parut douter, et après quelque hésitation dit :

— Peut-être voulez-vous parler, de mon frère, de Robert Ferrars.

— Mrs. Robert Ferrars! répétèrent Marianne et sa mère avec l'accent du plus profond étonnement et, bien qu'Elinor ne put parler, ses yeux impatiemment fixés sur lui mar-

quaient la même surprise. Il se leva et marcha vers la fenêtre, ne sachant visiblement que faire; il saisit une paire de
ciseaux qui se trouvaient là et tout en les examinant ainsi
que leur étui et essayant machinalement de couper ce dernier
en morceaux, dit d'une voix, saccadée :

— Peut-être ne savez-vous pas, n'avez-vous pas entendu
dire que mon frère a dernièrement épousé la plus jeune des
demoiselles Steeles, Lucy Steeles?

Ces mots furent accueillis avec un indicible étonnement
par tout le monde, à l'exception d'Elinor qui, la tête penchée
vers son ouvrage, se trouvait dans un tel état d'agitation
qu'elle ne savait presque plus où elle était.

— Oui, dit-il, ils se sont mariés la semaine dernière à
Dawlish.

Elinor n'y tint plus. Elle bondit presque hors de la pièce,
et, sitôt la porte fermée, éclata en pleurs de joie, qui semblaient ne devoir jamais avoir de fin. Edward, qui, jusque-là,
avait regardé partout, excepté de son côté, fut témoin de
son départ précipité et peut-être remarqua-t-il son émotion;
car, aussitôt après, il tomba dans une rêverie d'où ne purent le
tirer ni les remarques, ni les demandes, ni les avances amicales
de Mrs. Dashwood. Et, à la fin, il s'en alla sans dire un mot
et alla se promener dans le village, laissant les autres dans le
plus grand étonnement et la plus grande perplexité sur un
changement si étonnant et si subit dans sa situation, qu'elles
ne pouvaient aucunement s'expliquer par leurs propres
moyens.

XLVIII

Pour si inexplicable que ce fût, pour toute la famille, il
était du moins certain qu'Edward était libre; et l'on pouvait
facilement deviner l'usage qu'il ferait de sa liberté; car,
après avoir savouré pendant quatre ans, les joies d'un engagement imprudent, contracté sans le consentement de sa

mère, on ne pouvait moins attendre de lui, après la rupture de celui-ci, que la conclusion immédiate d'un autre.

Son voyage à Barton, en fait, avait un but fort simple. Il venait seulement pour demander la main d'Elinor; et, si l'on considère qu'il n'était nullement dépourvu d'expérience en la question, on peut trouver étrange qu'il se soit senti, en l'occurrence, si mal à l'aise, avec un tel besoin de prendre l'air et d'être encouragé.

Il n'est pas nécessaire d'exposer en détail comment il s'affermit dans sa résolution, comment l'occasion se présenta bientôt de s'expliquer, comment il s'exprima, ni comment il fut reçu. Il suffira de dire que, quand ils se trouvèrent tous à table à quatre heures, trois heures environ après son arrivée, il s'était assuré la main d'Elinor, acquis le consentement de sa mère et n'était pas seulement dans la délicieuse situation d'un amoureux, mais, et cela avec les meilleures raisons, pouvait être considéré comme l'homme le plus heureux du monde.

En vérité, sa situation avait de quoi le réjouir. Il avait pour dilater son cœur et exalter ses sentiments plus que la satisfaction de voir son amour partagé. Il était délivré, sans avoir rien à se reprocher, d'un lien qui avait longtemps été son tourment, d'une femme qu'il avait de longue date cessé d'aimer, et voilà que, presque aussitôt, il venait de se trouver assuré de la main d'une autre, à laquelle il n'avait jamais pensé qu'avec désespoir, depuis qu'il avait commencé à la désirer. Il passait non du doute et de l'inquiétude, mais du désespoir au bonheur et le changement avait eu lieu dans une atmosphère naturelle, cordiale et joyeuse, comme s'il ne s'était rien passé auparavant.

Il ouvrit maintenant son cœur à Elinor, confessa toute sa faiblesse, toutes ses erreurs et le rêve puéril de ce premier amour envisagé maintenant du haut de ses vingt-quatre ans.

— Ce fut une sottise, une folle inclination de ma part, dit-il, la conséquence de mon ignorance du monde et de mon oisiveté. Si ma mère m'avait donné quelque profession active, quand je sortis à dix-huit ans des mains de Mr. Pratt, je crois, oui, je suis sûr que cela ne serait jamais arrivé; car, sans doute, je quittais Longstraple avec ce que je croyais être, à l'époque, une passion pour sa nièce mais si j'avais eu alors un but, un objet qui m'eût absorbé et tenu quelques mois hors de sa présence, je me serais bientôt défait de cette amourette. Il aurait suffi que je me mêle un peu plus au monde. Mais, au lieu d'avoir une occupation, au lieu qu'on m'ait donné une profession, ou qu'on m'en ait laissé choisir une, je retournai chez moi complètement oisif; et, la première année qui suivit, je n'eus même pas le titre d'étudiant car je ne suis pas entré à Oxford avant dix-neuf ans. Je n'avais donc absolument rien à faire au monde que de penser à mes amours, et, comme ma mère ne me rendait, en aucune façon, la maison agréable, que je ne trouvais pas en mon frère un ami, ou un compagnon, et que je n'aimais pas à faire de nouvelles connaissances, il était naturel que j'aille souvent à Longstraple, où je me trouvais toujours chez moi et toujours sûr d'être bien accueilli; et, c'est ainsi que je passai la plus grande partie de mon temps entre dix-huit et dix-neuf ans, Lucy se montrant sous le jour le plus aimable et le plus obligeant. Elle était jolie aussi, du moins, je la trouvais telle. Et j'avais si peu fréquenté d'autres femmes, que je ne pouvais pas faire de comparaison, ni voir ses défauts. Tout bien considéré, en somme, et si fou que fût notre engagement, si fou qu'il se soit révélé par la suite, je crois pouvoir dire qu'il n'était pas inexplicable, à ce moment, et ne constituait pas une folie inexcusable.

Le changement que quelques heures avaient produitdans les esprits et le bonheur des Dashwood étaient tels, qu'ils promettaient à tous la satisfaction d'une nuit sans sommeil. Mrs. Dashwood trop heureuse pour être dans son assiette, ne savait comment montrer à Edward son affection, ni féliciter Elinor; elle s'ingéniait à montrer sa joie de voir Edward libéré sans blesser sa délicatesse. Et elle aurait voulu leur donner toute liberté de causer seuls et se sentait, en même temps toute pleine de désir de jouir de leur société.

Marianne ne pouvait exprimer son bonheur autrement que par des larmes. Des comparaisons étaient inévitables; inévitables les regrets, et sa joie, quoique aussi sincère que son amour pour sa sœur, était telle qu'elle ne pouvait lui donner ni entrain, ni parole.

Quant à Elinor, comment décrire ses sentiments? A partir de l'instant où elle sut que Lucy était mariée à un autre, et qu'Edward était libre, jusqu'au moment où se justifièrent les espoirs qu'elle avait immédiatement conçus, elle avait passé par tous les états d'esprit possibles, sauf la tranquillité. Mais, ensuite, lorsque toute inquiétude fut écartée et qu'elle

put comparer sa situation présente avec celle qui l'avait
immédiatement précédée, voyant Edward honorablement
dégagé de sa parole et accouru auprès d'elle pour lui faire
l'aveu de sa tendre affection, elle fut oppressée, écrasée en
quelque sorte sous sa propre félicité. Et, pour si disposée
qu'elle fût, suivant le penchant de la nature humaine, à
s'accoutumer au bonheur, il lui fallut plusieurs heures pour
calmer son esprit et donner quelque tranquillité à son cœur.

Edward était maintenant fixé au cottage pour huit jours
au moins; car quelque affaire qui l'appelât ailleurs, il lui
était impossible de consacrer moins d'une semaine à la compagnie d'Elinor; et ce délai était à peine suffisant pour dire
la moitié de ce qu'ils avaient à se dire, du présent, du passé
et du futur; certes, quelques heures de conversation suffisent
à deux créatures raisonnables pour épuiser tous les sujets
qu'elles peuvent avoir en commun, mais il en est différemment entre amoureux. Entre eux, nul sujet n'est jamais
épuisé, aucune chose n'est jamais dite, si elle ne l'a pas été
au moins vingt fois.

Le mariage de Lucy, objet de leur stupéfaction aussi
incessante que justifiée, fut naturellement le sujet de leurs
premiers entretiens; et la connaissance particulière qu'Elinor
avait des deux parties en cause, lui faisait considérer la chose
comme un des événements les plus extraordinaires et les
plus imprévisibles dont elle eût jamais entendu parler. Comment ils avaient pu se joindre, quelle attraction avait bien
pu amener Robert à épouser une personne dont elle-même
lui avait entendu dénigrer le physique, déjà fiancée à son
frère et, à cause de laquelle, ce frère avait été renié par sa
famille. C'était au-dessus de sa compréhension. Pour son
cœur, c'était une chose délectable, pour son imagination
une aventure complètement ridicule. Mais, pour sa raison,
c'était une pure énigme.

Edward put seulement essayer une explication en supposant que, peut-être, lors d'une première rencontre fortuite,
la flatterie de l'une avait si bien mordu sur la vanité de l'autre
que le reste avait suivi par degrés; Elinor se rappela alors
ce que Robert lui avait dit à Harley-Street, au sujet de ce que
sa propre médiation aurait pu faire sur les affaires de son
frère. Elle le répéta à Edward.

— Voilà qui est exactement de Robert, observa-t-il
aussitôt. Et c'est, peut-être, ce qu'il avait en tête au moment

où ils ont fait connaissance. Peut-être que Lucy ne songeait d'abord qu'à assurer ses bons offices en ma faveur. Par la suite, elle a pu concevoir d'autres desseins.

Combien de temps cela avait-il pris ? il était également incapable de le dire. Car, à Oxford, où il était volontairement resté depuis son départ de Londres, il n'avait des nouvelles de Lucy que par elle-même et ses lettres, jusqu'à la fin, n'étaient ni moins fréquentes ni moins affectueuses qu'à l'ordinaire. Il n'avait pas eu, en conséquence, le moindre soupçon de ce qui allait suivre; et lorsque, enfin, la vérité explosa dans une lettre de Lucy elle-même, il resta quelque temps abasourdi moitié par la surprise et l'horreur, et moitié par la joie que lui apportait une telle délivrance. Il mit la lettre entre les mains d'Elinor.

« Cher Monsieur,

Étant bien sûre d'avoir, depuis longtemps, perdu votre affection, j'ai pensé que j'étais libre d'accorder la mienne à un autre et je n'ai aucun doute que je serai aussi heureuse avec lui que j'avais cru, autrefois, devoir l'être avec vous. Je dédaigne d'accepter la main de quelqu'un quand son cœur est ailleurs. Je vous souhaite sincèrement d'avoir été heureux dans votre choix et ce ne sera pas ma faute, si nous ne sommes pas toujours bons amis, comme il conviendrait à notre nouvelle parenté. Je puis vous assurer que je n'ai pour vous aucun ressentiment, et je suis sûre que vous êtes trop généreux pour nous rendre aucun mauvais office. Votre frère a entièrement gagné mon affection, et, comme nous ne pouvions vivre l'un sans l'autre, nous revenons précisément de l'autel, et sommes sur le point d'aller passer quelques semaines à Dawlish, un endroit que votre cher frère a grande envie de connaître, mais j'ai pensé que je devais d'abord vous importuner avec ces quelques lignes. Je resterai toujours

Votre sincère et bienveillante amie et sœur,

Lucy Ferrars. »

P.-S. — J'ai brûlé toutes vos lettres et vous retournerai votre portrait à la première occasion. Veuillez détruire mes gribouillages; mais l'anneau avec la boucle de cheveux, vous serez bien aimable de le garder.

Elinor lut et lui rendit la lettre sans aucun commentaire.

— Je ne vous demande pas votre opinion sur sa rédaction,

dit Edward. Pour rien au monde, je n'aurais voulu vous
laisser voir précédemment une lettre d'elle. C'est déjà pénible chez une belle-sœur, mais chez une femme ! Comme j'ai
rougi devant les pages de son écriture ! Et je puis dire que,
depuis les six premiers mois de notre fol engagement,
c'est la première fois que je reçois d'elle une lettre dont le
contenu me fasse passer sur les défauts du style.

— De quelque façon que ce soit arrivé, dit Elinor après
une pause, ils sont certainement mariés. Et votre mère s'est
attirée une punition bien appropriée. L'indépendance qu'elle
a donnée à Robert par colère contre vous, lui a permis de
faire son propre choix; et elle a favorisé un fils de mille
livres de rente, pour accomplir précisément la chose dont
la seule intention lui avait fait déshériter l'autre. Elle n'a
pas dû être moins choquée, j'imagine, que si c'était vous
qui aviez épousé Lucy.

— Elle a dû l'être davantage, car Robert avait toujours
été son préféré. Elle l'a été davantage et, en vertu du premier
principe, elle lui pardonnera beaucoup plus tôt.

Quel était l'état des affaires entre eux, Edward l'ignorait.
Car il n'avait pas, jusqu'à présent, essayé de se mettre en
communication avec personne de sa famille. Il avait quitté
Oxford vingt-quatre heures après la lettre de Lucy, avec
une seule idée, son voyage immédiat à Barton, et n'avait
pas eu le loisir de former aucun plan de conduite en dehors
de son voyage. Il ne pouvait rien faire avant que Miss Dashwood eût fixé son sort et, à en juger par sa précipitation à
venir chercher la réponse, et en dépit de la jalousie qui l'avait
jadis effleuré au sujet du colonel Brandon, en dépit de la
modestie avec laquelle il jugeait ses propres mérites, et de
la politesse avec laquelle il parlait de ses doutes, il ne s'attendait pas, en somme, à une réception trop cruelle. C'était à
lui, pourtant, de le dire, et il le fit fort gentiment. Ce qu'il
put dire sur ce sujet, un an après est laissé à l'imagination
des maris et de leurs femmes.

Il était parfaitement clair pour Elinor que Lucy, par la
commission donnée à Thomas, avait voulu prendre congé
sur un trait de méchanceté à l'égard d'Edward. Et Edward
lui-même, maintenant pleinement éclairé sur son caractère,
ne se fit pas scrupule de lui attribuer cette perfidie bien digne
de la bassesse foncière de sa nature. Sans doute, ses yeux
s'étaient depuis longtemps ouverts, avant même qu'il fît la

connaissance d'Elinor, sur son ignorance et la mesquinerie de certaines de ses opinions, mais il avait mis tout cela sur le compte de son manque d'éducation, et, jusqu'à la réception de sa dernière lettre, il l'avait toujours considérée comme une jeune fille bien intentionnée, ayant bon cœur et entièrement attachée à lui. Il ne fallait rien moins que cette conviction pour l'empêcher de mettre fin à un engagement qui, bien avant que sa révélation l'ait brouillé avec sa mère, n'avait cessé d'être pour lui une source de tourments et de regrets.

— Je savais que c'était mon devoir, dit-il, sans considérer mes sentiments, de lui donner le choix de maintenir ou de rompre l'engagement lorsque je fus renié par ma mère, et me trouvais, selon toute apparence, sans un ami au monde pour me venir en aide. Dans une pareille situation, où rien, me semble-t-il, ne pouvait tenter la cupidité ou la vanité de n'importe quelle créature, elle insista chaleureusement pour partager mon sort, quel qu'il fût; comment aurais-je pu penser qu'elle était guidée par autre chose que par l'affection la plus désintéressée? Et, en ce moment même, je ne puis comprendre quel mobile l'a poussée, ni quel avantage elle pouvait s'imaginer tirer du fait d'être liée à un homme pour lequel elle n'avait pas la moindre affection et qui possédait en tout et pour tout deux mille livres. Elle ne pouvait deviner que le colonel Brandon me donnerait une cure.

— Non, mais elle pouvait supposer que quelque chose finirait par tourner en votre faveur; que votre famille pourrait venir à composition avec le temps. Et, de toutes façons, elle ne perdait rien à maintenir son engagement, puisqu'il est prouvé qu'il ne gênait en rien ses sentiments, ni ses actions. L'alliance était certainement flatteuse, et devait probablement la poser auprès de ses connaissances et, si elle ne trouvait rien de mieux, il était préférable pour elle de vous épouser que de rester fille.

Edward fut immédiatement convaincu que rien n'avait été plus naturel que la conduite de Lucy, ni plus évident que ses raisons.

Elinor le gronda, avec la sévérité que les femmes affectent toujours à l'égard des imprudences qui les flattent, de lui avoir consacré tant d'assiduités à Norland, alors qu'il aurait dû avoir le sentiment de son inconstance.

— Votre attitude était certainement très blâmable, dit-elle, parce que, sans parler de mes sentiments, nos parents et amis devaient être induits par là à attendre, ce que votre situation rendait précisément impossible.

Il put seulement invoquer l'ignorance de son propre cœur, et sa trompeuse confiance dans la force de son engagement.

— Il m'était si simple de penser, que, puisque ma foi était promise à une autre, il n'y avait aucun danger à vous fréquenter; et que la conscience de mon engagement suffisait à tenir mon cœur de manière aussi sûre et sacrée que mon honneur. Je sentais bien que je vous admirais mais je me disais qu'il n'y avait là que de l'amitié; et, jusqu'au moment où je m'avisai de faire la comparaison entre vous et Lucy, je ne m'aperçus pas du chemin que j'avais fait. Après quoi, j'admets que j'ai eu tort de rester si longtemps dans le Sussex et les raisons que je me donnais pour m'encourager revenaient tout juste à ceci : « Le danger n'est que pour moi, je ne fais tort à personne qu'à moi-même ».

Elinor sourit en secouant la tête.

Edward apprit avec plaisir qu'on attendait le colonel Brandon au cottage et il souhaitait, non seulement de faire plus ample connaissance avec lui, mais d'avoir l'occasion de le convaincre qu'il ne lui en voulait plus de lui avoir donné la cure de Delaford; « car à présent, dit-il, après que je l'ai si maladroitement remercié à cette occasion, il doit croire que je ne lui ai jamais pardonné son offre. »

Il s'étonna alors, pour la première fois, de n'être jamais allée à Delaford. Mais il avait pris si peu d'intérêt à la chose que tout ce qu'il savait de la maison, du jardin, des terres, de l'étendue de la paroisse, de la nature du pays, du montant des redevances, il le devait à Elinor, qui avait entendu tous ces détails de la bouche du colonel Brandon et les avait écoutés avec tant d'attention qu'elle était entièrement maîtresse de son sujet.

Une question demeurait encore incertaine, une difficulté restait à surmonter. Ils étaient unis par leur affection mutuelle avec la chaleureuse approbation de leurs meilleurs amis. L'intime connaissance que chacun avait de l'autre semblait leur promettre un bonheur certain, et il leur manquait, seulement, d'avoir de quoi vivre. Edward possédait deux mille livres, et Elinor mille, ce qui avec la cure de Delaford, constituait leur avoir; car il était impossible à Mrs. Dashwood de rien avancer, et ils n'étaient pas assez aveuglé par l'amour pour croire qu'ils pourraient vivre décemment avec trois cent cinquante livres par an.

Edward n'avait pas abandonné tout espoir d'un changement favorable de sa mère à son égard; et il comptait là-dessus pour compléter ses revenus. Mais Elinor ne partageait pas cette confiance; car, puisque Edward ne voulait toujours pas épouser miss Morton, et que le choix qu'il avait fait n'avait obtenu de Mrs. Ferrars d'autre éloge que de constituer un moindre mal par rapport à Lucy Steeles, elle craignait que l'offense de Robert n'eût d'autre effet que d'enrichir Fanny.

Quatre jours environ après l'arrivée d'Edward, le colonel Brandon fit son apparition pour compléter la satisfaction de Mrs. Dashwood et lui donner l'orgueil d'avoir, pour la première fois, depuis son installation à Barton, plus d'hôtes qu'elle n'en pouvait loger. On fit bénéficier Edward du privilège du premier occupant, et, en conséquence, le colonel regagnait chaque soir ses anciens quartiers au Park d'où il revenait, chaque matin, d'assez bonne heure, pour interrompre le premier tête à tête des amoureux avant le breakfast.

Un séjour de trois semaines à Delaford où, pendant ses soirées tout au moins, il n'avait guère autre chose à faire que de calculer la disproportion qui existait entre un homme de trente-six ans et une jeune fille de dix-sept, l'avait amené à Barton dans un état d'esprit qui avait grand besoin de consolations. L'amélioration de la santé de Marianne, la gracieuseté de son accueil et tous les encouragements de sa mère, venaient lui redonner courage. Au milieu de tels amis, et entouré de leurs égards, il se sentit revivre. Il n'avait rien su du mariage de Lucy, il ne savait rien de ce qui s'était passé, de sorte que les premières heures de sa visite se passèrent en récit de la part de ses hôtes et en exclamations d'étonnement de son côté. Tout lui fut expliqué par Mrs. Dashwood et il trouva de nouvelles raisons de s'applaudir de ce qu'il avait fait pour Mr. Ferrars puisqu'il se trouvait avoir agi dans l'intérêt d'Elinor.

Il va sans dire que les deux gentlemen découvraient de nouvelles raisons de s'apprécier à mesure qu'ils faisaient plus ample connaissance; il ne pouvait pas en être autrement. Ils avaient les mêmes principes et le même bon sens, les mêmes façons de vivre et de juger qui auraient probablement suffi à les unir d'amitié, si rien d'autre ne les y avait poussés ; mais le fait qu'ils étaient amoureux de deux sœurs étroitement unies rendait inévitable et immédiate leur mutuelle sympathie qui aurait, sans cela, demandé plus de temps et de réflexion.

Le courrier de Londres qui, quelques jours plus tôt, aurait crispé d'angoisse tous les nerfs d'Elinor, arriva enfin, et fut lu avec moins d'émotion que de gaieté. Mrs. Jennings écrivait pour raconter la mirifique histoire, pour exhaler son honnête indignation, contre la perfidie de Lucy et pour exprimer sa pitié envers le pauvre Edward. Elle était sûre que ce dernier était follement épris de l'indigne friponne et, d'après ce qu'elle croyait savoir, se trouvait maintenant, le cœur brisé à Oxford. « Je ne crois pas, continuait-elle, qu'il se soit jamais rien vu de plus honteux. Car il n'y avait pas deux jours que Lucy était venue me voir et était restée deux heures avec moi. Personne ne soupçonnait rien, pas même Nancy, la pauvre qui vint, désolée, le lendemain tremblant à cause de Mrs. Ferrars et ne sachant pas comment retourner à Plymouth ; car Lucy semble-t-il, lui avait emprunté tout son argent avant d'aller se marier, sans doute, pour payer sa toilette, et la pauvre Nancy n'avait pas sept shillings en poche. Aussi ai-je été heureuse de lui donner cinq guinées pour rentrer à Exeter, où elle compte rester trois ou quatre semaines avec Mrs. Burgess, dans l'espoir, lui ai-je dit, de reprendre son flirt avec le docteur. Et je trouve que le procédé de Lucy, qui ne lui a pas offert de la prendre avec eux dans sa voiture est pire que tout. Pauvre Mr. Edward ! Sa pensée ne peut pas me sortir de la tête, mais vous pourriez l'inviter à Barton et Miss Marianne essayerait de le consoler. »

Le style de Mr. Dashwood était plus solennel : Mrs. Ferrars était la plus infortunée des femmes. La sensibilité de la pauvre Fanny avait été soumise à une épreuve effrayante et il tenait pour un heureux miracle qu'elles aient toutes deux survécu à un tel choc. L'offense de Robert était impardonnable, mais celle de Lucy l'emportait de beaucoup. Ni l'un ni l'autre ne devaient être désormais nommés devant Mrs. Ferrars ; et, même si elle venait, par la suite, à pardonner à son fils, elle ne regarderait jamais sa femme comme sa belle-fille et ne lui permettrait pas de paraître en sa présence. Le secret avec lequel ils avaient mené toute l'affaire, était naturellement invoqué comme une circonstance extrêmement aggravante, parce que si on avait eu quelque soupçon, on aurait pris les mesures nécessaires pour empêcher le mariage; et il comptait qu'Elinor se joindrait à lui pour regretter que le mariage de Lucy avec Edward ne se soit pas accompli, plutôt que de laisser cette créature devenir la cause d'un nouveau malheur pour la famille.

Il continuait ainsi :

— Mrs. Ferrars n'a jamais encore mentionné le nom d'Edward, ce qui ne nous surprend pas; mais, à notre grand étonnement, nous n'avons pas reçu de lui une ligne à cette occasion. Peut-être, cependant, garde-t-il le silence de peur d'être importun, et je vais, par conséquent lui suggérer par un mot à Oxford, que sa sœur et moi, pensons qu'une lettre de soumission appropriée de sa part, adressée, s'il veut, à Fanny et qui serait montrée par elle à sa mère, ne serait pas perdue car nous connaissons tous la tendresse du cœur de Mrs. Ferrars, et nous savons qu'elle ne désire rien tant que de vivre en bons termes avec ses enfants.

Ce paragraphe n'était pas sans importance pour les perspectives d'avenir d'Edward, et le détermina à tenter une réconciliation, quoique pas exactement de la façon envisagée par sa sœur et le frère d'Elinor.

— Une lettre de soumission appropriée! répéta-t-il; veulent-ils par hasard, que je demande le pardon de Robert pour son ingratitude envers elle, et son mauvais procédé envers moi? Je ne puis faire de soumission : ce qui s'est passé ne m'a rendu ni humble ni repentant. Je suis très heureux, mais cela ne les intéresse pas. Je ne vois pas que j'aie à faire acte de soumission.

— Vous pouvez certainement leur demander pardon, dit Elinor, parce que vous l'avez offensée et je croirais que vous pourriez maintenant aller jusqu'à exprimer quelque regret pour avoir contracté un engagement qui a attiré sur vous la colère de votre mère.

Il admit qu'il le pouvait.

— Et, quand elle vous aura pardonné, peut-être un peu d'humilité sera convenable en lui révélant un second engagement presque aussi imprudent à ses yeux que le premier.

Il n'y avait rien à objecter à cela, mais il résistait toujours à l'idée de la lettre de soumission. En conséquence, pour lui faciliter les choses, comme il se déclarait plus disposé à faire quelques concessions de vive voix que par écrit, on décida qu'au lieu d'écrire à Fanny, il irait à Londres, et solliciterait personnellement ses bons offices en sa faveur.

— Et si réellement, dit Marianne, ils s'intéressent à cette réconciliation, je penserai que même John et Fanny ne sont pas tout à fait dépourvus de mérite.

Après une visite qui, du côté du colonel Brandon, n'avait duré que trois ou quatre jours, les deux gentlemen partirent ensemble de Barton. Ils devaient aller immédiatement à Delaford pour qu'Edward prenne quelque connaissance de sa future résidence et décide avec son protecteur et ami des améliorations nécessaires; de là ils devaient, dans deux jours, partir pour Londres.

Après une résistance convenable de la part de Mrs. Ferrars, juste assez violente et décidée pour qu'on ne puisse pas lui reprocher, ce qu'elle craignait par-dessus tout, d'avoir été trop aimable, Edward fut admis en sa présence et reconnu de nouveau comme son fils.

Le nombre de ses enfants, à la vérité, s'était assez souvent modifié durant ces derniers temps. Pendant de nombreuses années Mrs. Ferrars avait eu deux fils. Or, après son crime, Edward avait complètement disparu de sa vie. Il ne lui restait plus que Robert. Peu de temps après, celui-ci suivait le même sort. Ainsi, pendant une quinzaine de jours se trouva-t-elle n'avoir qu'une fille. Et voici, maintenant qu'Edward renaissait à la vie familiale. En dépit de la permission qui lui était donné de vivre, il ne sentit pas cette existence assurée, jusqu'à ce qu'il eût révélé son engagement actuel; car il craignait que cette circonstance ne donnât un soudain accroc à son existence retrouvée, et ne le fît périr aussi rapidement que la première fois. Il en fit la révélation avec appréhension et prudence, et il fut écouté avec un calme inespéré. Mrs. Ferrars essaya d'abord de le dissuader d'épouser Miss Dashwood, par tous les arguments en son pouvoir, lui dit que dans une union avec Miss Morton, il trouverait une femme d'un rang plus élevé et d'une grande fortune, et renforça son assertion en observant que Miss Morton était la fille d'un grand seigneur avec trente mille livres, tandis que Miss Dashwood était seulement fille d'un simple gentleman qui ne lui en apporterait pas plus de trois; mais lorsqu'elle eut constaté, que tout en admettant la vérité de ce qu'elle disait, il n'était nullement disposé à se guider là-dessus, elle jugea plus sage, d'après l'expérience du passé de s'incliner, et, en conséquence, après un temps de réflexion assez déplaisant, mais suffisant pour sauvegarder sa dignité et écarter tout soupçon de bonne grâce de sa part, elle promulgua le décret par lequel elle consentait au mariage d'Edward et d'Elinor.

Il fallait maintenant envisager ce qu'elle consentirait à faire pour augmenter leurs ressources et on vit clairement alors que, si Edward était maintenant son seul fils, il n'était en aucune façon son aîné; car, tandis que Robert était irrévocablement doté de mille livres par an, elle ne vit pas la moindre objection à ce qu'Edward entrât dans la cléricature avec une dot de deux cent cinquante livres au maximum; et elle ne promettait rien d'autre, pour le présent et l'avenir, en dehors des dix mille livres, déjà données à Fanny.

C'était tout ce qu'on pouvait désirer et plus qu'on en attendait du côté d'Edward et d'Elinor. Mrs. Ferrars, elle-même, à en juger par ses explications embarrassées, semblait être la seule personne surprise de ne pas donner plus.

Assurés ainsi d'un revenu suffisant, Edward une fois mis en possession de son poste, ils n'avaient plus qu'à attendre la mise en état de la maison, à laquelle le colonel Brandon, dans son vif désir d'être agréable à Elinor, apportait des améliorations considérables; après avoir attendu quelque temps leur achèvement, et, suivant l'habitude, éprouvé force contrariétés et retards à cause de l'incroyable négligence des entrepreneurs, Elinor finit, comme il advient en pareil cas, par passer outre à sa résolution de ne pas se marier avant que tout fût fini, et la cérémonie eut lieu dans l'église de Barton au commencement de l'automne.

Ils reçurent, au début de leur installation, la visite de la plupart de leurs parents et amis : Mrs. Ferrars vint contempler le spectacle du bonheur, auquel elle était presque honteuse d'avoir consenti; et les Dashwood eux-mêmes firent la dépense d'un voyage dans le Sussex en leur honneur :

— Je ne dirai pas que je suis désappointé, ma chère sœur, dit John, un jour qu'ils se promenaient ensemble devant l'entrée de Delaford house, ce serait trop dire, car, au total, vous avez été certainement une des jeunes femmes les plus favorisées de ce monde; mais je l'avoue, j'aurais eu grand plaisir à avoir le colonel Brandon pour beau-frère, sa propriété, son domaine, sa maison, tout cela en si bonne et si respectable condition! Et ses bois! Je ne connais pas, dans tout le Dorsetshire, de futaies semblables à celles de Delaford Hanger.

Bien que Mrs. Ferrars fût venue les voir, et les traitât toujours avec les dehors d'une affection décente, elle ne leur fit jamais l'affront d'une faveur et d'une préférence réelles. Elle les réservait pour la folie de Robert et l'astuce de sa femme; et ils en furent favorisés peu de mois après. L'habileté égoïste de Lucy, qui avait été la première cause des embarras de Robert, fut le principal instrument qui l'en dégagea; car son respect plein d'humilité, ses attentions affectueuses et ses flatteries incessantes, aussitôt que la moindre occasion se présentait, réconcilièrent Mrs. Ferrars avec le choix de son fils, et le rétablirent complètement dans sa faveur.

Toute l'attitude de Lucy dans cette affaire, et le succès qui la couronna, peut être, en conséquence, donné comme un exemple encourageant de ce qu'une attention éveillée et incessante à son intérêt personnel, peut faire pour s'assurer, à travers tous les obstacles, tous les avantages de la fortune, sans qu'on ait à sacrifier autre chose que son temps et sa conscience. Lorsque Robert fit d'abord sa connaissance et alla la voir secrètement à Barlett's Buildings, c'était seulement dans le but que lui imputait son frère. Il se proposait simplement de lui faire abandonner son engagement; et, comme il n'y avait pas d'autre obstacle qu'une affection mutuelle, il comptait naturellement qu'une ou deux entrevues suffiraient pour cela. C'est sur ce point, et ce point seul, qu'il se trompait. Car bien que Lucy lui ait laissé espérer, dès l'abord, que son éloquence arriverait à la convaincre avec le temps, il s'en fallait toujours d'une visite, d'une conversation, pour amener le résultat. Quelques doutes flottaient toujours dans son esprit au moment de son départ, qui nécessiteraient une nouvelle conversation d'une demi-heure avec lui. Elle le maintenait ainsi à sa portée et le reste suivit naturellement. Au lieu de parler d'Edward, ils en vinrent à ne plus parler que de Robert, un sujet sur lequel il avait toujours à dire plus que sur tout autre, et auquel elle laissa voir bientôt un intérêt égal au sien. Et, bref, il devint bientôt évident, pour tous deux, qu'il avait supplanté son frère.

Il était fier de sa conquête, fier de jouer un tour à Edward, et spécialement fier de se marier lui-même sans le consentement de sa mère. On sait les suites immédiates. Ils passèrent quelques mois fort heureux à Dawlish, car elle avait à rompre avec beaucoup d'anciennes connaissances et lui, comme c'était sa marotte, imaginait de magnifiques plans de cottages. De là, à l'instigation de Lucy, ils retournèrent à Londres, en vue d'obtenir le pardon de Mrs. Ferrars, par le simple procédé qui consistait à le demander.

Comme de juste, le pardon ne s'étendit d'abord qu'à Robert, et Lucy qui n'avait aucun devoir envers sa belle-mère, et, par conséquent, ne pouvait en avoir transgressé aucun, demeura encore proscrite quelques semaines. Mais l'humilité persévérante de sa conduite, ses messages où elle prenait à son compte l'offense de Robert, et sa gratitude pour les mauvais procédés qu'elle avait essuyés, lui procurèrent, en temps voulu, une marque hautaine d'attention, qu'elle accueillit comme une bouleversante faveur, et la mena peu à peu, ensuite, par degrés rapides, à une très haute place dans l'affection de Mrs. Ferrars. Lucy devint plus nécessaire à Mrs. Ferrars, que Robert et Fanny; et, tandis qu'Edward n'était jamais sincèrement pardonné pour avoir voulu l'épouser et qu'elle parlât d'Elinor, bien que supérieure en naissance et en fortune, comme d'une intruse, Lucy était sous tous les rapports, ouvertement considérée comme l'enfant préférée. Ils habitaient Londres, recevaient la plus large assistance de Mrs. Ferrars, étaient dans les meilleurs termes possibles avec les Dashwood et, si l'on passe sur les jalousies et la mauvaise entente perpétuelles entre Lucy et Fanny auxquelles leurs maris prenaient naturellement part, et aussi sur les fréquentes querelles de ménage entre Robert et Lucy, rien n'était plus beau que l'harmonie dans laquelle ils vivaient.

Le mariage d'Elinor la sépara de sa famille aussi peu que possible sans rendre entièrement inutile le cottage de Barton, car sa mère et sa sœur partageaient leur temps entre Barton et Delaford. Mrs. Dashwood multipliait ses visites à Delaford autant par politesse que par plaisir; car son désir d'unir Marianne et le colonel Brandon était à peine moins vif, quoique beaucoup plus désintéressé, que celui qu'avait exprimé John. C'était maintenant son objectif favori. Si précieuse que lui fût la compagnie de sa fille, elle ne désirait rien tant que d'en donner l'entier bénéfice à son cher ami; et voir Marianne installée au manoir était également le vœu d'Edward et d'Elinor. Ils avaient conscience des peines de leur hôte et de leurs obligations envers lui, et Marianne n'était-elle pas la récompense toute trouvée de ses bienfaits ?

En présence d'une telle coalition, connaissant la bonté du colonel et s'étant enfin aperçue de son tendre attachement, que pouvait-elle faire ?

Marianne Dashwood était née pour un destin extraordinaire ; il devait lui être donné de découvrir la fausseté de ses propres opinions et de contredire, par sa conduite, ses maximes les plus favorites. Elle devait renier une affection formée à un âge aussi avancé que dix-sept ans, et sans un sentiment plus fort qu'une profonde estime et une vive amitié, donner volontairement sa main à un autre. Et cet autre qui, comme elle, avait souffert d'un amour malheureux, avait été jugé par elle, deux ans auparavant, trop âgé pour se marier et tout juste bon à soigner ses rhumatismes. Pourtant, c'était ainsi. Au lieu de s'immoler en sacrifice à une irrésistible passion, comme elle s'était flattée de le faire, au lieu même de demeurer toujours avec sa mère, et de chercher son seul plaisir dans la solitude et l'étude comme elle s'y était déterminée plus tard par un jugement plus mesuré et plus rassis, elle se trouva, à dix-neuf ans, engagée dans un nouvel attachement, acceptant de nouveaux devoirs, placée dans une nouvelle demeure, femme, maîtresse de maison et dame patronnesse d'un village.

Le colonel Brandon était maintenant aussi heureux qu'il le méritait, de l'avis de ses meilleurs amis, Marianne le consolant de toutes ses afflictions passées ; ses attentions et sa compagnie lui rendirent l'animation et la gaieté ; et que Marianne trouvât son propre bonheur, fut la conviction et fit l'enchantement de tous les amis qui l'observaient. Marianne ne pouvait jamais aimer à moitié ; et, en peu de temps, tout son cœur fut à son mari, comme il l'avait d'abord été à Willoughby.

Mrs. Dashwood eut assez de sagesse pour demeurer chez elle sans essayer de revenir à Delaford. Et, par bonheur, pour sir John et Mrs. Jennings, quand Marianne leur fut enlevée, Margaret avait atteint un âge tout à fait convenable pour la danse, et il ne devenait plus impossible de lui prêter un amoureux.

Entre Barton et Delaford, les communications étaient constantes, comme c'était naturel quand on songe à la vive affection familiale qui unissait leurs habitants, et, chose rare et méritoire, bien que sœurs et à peu près continuellement ensemble, Elinor et Marianne purent vivre sans aucune dispute et sans amener entre leurs époux le moindre désaccord.

NOTE BIOGRAPHIQUE
SUR JANE AUSTEN

Sa naissance, sa famille.

Jane Austen est née le 16 décembre 1775 à Steventon Rectory, dans le comté du Hampshire, avant-dernière-née et deuxième fille d'une famille de huit enfants. Son père, George Austen, était clergyman. Sa mère, née Cassandra Leigh, comptait parmi ses ancêtres sir Thomas Leigh, qui fut Lord-maire de Londres au temps de la reine Elizabeth. Son grand-père maternel était clergyman; mais son grand-père paternel n'était que chirurgien.

Les premières années.

Les revenus de la famille Austen étaient modestes mais confortables; leur maison de deux étages, le Rectory, agréable comme savait déjà l'être une maison de clergyman dans le Hampshire à la fin du XVIIIᵉ siècle : des arbres, de l'herbe, un chemin pour les voitures, une grange même. On sait que la jeune Jane, comme Catherine Morland, l'héroïne de *Northanger Abbey*, aimait à rouler dans l'herbe de haut en bas de la pelouse en pente avec son frère préféré, Henry (son aîné d'un an) ou sa sœur Cassandra. Il n'est pas impossible qu'elle ait également préféré grimper aux arbres, battre la campagne les jours de pluie, à des activités plus convenables pour une petite fille du Hampshire dans une famille de clergyman, comme « soigner un loir, élever un canari... ».

Écoles.

En 1782, Cassandra et Jane (alors âgée de sept ans seulement, mais elle n'avait pas voulu se séparer de sa sœur —

elles ne se quittèrent guère de toute leur vie —) furent
envoyées à l'école, d'abord à Oxford, dans un établissement
dirigé par la veuve du principal de Brasenose College, puis
à Southampton, enfin à l'Abbey School de Reading, sous
la surveillance de la bonne et vieille Mme Latournelle; les
études n'étaient pas trop épuisantes, semble-t-il, puisque
les demoiselles étaient laissées libres de leur temps après une
ou deux heures de travail chaque matin.

Éducation.

De retour au Rectory (après une fuite précipitée de Reading à cause d'une épidémie), les deux sœurs complétèrent
leur éducation grâce aux conversations familiales (les frères
furent successivement étudiants à Oxford) et surtout à l'aide
de la bibliothèque paternelle qui était remarquablement
fournie, et à laquelle elles semblent avoir eu accès sans
aucune restriction. Jane lut beaucoup : Fielding et Richardson, Smollet et Sterne, les poèmes élégiaques de Cowper
et le livre alors célèbre de Gilpin sur le « pittoresque » (la passion des jardins et paysages est une des sources fondamen-
tales du roman anglais); quelques classiques, un peu d'histoire, des romans surtout. La famille Austen était grande
dévoreuse de romans (sentimentaux ou gothiques — ce
sont bientôt les années triomphales de Mrs. Radcliffe); les
romans paraissaient par centaines, et on pouvait se les procurer aisément pour pas cher grâce aux bibliothèques circu-
lantes de prêt qui venaient d'être inventées. On lisait souvent à haute voix après le dîner. Jane, bien entendu, apprit
le français (indispensable à l'époque pour un amateur de
romans), un peu d'italien, chantait (sans enthousiasme), cou-
sait, brodait, dessinait (bien moins bien que Cassandra),
jouait du piano et bien sûr aussi dansait; toutes occupations
indispensables à son sexe et à son rang et destinées à la
préparer à son avenir, le mariage. De toutes ces activités,
Jane semble avoir préféré la danse (dans sa jeunesse) et la
lecture (toujours). Les enfants Austen, avec l'aide de quelques cousins et voisins, avaient également une grande passion
pour le théâtre et des représentations fréquentes étaient
données dans la grange (en été) ou dans le salon (en hiver).

La passion d'écrire.

Tout le monde, ou presque, écrivait dans la famille Austen : le père, ses sermons ; Mme Austen des vers élégiaques ; les frères des essais pour les journaux étudiants d'Oxford ; sans oublier les pièces de théâtre où tous mettaient la main. Jane Austen a commencé très tôt à écrire, encouragée sans doute par les nombreux exemples familiaux dont les productions étaient constamment et vivement discutées pendant les longues soirées d'hiver. Elle s'est très tôt orientée vers le récit, et tout particulièrement vers des parodies des romans sentimentaux alors à la mode et qui constituaient le fonds des bibliothèques de prêt, donc des lectures romanesques familiales. Les « œuvres de jeunesse » qui ont été conservées, soigneusement copiées de sa main en trois cahiers intitulés Volume I, II et III, contiennent des réussites assez étonnantes, surtout si on pense qu'elles ont été composées entre la douzième et la dix-septième année de l'auteur : ainsi le roman par lettres *Love and friendship* (« Amour et amitié ») dont la liberté de ton aurait peut-être offusqué la reine Victoria.

Bals.

Aux plaisirs du théâtre, de la lecture, de l'écriture, aux promenades et aux conversations s'ajoutèrent bientôt ceux de la danse, lors de ces bals qui étaient une part importante de la vie sociale de Steventon et des villages proches. C'était d'ailleurs l'occasion à peu près unique qu'avaient les jeunes gens de cette classe de la société de se rencontrer, et par conséquent le lieu par excellence des espérances matrimoniales (on verra le rôle essentiel du bal dans l'économie de *Northanger Abbey* ou d'*Orgueil et préjugés*, par exemple).

Comment était-elle ?

On n'a pas conservé de portrait de Jane Austen à cette époque (pas plus qu'à une autre, puisqu'on n'a qu'un dessin d'elle, dû à Cassandra) et les descriptions sont plutôt rares. Il faut pratiquement se contenter d'une seule phrase (d'un ami de la famille, sir Egerton Brydges) : « Elle était assez belle, petite et élégante, avec des joues peut-être un peu trop pleines. » C'est peu.

Les lettres à Cassandra.

La source la plus importante de renseignements sur Jane Austen est le recueil des lettres écrites par elle à sa sœur

Cassandra, qui fut sans aucun doute la personne la plus proche d'elle pendant toute sa vie. Bien entendu, elles ne nous renseignent que sur les périodes où les deux sœurs se trouvaient séparées, ce qui ne se produisit pas si souvent ni très longtemps. En outre, au grand désespoir des biographes, Cassandra, qui lui survécut, a soigneusement et sans hésitation expurgé les lettres qu'elle n'a pas détruites de tout ce qui pourrait nous éclairer sur la vie privée et sentimentale de sa sœur. La perte pour nous est grande, pour notre curiosité, mais la réticence est trop évidemment en accord avec la philosophie générale de l'existence de la romancière pour que nous puissions sans mauvaise foi en faire reproche à miss Austen (Cassandra). Les lettres conservées sont une mine d'observations vives, drôles et méchantes sur le monde et les gens qui l'entourent. Et leur acidité n'y est pas, comme dans la prose narrative, adoucie par la généralisation. Un exemple : « Mrs. Hall, de Sherbourne, a mis au monde hier prématurément un enfant mort-né, à la suite, dit-on, d'une grande frayeur. Je suppose qu'elle a dû, sans le faire exprès, regarder brusquement son mari. »

Le temps passe.

Cependant les enfants Austen grandissent et la famille commence à se disperser. Les garçons s'installent, les plus jeunes entrent dans la Navy (c'est l'époque, grave pour l'Angleterre, des guerres de la Révolution française et des ambitions napoléoniennes : en 1796 le bateau de Charles Austen, la *Licorne* capturera deux navires français). Mais Cassandra et Jane auront, elles, ce triste et fréquent destin du xixe siècle anglais : elles resteront vieilles filles. Cassandra à cause de la mort prématurée à Saint-Domingue de son fiancé, Thomas Fowle; quant à Jane, sa vie sentimentale nous reste à jamais impénétrable.

Les premierss romans (1795-1800).

En 1795, Jane Austen commence un roman par lettres intitulé *Elinor et Marianne*, première version de ce qui allait plus tard devenir *Sense and sensibility* « Raison et sentiments ». Aussitôt terminé et lu à haute voix devant le cercle familial, il est suivi d'un second, dont le titre est alors *First impressions* « Premières impressions », qui deviendra, lui, *Pride and prejudice* « Orgueil et préjugés ». Enfin, en 1798, elle écrit *Susan* qui sera *Northanger Abbey*. Ces trois romans, sous leur forme initiale, ont donc été écrits entre sa vingtième et sa vingt-cinquième année. Cette première grande période créatrice, brusquement interrompue en 1800 (elle sera suivie de dix ans de presque silence), donne, malgré les révisions importantes que les trois romans subiront ultérieurement, tout son éclat d'enthousiasme de jeunesse et peut-être de bonheur à la prose telle que nous pouvons la lire aujourd'hui. Ces premiers essais très sérieux de Jane Austen ne semblent pas être sortis du cercle familial, mais on sait qu'en 1797 George Austen tenta sans succès d'intéresser un éditeur au manuscrit de *First impressions*.

Bath.

En 1800, Mr. Austen (qui a alors presque soixante-dix ans) décide brusquement de se retirer et d'abandonner Steventon pour la vie urbaine et élégante de Bath. Cette trahison soudaine du pastoral Hampshire n'eut guère la faveur de Jane et la légende veut qu'en apprenant la nouvelle, le 30 novembre 1800, au retour d'une promenade matinale, elle se soit évanouie. Et, comme l'héroïne de *Persuasion*, Anne Elliott, elle « persista avec détermination, quoique silencieusement, dans son aversion pour Bath ». Aujourd'hui, pour l'amateur fanatique des romans de Jane Austen, pour celui qui appartient à la famille des «janeites» inconditionnels, un pèlerinage à Bath, qui joue un rôle si important dans tant de pages de ses récits, est une visite aussi heureuse qu'obligée; mais il ne doit pas perdre de vue que son héroïne n'aima jamais vraiment y vivre. En 1803, probablement sur l'intervention d'Henry, le manuscrit de *Susan* (le futur *Northanger Abbey*) fut vendu pour la somme de dix livres sterling à un éditeur du nom de Crosby qui d'ailleurs s'empressa de l'oublier. C'est peut-être sous l'impulsion de cette espérance momentanée que Jane entreprit un nouveau roman *The Watsons*, son seul effort sans doute des années de Bath, mais abandonné hélas en 1805, après quelques chapitres. Ce que nous ne pouvons que regretter.

La mort du père.

Le 21 janvier 1805, la mort de Mr. Austen vint plonger brusquement les femmes de la famille dans une situation matérielle qui, sans être jamais véritablement difficile, se révéla néanmoins à peine suffisante pour leur permettre de maintenir leur mode de vie « décent » habituel. Mme Austen, Jane et Cassandra se trouvèrent en outre en partie sous la dépendance financière des frères Austen, c'est-à-dire à la fois de leur générosité variable et de leur fortune fluctuante; situation qui, pour n'être pas rare à l'époque, n'en est pas moins inconfortable. Toute idée de mariage abandonnée par les deux sœurs, en même temps que les distractions frivoles mais délicieuses de leur jeunesse, elles se résignèrent à la vie plutôt terne des demoiselles célibataires, avec les obligations de visites, de charité, et de piété, les distractions de la lecture et des commentaires sur le monde; s'occupant tour à tour des innombrables enfants Austen, neveux et nièces, les éduquant, les distrayant, les conseillant ou les réprimandant selon les âges, les humeurs ou les circonstances. C'est de cette époque que date l'image, pieusement conservée dans la mémoire familiale de *dear aunt Jane*, la « chère tante Jeanne » de la légende austennienne, qui exaspérait si fort Henry James.

Chawton.

Cependant en 1808 les trois femmes quittent Bath (sans regret au moins en ce qui concerne Jane) et, après des séjours à Clifton puis à Southampton, s'installent, pour ce qui devait être les dernières années de la vie de Jane Austen, dans un petit cottage du village de Chawton, proche d'Alton, sur la route de Salisbury à Winchester. C'est là que l'essentiel de l'œuvre telle que nous la connaissons a été écrit.

Les premiers succès.

En 1809, Jane Austen tente vainement de ressusciter l'intérêt de l'éditeur Crosby pour le manuscrit autrefois acheté par lui de *Susan*. Crosby se borne à en proposer le rachat; ce qui est fait (la transaction se déroule par un intermédiaire discret, car Jane tient à conserver l'anonymat). Cependant en 1811 *Sense and sensibility*, forme définitive de l'*Elinor and Marianne* de 1795, est accepté par un éditeur londonien, Thomas Egerton. Elle corrige les épreuves en avril à Londres, au 64 de Sloane Street, lors d'une visite dans la famille de son frère préféré Henry. Le livre paraît en novembre et est vendu 15 shillings. Ce fut un succès d'estime. La première édition, un peu moins de mille exemplaires, fut épuisée en vingt mois et Jane reçut 140 livres, somme inespérée et bienvenue pour quelqu'un qui devait se contenter d'un budget très modeste et n'avait pratiquement aucun argent à elle pour son habillement et ses dépenses personnelles. *Sonso and sonsibility* parut anonymement et, dans la famille même, seule Cassandra paraît avoir été au courant. Jane entreprit alors la révision de *First impressions* transformé en *Pride and prejudice*, et, simultanément (?) la composition d'un nouveau roman, le premier de sa maturité, *Mansfield Park*. *Pride and prejudice*, vendu 110 livres à Egerton en novembre 1812, parut, le 29 juin 1813, à 18 shillings; le premier tirage était de 1 500 exemplaires environ. Sur la couverture on lisait : *Pride and prejudice. A novel. In three volumes. By the author of « Sense and sensibility »*. Le succès cette fois fut nettement plus grand. La première édition fut épuisée en juillet, une deuxième sortit en novembre en même temps qu'une deuxième édition de *Sense and sensibility* et Jane pouvait écrire fièrement à Henry « qu'elle venait de mettre 250 livres à la banque à (son) nom et que cela (lui) en faisait désirer davantage ». Miss Annabella Milbanke, la future Mme lord Byron, écrivait pendant l'été à sa mère, en lui recommandant la lecture de *Pride and prejudice* que « ce n'était pas un livre à vous arracher des larmes; mais l'intérêt en est cependant très vif, particulièrement à cause de Mr. Darcy ». Un an plus tard c'est *Mansfield Park* et de nouveau 1 500 exemplaires vendus en six mois.

Emma.

Pour son cinquième roman (et le deuxième entièrement écrit à Chawton) *Emma* (premier tirage de 2 000 exemplaires), respectueusement dédié au prince régent, Jane, sans doute désireuse d'améliorer encore les revenus inespérés que lui procurait maintenant la littérature (et peut-être aussi dans l'espoir de venir en aide de manière plus efficace à son frère Henry dont les affaires n'étaient guère brillantes), changea d'éditeur et s'adressa à un Mr. Murray (« c'est un bandit mais si poli », écrit-elle); mais comme c'est Henry qui se chargea des négociations, il ne semble pas qu'elle y ait gagné beaucoup. Pour *Emma*, qui reçut encore une fois du public un excellent accueil, Jane Austen eut sa première critique un peu sérieuse (elle devait attendre bien longtemps une étude critique digne d'elle) due rien moins qu'à la plume auguste de sir Walter Scott qui restera jusqu'à sa mort son admirateur fervent. Elle en fut extrêmement flattée, regrettant seulement que dans son rapide examen de ses premiers romans il n'ait pas mentionné *Mansfield Park*. Cependant l'anonymat de Jane n'avait pas résisté au succès de *Pride and prejudice* ni à l'innocente vanité fraternelle d'Henry; mais Jane, qui détestait les rapports mondains, eut vite fait de décourager les curiosités des snobs et ne modifia en rien son mode de vie antérieur. Le prince régent fut très content de la dédicace de cet auteur brusquement si favorablement commenté dans les salons et, par l'intermédiaire de son chapelain privé, le révérend Clarke fit sonder l'auteur d'*Emma* sur la possibilité de la voir entreprendre la composition d'un roman historique, exaltant l'auguste maison de Coburg, dont le dernier héritier, le prince Léopold, était fiancé à la princesse Charlotte, fille du régent. La réplique de Jane est célèbre : « Je n'envisage pas plus d'écrire un roman historique qu'un poème épique. Je ne saurais sérieusement entreprendre une telle tâche, sauf peut-être au péril de ma vie; et si par hasard je pouvais m'y résoudre sans me moquer de moimême et du monde, je mériterais d'être pendue avant la fin du premier chapitre. »

Fin de vie.

Le dernier roman de Jane, *Persuasion*, fut commencé le 8 août 1815, parallèlement à la révision de *Susan*, qui devint *Northanger Abbey*. Elle ne devait pas les voir publiés de son vivant; avant même l'achèvement de *Persuasion*, elle était déjà sérieusement malade, probablement, si l'on se fie au diagnostic récent de Zachary Cope dans le *British medical journal* du 18 juillet 1964, de la maladie d'Addison, alors non identifiée. Au début de 1817, pour être plus près de son médecin, le docteur Lyford, elle vint s'installer à Winchester, dans une maison de College Street, proche de la cathédrale. Et c'est là qu'elle mourut, laissant inachevé un dernier roman *Sanditon*, regret éternel des « janeites », début peut-être irrémédiablement arrêté d'une « nouvelle manière »; on était le 18 juillet 1817, et Jane Austen avait quarante et un ans. Elle est enterrée dans la cathédrale de Winchester et l'inscription funéraire gravée par la famille sur une dalle souligne les qualités estimables de son caractère mais ne fait pas la moindre allusion à sa prose.

Jacques ROUBAUD
1978

Note bibliographique

L'édition des œuvres de Jane Austen qui fait autorité est celle qu'a donnée R.W. Chapman à l' « Oxford University Press », elle comprend :

Vol. I : *Sense and sensibility*
Vol. II : *Pride and prejudice*
Vol. III : *Mansfield Park*
Vol. IV : *Emma*
Vol. V : *Northanger Abbey et Persuasion*
Vol. VI : *Œuvres mineures.*

R.W. Chapman a également publié, chez le même éditeur, les *Lettres* de Jane Austen.

Une édition de poche courante des romans et de certaines autres œuvres *(Sanditon, The Watsons et Lady Susann)* existe en « penguin ».

L'étude, classique, sur Jane Austen, est celle de Mary Lascelles, *Jane Austen and her art.* Elle date de 1939, mais a été rééditée récemment par *Oxford University Press.*

Pour une biographie illustrée de Jane, voir par exemple, Marghanita Laski : *Jane Austen and her world*, Thames and Hudson.

J.R.

L'IMPRESSION ET LE BROCHAGE DE CE LIVRE
ONT ÉTÉ EFFECTUÉS PAR LA SOCIÉTÉ NOUVELLE FIRMIN-DIDOT
POUR LE COMPTE DES ÉDITIONS U.G.E.
LE 14 MARS 1986

Imprimé en France
Dépôt légal : 1er trimestre 1982
N° d'édition : 1328 – N° d'impression : 4163

Nouveau tirage 1986